D1498234

QUAND TU LIRAS CES MOTS

Quarante mots pour la neige
Sous un ciel de tempête
Surgie de nulle part

www.lemasque.com

Giles Blunt

QUAND TU LIRAS CES MOTS

Traduit de l'anglais (Canada) par Oristelle Bonis

ÉDITIONS DU MASQUE
17, rue Jacob 75006 Paris

Titre original

The Fields of Grief

publié par HarperCollins*Publishers*, Londres, 2006

Ouvrage publié sous la direction de
Marie-Caroline Aubert

ISBN : 978-2-7024-3332-4

À Janna

Je sais que je pourrais tuer quelqu'un.
Je sais que je pourrais me tuer.

Sylvia Plath,
Journaux 1950-1962 (Gallimard, 1999)

1

Ni le malheur ni la misère ne semblaient pouvoir toucher Madonna Road. Lovée le long de la berge occidentale d'un petit lac proche de la ville d'Algonquin Bay, dans l'Ontario, cette voie paisible aux senteurs de pinède est un refuge pour les jeunes couples aisés avec enfants, les yuppies amateurs de canoë-kayak et le peuple ravissant des petits suisses – ces écureuils rayés d'Amérique du Nord tellement plus vifs que les chiens qui les coursent. Typiquement le genre d'endroit calme, ombragé, à l'écart des foules sans être loin de tout, où miroite la promesse d'être exempté de la tragédie et de la souffrance.

L'inspecteur John Cardinal et sa femme, Catherine, habitaient la plus petite maison de Madonna Road, un bungalow minuscule qu'ils n'auraient jamais eu les moyens d'acheter si sa situation, de l'autre côté de la route le séparant du lac, ne les avait pas privés du luxe de posséder un centimètre de plage, un millimètre de berge. Cardinal passait l'essentiel de ses week-ends au sous-sol, à respirer les odeurs de sciure, de peinture et de vernis Minwax, car le travail du bois lui procurait un sentiment de créativité et de maîtrise qui ne trouvait guère à s'exprimer au poste de police.

Même quand il n'était pas occupé par ses activités de menuiserie, il appréciait l'atmosphère de sa petite maison empreinte de la sérénité des bords du lac. L'automne, la période la plus paisible de l'année, mûrissait tranquillement en ces premiers jours d'octobre. Les hors-bord et les jet-skis avaient été remisés, les rugissements des motoneiges ne troublaient pas encore les étendues de neige et de glace.

À Algonquin Bay, la saison automnale rachetait les trois autres. Les mille et une teintes d'écarlate et de rouille, d'ocre et d'or répandues à profusion sur les collines, le bleu effarant du ciel faisaient presque oublier l'été d'une moiteur accablante, le festival d'insectes qui gâchait le printemps, le froid coupant, implacable de l'hiver. Plaque d'onyx noir au milieu du brasier, le lac des Truites se parait alors d'un calme surnaturel. Cardinal était toujours pris de court devant la beauté de l'automne, lui qui avait pourtant grandi dans la région (à l'époque, tout cela lui paraissait simplement normal) et vivait de nouveau à Algonquin Bay depuis une bonne dizaine d'années déjà. Tant de splendeur lui donnait envie de passer tous ses moments libres chez lui. Ce soir-là, il n'avait qu'une heure de battement, mais il n'avait pas hésité à faire le trajet de quinze minutes entre le boulot et la maison pour dîner en une demi-heure avec sa femme avant de repartir.

Catherine, qui venait d'avaler son cachet à l'aide de quelques gorgées d'eau, revissa le bouchon de la bouteille en plastique.

— Tu veux encore du gratin ? Il en reste.

— Merci. C'était très bon, mais je suis repu, dit Cardinal en essayant d'attraper les derniers petits pois qui traînaient dans son assiette.

— Il n'y a pas de dessert. À moins que tu ne veuilles des petits gâteaux ?

— J'ai du mal à résister aux petits gâteaux, mais ce ne serait pas raisonnable. Si j'en avale un il faudra un treuil pour me sortir d'ici.

Catherine emportait déjà son assiette et son verre dans la cuisine.

— Tu pars quand ? lança Cardinal dans son dos.

– Tout de suite. Il fait nuit, la lune se lève. Pas mal, non ?

Cardinal jeta un coup d'œil au-dehors. Les carreaux de la fenêtre découpaient en quatre le disque orange de la pleine lune qui stagnait au ras du lac.

– Parce que tu photographies la lune maintenant ? Ne me dis pas que tu vas te lancer dans le bizness du calendrier lunaire.

Catherine ne l'écoutait plus. Elle était allée chercher ce dont elle avait besoin dans la chambre noire au sous-sol. Il mit les restes dans le frigo et rangea sa vaisselle sale dans le lave-vaisselle.

Remontée sur ces entrefaites, Catherine boucla son sac photo qu'elle posa par terre, près de la porte, le temps d'enfiler son manteau. Un manteau couleur caramel, avec une ganse de cuir noir aux poignets et au col. Elle enroula à deux reprises autour de son cou l'écharpe qu'elle venait d'attraper à un crochet, la désenroula aussi vite.

– Non, marmonna-t-elle en se parlant à elle-même. Elle va me gêner.

– Tu comptes sortir longtemps ? demanda Cardinal sans obtenir de réponse.

Ils avaient beau être mariés depuis près de trente ans, Catherine continuait de le surprendre par son comportement imprévisible. Ses expéditions photographiques la rendaient parfois intarissable ; tout excitée, elle lui détaillait son projet par le menu, l'étourdissait de détails techniques sur les focales et les ouvertures de diaphragme. À d'autres moments, il n'apprenait ce qu'elle avait en tête qu'au bout de plusieurs jours, voire de plusieurs semaines, lorsqu'elle émergeait de la chambre noire en brandissant ses tirages comme autant de trophées d'un safari solitaire. Ce soir, on aurait dit qu'elle s'acquittait d'une corvée.

– Tu penses rentrer à quelle heure ?

Catherine finit de nouer autour de son cou une petite écharpe écossaise qu'elle enfonça sous les revers de son manteau.

– Quelle importance ? lâcha-t-elle. Toi aussi tu bosses ce soir, non ?

– Oui. Je te le demandais juste par curiosité.

– Je serai sûrement là avant toi.

Elle dégagea ses cheveux de l'écharpe, et lorsqu'elle secoua la tête Cardinal reconnut l'odeur de son shampooing, légèrement parfumé à l'amande amère. Assise sur le petit banc devant l'entrée, elle ouvrit son sac photo pour en vérifier le contenu.

– Ah ! Le diviseur optique. Je savais bien que j'oubliais quelque chose.

Elle disparut à nouveau au sous-sol pour en revenir quelques instant plus tard, munie de cet accessoire qu'elle fourra dans son sac. Cardinal aurait été bien en peine d'expliquer à quoi servait un diviseur optique.

– Tu t'intéresses à nouveau aux docks ?

Au printemps, Catherine avait fait une série de photos du lac Nipissing au moment du dégel. Les grandes plaques de glace blanche s'empilaient les unes sur les autres comme des strates géologiques.

– J'en ai fini avec les docks, répondit-elle de mauvaise grâce en sanglant un trépied pliable en bas de son sac de matériel. Pourquoi toutes ces questions ?

– Il y a deux catégories de gens. Ceux qui prennent des photos et ceux qui posent des questions.

– Oh, ça va. Tu sais que je n'aime pas parler de mes projets tant que je ne suis pas à cent pour cent dedans.

– Ce n'est pas tout le temps vrai.

– Eh bien, cette fois, si.

Elle se releva et arrima sur son épaule le gros sac, lourd et encombrant.

– Quelle nuit magnifique ! s'extasia Cardinal lorsqu'ils furent dehors.

La tête renversée en arrière, il scruta le ciel à la

recherche d'étoiles que le clair de lune éclipsait presque toutes, puis il s'emplit les poumons de l'odeur de pins et de feuilles mortes. Catherine aussi préférait l'automne à toute autre saison, mais pour l'instant elle avait l'esprit ailleurs. Elle avait démarré sa voiture, une Chrysler PT Cruiser marron achetée d'occasion deux ans plus tôt, et s'engageait déjà dans la rue.

Cardinal la suivit dans la Toyota Camry, le long de la route tortueuse et non éclairée qui menait en ville. À l'approche de la déviation qui rejoignait la 11, Catherine mit son clignotant et se rabattit dans la file de gauche. Cardinal continua tout droit, en direction de Sumner, pour rejoindre le poste de police.

Catherine était partie vers les faubourgs est de la ville et il se demanda brièvement où elle allait. Savoir qu'elle se passionnait à nouveau pour son travail était toutefois plutôt bon signe, d'autant qu'elle prenait ses médicaments. Son humeur un peu irritable n'avait rien d'alarmant. Après tout, elle était sortie de l'hôpital psychiatrique depuis moins d'un an. La fois précédente, elle était restée près de deux ans sans s'intéresser à rien, après un épisode maniaque qui lui avait valu trois mois d'hospitalisation. Dans la mesure où elle suivait son traitement, il n'y avait pas de raisons de s'inquiéter.

Il ne se passait généralement pas grand-chose, le mardi soir, à Algonquin Bay. Cardinal put se consacrer pendant deux heures à des tâches administratives. Les employés du ménage avaient procédé au nettoyage annuel de la moquette et l'air embaumait les détergents aux senteurs fleuries et la laine mouillée. Ian McLeod était le seul autre officier de service ce soir-là, mais ce fort en gueule qui l'ouvrait à tout bout de champ, le jour, semblait apprécier lui aussi le calme nocturne.

Cardinal glissait un élastique autour du dossier qu'il venait de traiter lorsque le visage rubicond de son collègue surgit au-dessus de la cloison acoustique qui séparait leurs bureaux.

— Hé, Cardinal, il faut que je te passe le mot. Ça concerne le maire.

— Qu'est-ce qu'il veut ?

— Tu n'étais pas de service, hier soir, quand il s'est pointé. Il s'est mis dans la tête de signaler la disparition de sa femme. Le problème, c'est qu'elle n'a pas disparu. Tout le monde en ville sait où elle est fourrée, sauf cet abruti de maire.

— Elle sort toujours avec Reg Wilcox ?

— Ouais. On l'a repérée, pas plus tard qu'hier soir, en train de roucouler avec ce cher directeur des services d'hygiène. Szelagy est de faction au motel des Bouleaux, pour surveiller les frères Porcini. Ils sont sortis de Kingston il y a six mois, et ils ont sans doute besoin de se refaire. Bref, Szelagy a remis son rapport, et dedans il signale au passage qu'il a vu la femme du maire sortir de la chambre 12 au bras de Reggie Wilcox. Quel péteux, celui-là… Je me demande ce que les femmes lui trouvent.

— Il est plutôt bel homme.

— Oh, je t'en prie ! Il ressemble à ces mannequins qui posent pour les catalogues de vente par correspondance.

Pour illustrer son propos, McLeod se plaça de trois quarts, le visage figé dans un sourire faussement jovial.

— Même si ça ne te plaît pas, il y en a qui trouvent ça séduisant, rétorqua Cardinal.

— Ah ouais ? Il y en a aussi qui peuvent me lécher le… Passons. Alors, hier soir, j'ai mis les points sur les *i* avec Monsieur le Maire. Écoutez, je lui ai dit, votre femme n'a pas disparu. Elle est adulte. On l'a vue en ville. Si elle n'est pas rentrée à la maison, apparemment c'est qu'elle a mieux à faire, en ce moment précis.

— Il a répondu quoi ?

— On l'a vue ? Qui l'a vue ? Où ? Quand ? À sa place,

n'importe qui aurait posé ce genre de questions. Je lui ai expliqué que je ne pouvais pas lui donner ces informations. Sa femme a été signalée à deux pas de Worth, dans MacIntosh, et par conséquent il est hors de question de remplir un dossier pour signaler sa disparition. Elle est encore aux Bouleaux, d'ailleurs, toujours dans les bras de Wilcox. J'ai proposé à Feckworth de venir ce soir, dans l'idée que tu serais content de discuter le bout de gras avec lui.

– Ça ne va pas ? Qu'est-ce qui t'a pris ?

– Il encaissera mieux, venant de toi. On ne s'entend pas si bien que ça, lui et moi.

– Parce qu'il y a des gens avec qui tu t'entends bien ?

– Excuse-moi, mais ça, c'est vexant.

Cardinal profita de ce qu'il devait attendre le maire pour mettre au propre sa note de frais du mois précédent et rédiger la présentation d'une affaire qu'il venait de boucler. Ses pensées le ramenaient sans cesse vers Catherine. Elle allait bien depuis près d'un an, elle avait recommencé à enseigner au centre universitaire. Au dîner, il l'avait cependant trouvée un peu distante. Son impatience agacée le laissait vaguement soupçonner qu'elle se tracassait peut-être pour autre chose que son projet photo. Elle approchait de la cinquantaine ; la ménopause qui l'obligeait sans arrêt à modifier son traitement compromettait son équilibre. Des tas de raisons plausibles pouvaient expliquer sa relative froideur. De toute façon, peut-on vraiment prétendre connaître ceux qu'on aime ? Il suffisait de voir l'aveuglement du maire.

Quand Lance Feckworth arriva, Cardinal choisit d'aller s'enfermer avec lui dans une des salles d'interrogatoire afin de pouvoir parler plus librement.

– Je veux que toute la lumière soit faite, exposa d'emblée le premier magistrat de la ville. Je veux une enquête approfondie.

Il était petit et gras, portait comme d'habitude son célèbre nœud papillon, et il se tenait dans une posture inconfortable, assis du bout des fesses sur le bord d'une chaise en plastique d'habitude réservée aux suspects.

– Être maire de cette ville ne me permet pas d'exiger plus de la police que n'importe quel citoyen, je le sais, mais je n'en attends pas moins non plus. Et s'il lui était arrivé quelque chose ? Si elle avait eu un accident ?

Feckworth ne laisserait probablement pas un souvenir inoubliable à la mairie. Sous son mandat, le conseil municipal passait l'essentiel de son temps à éplucher quantité de problèmes qu'il jugeait ensuite plus prudent de laisser en l'état. L'homme était néanmoins d'un naturel affable, toujours prêt à blaguer avec ses administrés et à leur serrer la pince. Le voir souffrir de la sorte était aussi affligeant que de découvrir le ravalement tapageur infligé à un immeuble qui depuis toujours se confondait avec ses voisins.

Cardinal lui répéta, en le ménageant le plus possible, qu'on avait vu sa femme en ville la veille au soir, et qu'il n'y avait de toute façon pas eu d'accident notable au cours de la semaine.

– Nom de nom, mais j'en ai marre que tous les policiers qui travaillent pour moi me serinent qu'on l'a repérée dans le coin sans que personne ne juge bon de me dire qui l'a vue, et où. Comment vous réagiriez, vous, s'il s'agissait de votre femme ? Vous auriez envie de connaître la vérité, non ?

– Bien sûr.

– Alors je vous conseille de m'expliquer exactement de quoi il retourne, inspecteur. Sinon je n'hésiterai pas à m'adresser directement à Kendall, et croyez-moi, je ne vous couvrirai pas de compliments auprès du grand patron, ni vous ni cette brêle de McLeod.

Au volant de sa voiture à l'arrêt, Cardinal se retrouvait donc dans la cour du motel des Bouleaux en compagnie du maire d'Algonquin Bay. En dépit du nom du motel, pas un bouleau ne poussait alentour. Ni bouleau ni arbre d'aucune sorte, vu que l'établissement était situé en plein centre-ville, rue MacIntosh. C'est d'ailleurs par habitude qu'on continuait à parler du motel des Bouleaux, qui en réalité avait changé d'enseigne depuis son rachat, deux ans plus tôt, par la chaîne des hôtels Sunset.

Cardinal s'était garé à une dizaine de mètres de la chambre 12. Szelagy planquait de l'autre côté du parking, mais il ne s'était pas manifesté et Cardinal avait fait semblant de ne pas le reconnaître. Il baissa un peu sa vitre pour éviter que le pare-brise ne se couvre de buée. L'odeur de feuilles mortes restait entêtante jusqu'au cœur de la ville, mêlée à celle, réconfortante, d'un feu de bois qui brûlait dans une cheminée du quartier.

– Vous voulez me faire croire qu'elle est là? demanda le maire. Ma femme, dans cette chambre?

Il ne peut pas ne pas savoir, songeait Cardinal. Au point où en sont les choses, alors que sa femme déserte parfois le domicile conjugal pendant plusieurs jours d'affilée. Il est inimaginable qu'il ne se doute de rien.

– Je ne marche pas, Cardinal. C'est trop sordide.

Le ton manquait de conviction, pourtant, comme si le maire était ébranlé par la vision de cette chambre de motel qui aimantait son regard.

– Cynthia est foncièrement honnête. C'est même une source de fierté, pour elle.

À supposer qu'il soit sincère, il devait être le seul à ignorer que depuis quatre ans au moins, Cynthia Feckworth le trompait avec tous les mâles en rut de la région d'Algonquin Bay. Et alors? Au nom de quoi lui arracher ses œillères? se demanda Cardinal. Qui suis-je pour lui refuser la douce anesthésie de l'aveuglement?

– Elle ne ferait pas ça avec un autre, tout de même? Parce que si jamais elle laissait un autre homme... Alors là, oui. Je la quitterais. Vous êtes témoin. Oh, si jamais elle me fait ça...

Feckworth poussa un gémissement et se cacha le visage entre les mains.

Comme pour répondre à son angoisse, la porte de la 12 s'ouvrit à cet instant et un homme franchit le seuil, pomponné et soigné comme un mannequin de catalogue – *Profitez de nos promotions de demi-saison sur les coupe-vent masculins.*

– Reg Wilcox, marmonna le maire. Les services d'hygiène. Qu'est-ce qu'il fiche ici ?

Wilcox regagnait son Ford Explorer d'un pas indolent, avec l'air fat du type qui vient de s'envoyer en l'air. Il sortit de sa place en marche arrière et quitta le parking.

– En tout cas, Cynthia n'était pas là-dedans, reprit Feckworth. J'aime mieux ça. Il vaudrait peut-être mieux que je rentre l'attendre à la maison, en croisant les doigts dans l'espoir que tout va bien finir.

La porte de la 12 tourna à nouveau sur ses gonds. Une jolie femme passa la tête à l'extérieur avant de se risquer prudemment dehors et de refermer derrière elle. Elle prit le temps de boutonner son manteau – la nuit était fraîche – et se dirigea vers la sortie.

Le maire qui s'était rué d'un bond hors de la voiture piquait un cent mètres sur le parking pour lui barrer la route. Cardinal remonta sa vitre. Il n'avait pas envie d'entendre ce qu'ils avaient à se dire. Son mobile vibra au fond de sa poche.

– Merde, Cardinal ! Pourquoi vous ne répondez pas quand on vous sonne à la radio ?

– Je suis dans ma voiture personnelle, sergent Flower. Ce serait trop long à expliquer.

– Bon, bon. J'ai quelque chose pour vous. On vient de recevoir un appel signalant la découverte d'un cadavre derrière le Gateway. Le grand immeuble neuf, vous voyez ?

– Le Gateway ? De l'autre côté de la déviation ? Je
ne savais même pas qu'il était fini de construire. Vous
êtes sûr que ce n'est pas un poivrot qui s'est endormi
sur place ?

– Archi-sûr. La patrouille y est déjà. Elle confirme.

– D'accord, sergent. Je suis dans le secteur. J'y vais
tout de suite.

Le maire et sa femme s'expliquaient. Cynthia Feckworth baissait la tête, les bras croisés sur la poitrine.
Face à elle, son mari tendait les bras en avant, paumes
en l'air, dans l'attitude classique du conjoint qui supplie.
L'employé dont la silhouette se découpait à contre-jour
devant la porte de la réception du motel ne perdait pas
une miette de la scène.

Le maire ne remarqua même pas que Cardinal partait.

Bâti à l'est de la ville, le Gateway faisait partie des
quelques immeubles d'appartements récemment érigés
dans ce quartier où fleurissaient chaque jour de nouvelles
enseignes commerciales. Son rez-de-chaussée abritait
d'ailleurs une mini-galerie marchande dans laquelle se
côtoyaient une blanchisserie de nettoyage à sec, un
dépanneur d'électroménager et un réparateur de matériel informatique, CompuClinic, qui avait abandonné son
pas-de-porte sur Main Street pour s'installer ici. Ces commerces étaient ouverts depuis un certain temps, mais la
plupart des appartements de l'immeuble n'avaient pas
trouvé preneur. Les équipes de la voirie en étaient encore
à aménager le rond-point en étoile destiné à faciliter la
circulation dans ce quartier en plein essor. Quartier
pourri avant même d'exister, pestait Cardinal, obligé de
manœuvrer au milieu d'une foule revêche de sorciers
casqués d'orange qui lui imposèrent un long détour par
le boulevard Tim Hortons et le dépôt ferroviaire, avant
qu'il puisse arriver à destination.

Il passa devant une rangée de petites maisons mitoyennes flambant neuves, pour la plupart inoccupées à en juger par les rares lumières qui brillaient derrière les fenêtres. Un PT Cruiser était garé devant la dernière. Cardinal crut brièvement reconnaître la Chrysler de Catherine. Cela lui arrivait tous les six mois, à peu près, d'être saisi d'inquiétude à l'idée que Catherine était en danger – en phase maniaque elle risquait de commettre les pires imprudences ; déprimée, au contraire, elle devenait suicidaire –, puis de s'apercevoir avec soulagement que ses craintes n'étaient pas fondées.

Il s'engagea dans le parking du Gateway et s'arrêta sous le panneau qui indiquait en termes explicites : STATIONNEMENT RÉSERVÉ AUX RÉSIDENTS. LES VISITEURS SONT PRIÉS DE SE GARER DANS LA RUE. Un flic en uniforme montait la garde derrière le ruban jaune délimitant le périmètre de sécurité. Un petit bleu qui semblait avoir dix-huit ans à peine et dont le nom, pour l'heure, échappait à Cardinal.

– Bonsoir inspecteur, lança-t-il avec empressement. On a une femme morte, là, derrière. Apparemment, l'a fait une mauvaise chute. M'a semblé qu'il valait mieux sécuriser le périmètre, en attendant d'en savoir plus.

Cardinal jeta un regard derrière l'épaule du jeune homme, vers la zone sombre qui s'étendait au pied de l'immeuble. Il ne distinguait qu'une benne à ordures et deux voitures à l'arrêt.

– Vous n'avez touché à rien ?

– Euh... en fait, si. J'y ai pris le pouls, mais il battait pas. Et j'ai cherché dans les poches pour vérifier son identité, mais apparemment elle avait pas pris ses papiers. Ça se pourrait bien que ça soit une résidente qui a sauté du haut d'un balcon.

Cardinal scruta les alentours. Ce genre de drame provoquait d'habitude un petit attroupement de badauds.

– Pas de témoins ? demanda-t-il. Personne n'a rien entendu ?

– L'immeuble est encore presque vide, je crois, à part les commerces du rez-de-chaussée. C'était désert ici quand je suis arrivé.

– Bien. Vous me prêtez votre lampe torche ?

Le gamin la lui tendit et lui emboîta le pas après avoir pris soin de nouer le bout du ruban jaune à un piquet.

Cardinal avançait lentement, soucieux de ne pas interpréter trop vite ce qu'il découvrait à partir de l'hypothèse formulée par son jeune collègue. Il s'approcha de la benne, pleine d'ordinateurs hors d'usage. Un clavier pendait par-dessus bord, retenu par son câble ; deux circuits imprimés gisaient par terre, fracassés.

Le corps se trouvait juste derrière la benne, couché sur le ventre, vêtu d'un manteau de demi-saison caramel avec des ganses de cuir aux poignets.

– Ce qui est bizarre, c'est que je vois pas de fenêtres ou de portes ouvertes sur les balcons de ce côté, remarqua le jeunot. Peut-être le coroner réussira à trouver qui c'était.

– Ses papiers sont dans sa voiture, dit Cardinal.

Le petit gars se retourna vers les deux véhicules garés côte à côte à proximité de l'immeuble.

– Pourquoi ? fit-il, étonné. Vous savez laquelle c'est, sa voiture ?

Cardinal ne semblait pas avoir entendu. Sous les yeux de son jeune collègue sidéré, l'inspecteur John Cardinal, une gloire incontestée de l'équipe de la Criminelle, un vieux de la vieille à l'origine d'arrestations retentissantes, un policier unanimement respecté pour la méticulosité avec laquelle il traitait ses enquêtes, l'inspecteur John Cardinal, donc, était tombé à genoux dans la mare de sang et serrait contre lui le corps disloqué de la morte.

2

En temps normal, Lise Delorme aurait assez mal pris d'être dérangée pendant son jour de congé par un coup de fil du service. Cela arrivait constamment, mais ce n'était pas une raison pour qu'elle accepte sans râler ces irruptions dans sa vie privée. Elle rentrait d'un restaurant où elle s'était délectée d'un curry particulièrement relevé en compagnie de son nouveau béguin – un bel avocaillon qui n'avait qu'un ou deux ans de moins qu'elle, rencontré lors d'un procès où il avait fort mal défendu un récidiviste qu'elle avait épinglé pour extorsion de fonds. Ils se voyaient ce soir pour la troisième fois, et malgré les réticences que soulevait chez elle la perspective d'une liaison avec un membre du barreau, quand il l'avait déposée devant sa porte elle l'avait invité à monter boire un verre. Il s'appelait Shane Cosgrove.

Cette relation naissante aurait été plus sexy si Shane avait été bon avocat. Delorme était persuadée qu'il aurait pu faire acquitter son client marron, compte tenu de la minceur des preuves qu'elle avait réunies contre lui. Mais Shane était beau gosse, plutôt galant, assez sympa, et dans une petite ville comme Algonquin Bay les hommes célibataires fréquentables ne couraient pas les rues.

Lorsqu'elle revint dans le salon, inquiet de la voir si pâle, il lui demanda si elle ne voulait pas s'allonger. Elle venait d'apprendre de la bouche du sergent chef Chouinard que la victime découverte près du Gateway était la femme de Cardinal et que ce dernier était sur les lieux. Un agent de patrouille avait appelé Chouinard chez lui, et Chouinard, à son tour, prévenait Delorme.

– Allez le chercher, Lise, tout de suite. Dieu sait ce qui lui passe par la tête, en ce moment, mais Cardinal est flic depuis trente ans. Il sait aussi bien que vous et moi que, tant que nous n'aurons pas écarté l'hypothèse d'un meurtre, il reste le suspect numéro un.

– Chef, voyons. Cardinal a toujours soutenu sa femme, alors que…

– Alors qu'il en a bavé. Je sais. Justement. Il a peut-être fini par en avoir sa claque. Il suffit d'un rien, parfois, une goutte d'eau et le verre déborde. Je vous le demande, Delorme : filez là-bas et n'oubliez pas que vous faites un sale boulot. Tant que nous n'aurons pas la certitude que Mme Cardinal n'a pas été assassinée, l'endroit doit être traité comme une scène de crime.

Lise Delorme était trop peinée pour songer à râler, maintenant qu'elle traversait la ville en voiture. Elle ne connaissait la femme de Cardinal que pour l'avoir croisée dans des circonstances officielles. Évidemment, elle était au courant de ce que tout le monde savait, dans le service : tous les deux ans, Catherine était hospitalisée en psychiatrie à la suite d'un épisode maniaque ou dépressif. Et chaque fois qu'elle l'avait rencontrée, Lise s'était demandé comment c'était possible.

Lorsqu'elle allait bien, en effet, Catherine Cardinal avait une personnalité solaire, rayonnante. Le terme « maniaco-dépression » – le diagnostic de « trouble bipolaire » et, pire encore, de « psychose » – évoquait à Delorme l'image de gens brisés, hagards, alors que Catherine irradiait au contraire la douceur, l'intelligence et une profonde sagesse.

Delorme, qui avait perdu le compte du nombre d'années vécues seule, trouvait souvent fastidieuse la compagnie des couples légitimes. Il leur manquait, en règle générale, cette vivacité des célibataires toujours à l'affût. Ils l'exaspéraient, avec leur propension à sous-entendre que ces derniers n'étaient pas tout à fait « normaux », pas « comme tout le monde ». Ces réflexions l'agaçaient d'autant plus que la plupart des gens mariés ne donnaient pas l'impression de s'entendre si bien que ça, et se traitaient mutuellement avec une brutalité qu'ils se seraient sans doute retenus de témoigner à des inconnus. Il en allait différemment de Cardinal et de sa femme, mariés depuis Dieu sait combien de temps et qui pourtant semblaient toujours s'apprécier. Il ne se passait quasiment pas de jour sans que Cardinal mentionne Catherine. Sauf lorsqu'elle était hospitalisée – auquel cas son silence apparaissait à Delorme comme une expression, non pas de honte, mais de loyauté indéfectible. Il lui parlait spontanément du dernier projet photographique de Catherine et de la manière dont elle se décarcassait pour aider ses anciens étudiants, il lui rapportait ses traits d'humour, ses remarques ironiques ou désabusées.

Aux yeux de Delorme, cependant, il y avait dans la personnalité même de Catherine quelque chose d'imposant qui commandait le respect, y compris lorsqu'on était au courant de son histoire psychiatrique. Au fond, cela tenait peut-être en partie à cette maladie si particulière : Catherine avait l'aura exceptionnelle de ceux qui voyagent loin dans les espaces de la folie et en reviennent pour témoigner. Jusqu'à ce qu'ils ne puissent plus. Cette fois, Catherine ne reviendrait pas.

Peut-être était-ce aussi bien pour Cardinal, après tout. Peut-être, une fois le choc passé, vivrait-il comme une libération la perte de ce magnifique albatros. Chacune des hospitalisations de sa femme ébranlait l'inspecteur au plus profond de lui-même, Delorme était bien placée pour le savoir, et la compassion qu'elle en éprouvait pour lui attisait en elle une rancœur irrationnelle à l'égard de celle qui transformait la vie de cet homme en calvaire.

La ferme, Lise Delorme, se sermonna-t-elle à mi-voix en pilant à quelques mètres du ruban qui délimitait le lieu du drame. Tu es impardonnable, quand tu t'y mets. Une salope de première, ma pauvre fille.

En lui ordonnant de se rendre sur place toutes affaires cessantes, Chouinard espérait sans doute qu'elle pourrait empêcher le suspect numéro un de brouiller les indices, mais elle arrivait trop tard. La première image qui lui sauta aux yeux, en sortant de la voiture, fut le spectacle qu'offrait Cardinal. À genoux par terre, son blouson en daim couvert de sang, il serrait contre lui le corps inerte de sa femme.

Le petit Sanderson montait la garde devant le périmètre sécurisé.

– C'est vous qui l'avez découverte ? s'enquit Delorme.

– On a reçu un appel anonyme de quelqu'un qui habite la tour. Comme quoi y aurait eu un cadavre, là, derrière. Je suis venu sur les lieux, j'ai vérifié qu'elle était morte et j'ai signalé au sergent Flower qu'il fallait avertir la Crim. Cardinal est arrivé le premier. J'imaginais pas que c'était sa femme, poursuivit Sanderson avec un début de panique dans la voix. Il n'y avait pas de papiers sur le cadavre. Je pouvais pas deviner.

– Bien sûr, bien sûr. Vous avez fait ce qu'il fallait.

– Si je m'en étais douté, je l'aurais jamais laissé toucher le corps, mais lui non plus il savait pas avant de s'approcher. On va me faire des histoires pour ça, vous croyez ?

– Calmez-vous, Sanderson. Vous n'avez rien à vous reprocher. Les hommes de l'identification et le légiste vont arriver d'un instant à l'autre.

Delorme alla rejoindre Cardinal. À en juger par l'aspect du cadavre, Catherine avait dû tomber d'un des étages supérieurs. Cardinal l'avait retournée sur le dos et la serrait contre lui comme pour la bercer, le visage barbouillé de larmes et de sang.

Delorme s'accroupit près de lui. Elle palpa délicatement le poignet de Catherine, d'abord, puis son cou, ce qui lui permit d'établir deux faits : le cœur avait cessé de battre et le corps, encore tiède, commençait à refroidir aux extrémités. Quelques pas plus loin, un sac plein de matériel photographique s'était en partie vidé sur l'asphalte.

– John, murmura Delorme.

N'obtenant pas de réponse, elle répéta à nouveau son prénom, tout doucement :

– John, écoute-moi. Je ne te le dirai pas deux fois. Moi aussi je suis bouleversée par ce que je découvre ici. Je n'ai qu'une envie : me rouler en boule dans un coin et pleurer, pleurer jusqu'à ce qu'on vienne enfin me dire qu'il n'y a pas de quoi, que ce n'est pas vrai, que ce n'est pas arrivé. Tu m'entends, John ? Je suis avec toi, je partage ton chagrin, mais comme moi tu sais ce qui va se passer à présent.

Cardinal opina.

– C'est simplement que je n'avais pas réalisé... avant d'être tout près.

– Je comprends. Mais maintenant il faut la reposer, John.

Cardinal pleurait et elle n'insista pas davantage. L'équipe du service d'identification, Arsenault et Collingwood, se dirigeait vers eux. D'un geste de la main elle leur fit signe de rester à l'écart.

– Tu veux bien la reposer, s'il te plaît ? Je te demande de la remettre dans la position dans laquelle tu l'as trouvée. Les hommes de l'identification sont ici. Ceux de la police judiciaire ne vont plus tarder. Quelle que soit la façon dont les choses se sont passées, il est indispensable de respecter à la lettre la procédure d'enquête.

Avec une tendresse dérisoire, Cardinal soulagea ses genoux du poids du cadavre qu'il coucha par terre, sur le ventre, avant de placer la main gauche sur la tête.

– Elle avait la main levée, comme ça. Et celle-là, dit-il en attrapant délicatement le poignet droit, était le long de son flanc. Elle a les bras cassés, Lise.

– Oui. (Delorme aurait voulu le toucher, le réconforter, mais le professionnalisme le plus élémentaire s'y opposait.) À présent, suis-moi, John. Laissons les gars de l'identification faire leur boulot, d'accord ?

Cardinal se releva en vacillant sur ses jambes. Derrière eux, un nombre impressionnant d'agents en uniforme entouraient Sanderson, et Delorme aperçut un ou deux curieux qui suivaient la scène des balcons de l'immeuble, tandis qu'elle guidait Cardinal vers sa voiture et passait avec lui sous le ruban jaune. Les débris d'ordinateur crissaient sous leurs pieds. Elle lui ouvrit la portière passager et il s'engouffra à l'intérieur. Elle-même prit place au volant.

– Tu étais où quand vous avez reçu l'appel ? commença-t-elle.

Cardinal avait l'air si vide, si absent qu'il ne devait rien enregistrer de ce qui se passait autour d'eux. Avait-il remarqué l'ambulance dont la rampe de signalisation zébrait la nuit d'inutiles éclairs bleus ? Voyait-il le médecin légiste marcher en direction du cadavre, sa serviette à la main ? Ou Arsenault et Collingwood, affublés de leurs combinaisons blanches en papier ? Ou McLeod, qui, le regard fixé par terre, arpentait de long en large l'espace sécurisé ? Delorme en doutait. Elle recourut à une de ces formules passe-partout sur lesquelles les flics se rabattent, dans ce genre de circonstances :

– John, je sais combien c'est dur de devoir répondre maintenant à mes questions...

Pourvu, se disait-elle, qu'il comprenne que je suis obligée de procéder ainsi, de remuer le couteau dans la plaie pour pouvoir la sonder. Lorsqu'il ouvrit la bouche, ce fut pour s'exprimer d'une voix étonnamment ferme :

– J'étais au motel des Bouleaux, dans ma voiture. Avec le maire.

– Le maire ? M. Feckworth ? Et pourquoi ?

– Il réclamait à cor et à cri qu'on ouvre un dossier sur la disparition de sa femme. Il menaçait d'aller trouver le patron, d'avertir la presse. Il fallait bien que quelqu'un se décide à lui ouvrir les yeux.

– Combien de temps es-tu resté avec lui ?

– Environ deux heures et demie, en tout. Il est d'abord passé au poste. McLeod peut le confirmer. Szelagy aussi.

– Szelagy était de faction au motel, dans le cadre de l'affaire Porcini ?

Cardinal acquiesça d'un signe.

– Il y est peut-être toujours, d'ailleurs, mais il a sûrement débranché sa radio. Tu ferais pareil si tu étais chargée de surveiller les frères Porcini.

– Et à propos de la présence de Catherine ici, dans ce quartier ? Il y a une raison qui l'explique ?

– Elle était sortie prendre des photos. J'ignore si elle connaissait quelqu'un, dans cet immeuble. Probablement, puisqu'elle y est entrée.

Les rouages de l'esprit d'enquêteur de Cardinal se remettaient à cliqueter. Delorme avait presque l'impression de les entendre.

– Il va falloir aller vérifier le toit, poursuivit-il. Si ce n'est pas de là qu'elle est tombée, nous devrons inspecter les étages supérieurs. Enfin, toi, je veux dire. Je ne peux pas m'en mêler.

– Attends-moi ici une minute.

Delorme trouva McLeod du côté de la benne à ordures.

– Ce coin est un vrai dépotoir, se lamenta-t-il d'un air dégoûté. C'est le dernier jeu à la mode, d'exploser les ordis ?

– Le magasin CompuClinic vient de s'installer ici, expliqua Delorme. Dites-moi, McLeod, vous avez vu Cardinal en début de soirée ?

– Mouais. Il est resté au poste jusqu'à sept heures et demie, dans ces eaux-là. Le maire s'est pointé vers sept heures et quart et ils sont repartis ensemble. Probablement pour le motel des Bouleaux, vu que c'est le nid d'amour où la mère Feckworth se tape les services d'hygiène. Vous voulez que j'appelle le maire ?

– Vous avez son numéro ?

– Bien obligé. Il ne m'a pas lâché la grappe de la semaine.

McLeod avait déjà sorti son téléphone mobile. Il sélectionna un numéro dans la liste affichée à l'écran, qui luisait d'un éclat mauve au creux de sa main.

Delorme alla ensuite rejoindre les agents de l'identification. Accroupis par terre, ils récupéraient des débris épars qui finissaient dans des sachets en plastique. La lune avait perdu son chatoiement orangé. Haute dans le ciel, à présent, elle jetait sur la scène une lumière gris argent, tandis qu'une brise légère charriait des odeurs de feuilles mortes. Pourquoi faut-il toujours que les pires horreurs se produisent par des nuits magnifiques ? songea Delorme à regret.

– Vous lui ensachez les mains ? demanda-t-elle à Arsenault.

Il leva les yeux vers elle.

– Ben, oui. Tant qu'on n'a pas de certitude sur la cause du décès…

Collingwood, le benjamin du service d'identification, extirpait un à un les objets contenus dans le sac de matériel photo tombé à quelques mètres du corps. Le laconisme de ce blondinet frisait l'hostilité.

– Un appareil photo, annonça-t-il en brandissant un Nikon aux lentilles brisées.

– Elle était photographe, dit Delorme. D'après Cardinal, elle était sortie ce soir dans l'intention de prendre des photos. Qu'est-ce qu'il y avait d'autre dans le sac ?

— Des pellicules vierges. Une pile de rechange. Des objectifs. Des filtres. Un bout de tissu en microfibres.

— Bref, tout ce qu'on pouvait s'attendre à y trouver, apparemment.

Collingwood ne daigna pas répondre. Avec lui, Delorme avait souvent l'impression d'être devant un robot dont elle n'avait pas le mode d'emploi.

— Il y avait des clés de voiture dans une des poches de son manteau, reprit Arsenault.

— Je vais inspecter la voiture, dit Delorme en prenant le trousseau.

Le médecin légiste venait de terminer l'examen du cadavre. Il se releva et épousseta le bas de son manteau. Bien qu'âgé d'une trentaine d'années seulement, le Dr Claybourne présentait déjà un début de calvitie. Delorme avait eu l'occasion de travailler avec lui à deux ou trois reprises. Il lui avait d'ailleurs fait des avances, qu'elle avait déclinées sous prétexte qu'elle voyait quelqu'un d'autre. Pieux mensonge. Claybourne appartenait à cette espèce d'hommes décidément trop gentils, trop innocents, trop fades. Une liaison avec eux, c'était la solitude sans l'intimité.

— Qu'en pensez-vous ? lui demanda-t-elle.

Une couronne de cheveux roux cernait le crâne du Dr Claybourne. Il avait la peau très pâle, presque translucide. Cette particularité excusait en partie sa propension à rougir pour un rien.

— De toute évidence, elle a fait une chute impressionnante. Et vu la quantité de sang qu'elle a perdu, elle était sûrement vivante quand elle est tombée.

— L'heure du décès ?

— Pour l'instant, je ne peux me fonder que sur la température corporelle et l'absence de rigidité cadavérique. À mon avis, elle est morte depuis deux heures, à quelque chose près.

– Soit aux environs de huit heures et demie, commenta Delorme après avoir jeté un coup d'œil à sa montre. Les mesures effectuées vous en apprennent davantage ?

– Oh, là-dessus je m'en remets aux spécialistes de l'institut médico-légal. Le corps est à deux mètres cinquante du bord de l'immeuble et les balcons font un mètre cinquante de large. Elle a pu tomber de l'un d'entre eux, ou bien d'une fenêtre.

– De quelle hauteur, selon vous ?

– Difficile à déterminer. Une bonne dizaine d'étages, selon moi.

– L'immeuble n'en compte que neuf. Nous allons donc commencer par le toit.

– En tout cas, jusqu'à présent je n'ai rien trouvé qui corrobore l'hypothèse d'un meurtre.

– J'ai l'intuition que vous ne trouverez rien. Je connaissais un peu la victime, docteur. Vous êtes au courant de ses antécédents médicaux ?

– Pas du tout.

– Appelez l'hôpital psychiatrique. Elle y a été admise à quatre reprises au moins au cours des huit dernières années. Son dernier séjour remonte à l'an passé et il a duré trois mois. Quand vous aurez ces renseignements, nous pourrons peut-être monter ensemble sur le toit ?

McLeod la hélait du geste. Elle laissa là Claybourne qui venait d'allumer son téléphone portable.

– Ce faux cul de Feckworth n'était pas ravi, ravi, que je le relance, commença McLeod. J'entendais sa femme l'engueuler comme du poisson pourri, en fond sonore. Si vous saviez les trésors de diplomatie et de tact que j'ai dû déployer, pour lui parler.

– Oh, j'imagine très bien.

– Selon M. le Maire, Cardinal est resté aux Bouleaux avec lui jusqu'à vingt et une heures trente. Szelagy confirme.

– Vous avez eu Szelagy ?

– Cette nuit, il est de relâche. Il a passé le relais pour la surveillance des frères Porcini. Il va arriver.

Delorme regagna sa voiture. Cardinal était dans la même position que lorsqu'elle l'avait quitté, comme s'il avait reçu une balle de gros calibre dans le ventre. Delorme l'entraîna vers l'ambulance.

L'ambulancière, une blonde aux cheveux très courts, étroitement moulée dans son uniforme, n'avait pas l'air commode.

– Le mari de la victime, expliqua succinctement Delorme. Je vous le confie. Occupez-vous de lui, vous voulez bien ? John, ajouta-t-elle à l'adresse de Cardinal, je vais monter sur le toit maintenant. Reste ici, laisse ces gens te prendre en charge. Je serai de retour dans une dizaine de minutes.

Cardinal s'assit sans mot dire sur la rampe arrière de l'ambulance. Delorme dut une fois de plus réprimer l'envie de consoler cet ami dont le monde s'écroulait en lui passant un bras autour des épaules. Les circonstances l'obligeaient à observer une attitude strictement professionnelle.

Accompagnée de McLeod et du Dr Claybourne, elle prit l'ascenseur jusqu'au dernier étage. Là, ils durent grimper une volée de marches aboutissant à une porte marquée TERRASSE. Une brique la maintenait ouverte. McLeod appuya sur l'interrupteur qui commandait l'éclairage extérieur.

La terrasse était recouverte d'un dallage en aggloméré sur lequel on avait disposé quelques tables de jardin percées au centre d'un trou destiné à recevoir les parasols. Ces derniers avaient été remisés ; l'âpre vent d'automne n'incitait plus à se prélasser dehors.

– Je comprends ce qui l'a poussée à venir prendre des photos ici, remarqua Delorme en pivotant pour regarder autour d'elle.

Au nord, la route de l'aéroport ceignait la colline

d'un long ruban lumineux. Vers l'est, on distinguait la masse sombre de l'escarpement, rompue au sud par les lumières de la ville, avec la flèche de la cathédrale et la tour des Postes et Télécommunications. Le disque de la lune se dégageait de l'enchevêtrement des clochers de l'église française.

McLeod tapota le muret de béton brut qui entourait le toit et lui arrivait à la taille.

– Pas facile, facile, en principe, de tomber tout seul avec ce genre de garde-fou, remarqua-t-il. À moins qu'elle ne se soit trop penchée pour prendre une photo ? Il faudra regarder la pelloche qui est dans l'appareil.

– Il était dans le sac. Elle ne s'en servait sûrement pas, au moment de la chute.

– Quand même. Ça vaut la peine de vérifier.

Delorme tendit le doigt vers un coin de la terrasse derrière lequel se profilait la lune, encore basse dans le ciel.

– C'est de là qu'elle est tombée.

– Allez voir ça de plus près, dit Claybourne. Je jetterai un œil à mon tour, quand vous aurez fini.

Delorme et McLeod se dirigèrent à pas lents vers le rebord du toit en regardant soigneusement où ils mettaient les pieds.

– Il en pincerait pas pour vous, le toubib ? demanda tout bas McLeod.

– Franchement, McLeod.

– Non, sérieux. Chaque fois qu'il vous parle, il rougit. Vous n'avez pas remarqué ?

– McLeod...

Delorme poursuivit sa progression, la tête penchée en avant, les yeux fixés sur les dalles d'aggloméré. Le clair de lune et les lampes de la terrasse éclairaient bien la zone. Arrivée devant le muret, elle s'arrêta, scruta les environs immédiats, arpenta à pas comptés un petit espace, à gauche, d'abord, puis à droite de l'endroit d'où elle était partie.

– Je ne vois nulle part de traces de lutte, dit-elle enfin. Il n'y a aucune trace de quoi que ce soit, en réalité.

– Si. Là, il y a quelque chose.

McLeod se baissa pour attraper un bout de papier coincé sous une jardinière. Il le tendit à Delorme.

La feuille rayée de format dix sur quinze avait été arrachée à un carnet à spirale. Elle contenait quelques phrases, tracées au feutre fin d'une petite écriture nerveuse :

John chéri,

Quand tu liras ces mots, je t'aurai blessé de manière impardonnable. Je ne peux te dire à quel point cela me peine. Mais je t'ai toujours aimé, tu le sais, jamais aussi fort qu'en ce moment, et s'il y avait eu moyen de faire autrement...

Catherine

3

En sortant de l'ascenseur, Delorme tomba sur Sze-lagy qui escortait une femme à l'air éperdu, entièrement habillée de noir : la jupe, le blazer, le chapeau, l'écharpe étaient noirs.

– Sergent Delorme, je vous présente Eleanor Cath-cart. Elle habite ici, au neuvième étage, et elle connais-sait Catherine.

La femme en noir enleva son chapeau et repoussa avec affectation la mèche brune qui lui barrait le front.

– Je n'arrive pas à y croire ! s'exclama-t-elle.

Tout, en elle, paraissait un peu surfait – le dessin des sourcils sombres, le rouge à lèvres lie de vin, le teint de porcelaine. À sa façon de prononcer certains mots, on devinait la Parisienne de souche.

– Je la laisse entrer dans l'immeuble et elle passe par-dessus le toit ? C'est vraiment trop... trop *macabre**.

– Comment connaissiez-vous Catherine Cardinal ? demanda Delorme.

– J'ai une charge de cours, au centre universitaire. En arts de la scène. Catherine travaille aussi là-bas, dans la section photographie. *Mon Dieu**, je n'arrive pas à y croire. Je l'ai vue il n'y a même pas deux heures.

– Et donc, vous lui avez ouvert ?

– Oui. Je vante à tout le monde la vue prodigieuse

---

* Tous les mots et expressions en italique suivis d'un astérisque sont en français dans le texte.

qu'on découvre depuis mon appartement. Catherine a eu envie de venir prendre des photos. Il n'y a pas d'immeuble aussi élevé que le mien, de ce côté-ci de la ville. Elle en parlait depuis des mois, mais c'est très récemment que nous avons enfin pris *rendez-vous**.

— Elle est venue chez vous ?

— Non, elle voulait simplement aller sur le toit. On y a aménagé une petite terrasse assez agréable. Je l'ai emmenée là-haut et je lui ai expliqué comment bloquer la porte pour ne pas se retrouver coincée dehors – une petite mésaventure dont j'ai moi-même été victime. Je ne me suis pas attardée. Elle travaillait, elle n'avait pas besoin que je lui tienne compagnie. Les artistes ont une longue pratique de la solitude, vous savez.

— Vous êtes donc à peu près sûre qu'elle était seule, alors ?

— Seule, oui.

— Et vous-même, où êtes-vous allée ensuite ?

— J'avais une répétition au Capital. Nous présentons *La Maison de poupée* dans quinze jours et, croyez-moi si vous voulez, certains comédiens sont encore loin d'être prêts. L'interprète de Torvald ne connaît toujours pas son texte, c'est à désespérer.

— Est-ce que Catherine vous a paru… agitée ? angoissée ?

— Pas du tout. Enfin… elle était tendue, oui, pressée d'aller là-haut, mais sur le moment j'ai pensé qu'elle était simplement impatiente de se mettre au travail. De toute façon, il n'est pas facile de déchiffrer l'humeur de Catherine, si vous voyez ce que je veux dire. Elle passe régulièrement par des phases de dépression assez graves pour nécessiter une hospitalisation, et là non plus je n'ai pas vu venir ces crises. Évidemment, comme bien des artistes j'ai tendance à vivre dans un monde à moi.

— Autrement dit, sa mort ne vous étonne pas outre mesure ?

— C'est un choc, tout de même. Je veux dire… *mon*

*Dieu** ! Qu'allez-vous imaginer ? Que je lui ai donné la clé du toit en lui disant : « Ciao, ma belle. Suicide-toi bien pendant que je file à ma répétition » ? Je vous en prie.

Elle s'absorba un moment dans la contemplation du plafond, la tête renversée en arrière, puis posa sur Delorme ses yeux sombres de tragédienne.

– Essayez de comprendre. Je suis abasourdie, je trouve ça horrible, mais en même temps, de tous les gens que je connais – et j'en connais beaucoup – Catherine Cardinal était sûrement la plus susceptible de se tuer. On n'est pas admis en HP pour une simple crise de cafard, on n'y reste pas des mois parce qu'on a un petit passage à vide, on ne prend pas du lithium pour soulager des règles douloureuses. Vous connaissez le travail de Catherine ?

– Un peu.

Delorme se souvenait de l'exposition qu'elle avait vue à la bibliothèque, deux ans auparavant : une photo d'un enfant en pleurs sur les marches de la cathédrale, un banc public vide, un parapluie tout seul dans un paysage noyé par la pluie. Des images mélancoliques. Belles, mais tristes, comme Catherine elle-même.

– Alors, vous serez d'accord avec moi. CQFD.

Le censeur qui se cachait en Delorme condamnait déjà ce manque de sympathie affiché quand Eleanor Cathcart éclata brusquement en sanglots, et sans jouer les pleureuses de comédie, cette fois : le visage barbouillé de larmes, le nez qui coulait, les hoquets irrépressibles témoignaient d'un chagrin authentique.

Accompagnée du Dr Claybourne, Delorme retourna à l'ambulance où Cardinal attendait, toujours assis sur la rampe arrière. Dès qu'il les vit approcher, il les héla, d'une voix brouillée par l'angoisse :

– Vous avez trouvé quelque chose ?

Claybourne lui plaça la feuille sous les yeux.

– Il s'agit bien de l'écriture de votre femme ?

Cardinal acquiesça d'un signe de tête avant de détourner les yeux.

Delorme raccompagna le médecin à sa voiture.

– Bon, vous l'avez vu comme moi, lui glissa-t-il. Il a identifié l'écriture de sa femme.

– Effectivement.

– Je vais demander une autopsie, naturellement, mais de vous à moi mon opinion est faite. C'est un suicide. Pas de traces de lutte, un mot d'adieu, un passé médical chargé.

– Vous avez appelé l'hôpital ?

– J'ai réussi à joindre son psychiatre chez lui. Il est bouleversé, bien sûr – perdre un patient est toujours très dur –, mais il n'est pas franchement surpris.

– Très bien. Merci pour tout, docteur. Nous allons finir d'examiner les lieux, au cas où, mais bon... N'hésitez pas à me contacter si vous pensez qu'il faut creuser un peu ailleurs.

– D'accord, dit Claybourne en s'installant au volant. Déprimant, hein ? Le suicide...

– C'est le moins qu'on puisse dire, marmonna Delorme qui en était à son troisième suicide en l'espace de quelques mois.

Elle scruta les alentours à la recherche de Cardinal qui avait délaissé l'ambulance, et finit par le découvrir affalé sur le volant de sa voiture. Il ne semblait pas sur le point de partir.

Elle s'installa à côté de lui sur le siège passager.

– Il y aura une autopsie, mais le médecin légiste penche d'ores et déjà pour un suicide, dit-elle.

– Vous n'allez pas fouiller l'immeuble ?

– Si, bien sûr, mais je ne crois pas qu'on trouve quoi que ce soit d'autre.

Cardinal baissa la tête. Elle n'osait pas imaginer ce qui se passait sous son crâne, mais quand il se décida à

ouvrir la bouche elle ne s'attendait pas à l'entendre murmurer :

— Je n'arrête pas de me demander comment je vais
ramener sa voiture à la maison. Il y a sûrement une
solution toute bête, mais là, tout de suite, je ne vois pas,
et le problème me paraît insurmontable.

— Je te la déposerai dès que nous en aurons fini ici.
Entre-temps, est-ce qu'il y a quelqu'un que tu veux que
je prévienne ? Un ami qui pourrait passer un peu de
temps avec toi ? Il ne faut pas que tu restes seul, ce soir.

— Je vais appeler Kelly. Je l'appellerai dès que je
serai rentré.

— Mais Kelly est à New York, non ? Tu n'as personne
plus près ?

Cardinal mit le contact.

— C'est gentil, Delorme, mais ne t'inquiète pas. Ça
va aller.

Ça n'avait pas du tout l'air d'aller.

4

— Elles te serrent, ces chaussures ?

Assise à la table de la salle à manger, Kelly Cardinal enveloppait une photo de sa mère dans du papier bulle. Elle comptait l'emmener au funérarium pour la placer à côté du cercueil.

Cardinal prit une chaise en face d'elle. Plusieurs jours s'étaient écoulés, mais il restait comme hébété, incapable de comprendre ce qui se passait autour de lui. Les mots que venait de prononcer sa fille ne s'enchaînaient pas en une phrase logique, compréhensible. Il dut la prier de répéter.

— Ces chaussures que tu as. Elles ont l'air toutes neuves. Elles ne sont pas un peu justes ?

— Un peu. Je ne les ai mises qu'une fois – pour l'enterrement de papa.

— C'était il y a deux ans.

— Oh ! J'adore cette photo.

Il se pencha pour attraper le portrait de Catherine en tenue de travail. Emmitouflée dans un anorak jaune, décoiffée par le vent, elle peinait à porter ses deux appareils photo, l'un autour du cou, l'autre en bandoulière sur l'épaule. Elle avait l'air exaspérée. Cardinal se souvenait d'avoir pris cette photo avec son petit automatique, le seul dont il savait se servir. Catherine était furieuse contre lui, en effet, d'abord parce qu'il l'empêchait de travailler, ensuite parce qu'elle imaginait trop bien à quoi devait ressembler sa chevelure magnifique, sous la pluie, et qu'elle n'avait pas envie d'être immortalisée en gorgone. Par beau temps, ses cheveux cascadaient sur ses épaules en masse fluide et souple ; quand l'air était chargé d'humidité, en revanche, ils frisottaient et s'échappaient en mèches folles et elle avait horreur de ça. Cardinal, à l'inverse, raffolait d'elle ébouriffée.

— Elle qui était photographe détestait qu'on lui tire le portrait, remarqua Cardinal.

— Tu veux qu'on en choisisse une autre ? Elle a l'air assez fâchée, sur celle-là.

— Non, surtout pas. C'est bien elle. Catherine en train de faire ce qu'elle aimait.

L'idée de mettre une photographie avait d'abord rebuté Cardinal. Il trouvait cela un peu indécent, et surtout, surtout, la vue du visage de Catherine le brisait de chagrin.

Catherine, cependant, pensait en images photographiques. Les gens qui passaient à proximité de l'endroit où elle travaillait n'avaient pas leur mot à dire : elle les fixait sur la pellicule avant qu'ils aient pu protester. Comme si son appareil était une sorte de mécanisme protecteur, qui au fil du temps aurait évolué pour servir de défense à des personnalités aussi insaisissables et fragiles que la sienne. Elle ne tirait d'ailleurs aucune vanité de son art. Un instantané réussi pris instinctivement dans la rue pouvait la combler autant qu'une série de tirages sur laquelle elle avait sué sang et eau pendant des mois.

Kelly glissait dans son sac la photo qu'elle venait d'emballer.

— Va changer de chaussures. Ce serait trop bête d'avoir mal aux pieds là-bas.

— Je n'ai pas mal. Il faut que je les fasse, c'est tout.

— Va changer de chaussures, papa.

S'exécutant, il passa dans la chambre, ouvrit la penderie. La moitié en était réservée aux vêtements de Catherine et ce fut plus fort que lui, il fallut qu'il les passe en revue. Elle s'habillait essentiellement en jean et tee-shirt, avec un sweater confortable. Catherine faisait partie de ces femmes qui, à l'approche de la cinquantaine, peuvent encore oser sans complexes le jean et le tee-shirt. Il y avait aussi quelques petites robes noires, toutefois, des chemisiers en soie, un ou deux caracos, pour la plupart dans ces tons de gris ou de noir qui avaient toujours eu sa préférence. «Mes dominantes», disait-elle.

Il attrapa les mocassins noirs qu'il mettait tous les jours et entreprit de les cirer. Un coup de sonnette lui fit dresser l'oreille. Il entendit Kelly aller ouvrir et remercier la voisine qui leur apportait un plat de sa confection, avec ses condoléances.

Quand sa fille entra dans la chambre, il se rendit compte non sans embarras que, toujours à genoux devant la penderie, une brosse à reluire dans la main, il devait avoir cet air pétrifié des antiques habitants de Pompéi.

– Il faudrait partir bientôt, papa, pour avoir une petite heure devant nous avant que les gens commencent à arriver.

– Mmm.

– Tes chaussures, papa. Tes chaussures.

– Tu as raison.

Elle s'assit sur le bord du lit, derrière lui, pendant qu'il se mettait à astiquer ses mocassins en la regardant à la dérobée dans le miroir fixé sur la porte du placard. Elle avait ses yeux, on le lui avait toujours dit. La bouche, en revanche, était celle de Catherine, avec de part et d'autre ces parenthèses minuscules, plus visibles lorsqu'elle souriait. Et elle aurait également eu les cheveux de Catherine si elle les avait laissés pousser au lieu d'opter pour ce carré strict, zébré d'une mèche mauve unique. Plus impatiente que sa mère, elle attendait beaucoup des autres et était presque systématiquement déçue, mais c'était peut-être sa jeunesse qui voulait ça.

Kelly se jugeait durement, elle en pleurait, parfois, et le temps n'était pas si loin où elle considérait son père avec la même intransigeance. Depuis le dernier séjour à l'hôpital de Catherine, elle s'était adoucie, néanmoins, et depuis ils s'entendaient plutôt bien.

— Pour moi c'est déjà terrible, mais quand je pense à toi, franchement, je ne comprends pas comment maman a pu te faire ça. Alors que pendant des années et des années tu as toujours été là pour elle, à la soutenir chaque fois qu'elle devenait folle.

— Ta mère était bien plus que cela, Kelly.

— Je sais, mais tu en as tellement bavé ! C'est toi qui t'es occupé de moi ; c'est toi qui m'as élevée, tout seul ou quasiment. Et tout ce que tu as enduré à cause d'elle, quand j'y pense ! Je me rappelle, un jour – on vivait encore à Toronto – tu avais fabriqué un petit secrétaire hyper compliqué, avec plein de tiroirs, plein de petites portes. Dans mon souvenir, tu as bien dû y travailler un an, ou pas loin, et un beau jour tu es rentré à la maison et elle l'avait complètement démoli pour le brûler. Elle délirait sur le feu et sur la puissance créative de la destruction. À l'époque, elle nous débitait un de ses grands discours maniaques sans queue ni tête et elle avait détruit cet objet que tu avais réalisé avec tant de soin. Comment as-tu pu lui pardonner, papa ?

Cardinal ne répondit pas tout de suite, et quand il prit la parole, il se tourna vers Kelly pour la regarder droit dans les yeux.

— Catherine n'a jamais rien dit, rien fait que je ne puisse lui pardonner.

— Mais c'est parce que tu es comme tu es, *toi*, pas parce qu'elle était ce qu'elle était. Elle ne s'est jamais rendu compte de la chance incroyable qu'elle avait ! Elle a tout saccagé !

Kelly éclata en sanglots. Cardinal se leva, la prit par l'épaule, et elle se laissa aller contre lui, mouillant sa chemise de larmes tièdes, comme sa mère avant elle – si souvent.

– Elle souffrait, murmura-t-il. Elle souffrait sur un mode que personne ne peut comprendre. C'est de cela qu'il faut te souvenir. Oui, elle était parfois très difficile à vivre, mais c'est elle qui souffrait le plus. Elle avait sa maladie en horreur, bien plus que toi ou moi. Et tu te trompes si tu crois qu'elle ne nous était pas reconnaissante de l'aimer. Tu sais quelle est la phrase qui revenait le plus souvent sur ses lèvres ? « J'ai tellement de chance. » Elle le répétait sans arrêt. Le soir, au dîner, n'importe quand, elle posait sa main sur la mienne et elle disait : « J'ai tellement de chance. » À propos de toi, aussi, elle le disait. Elle s'en voulait terriblement d'avoir été absente pendant ton enfance. Elle a lutté contre cette maladie de toutes ses forces, par tous les moyens, mais elle a fini par perdre la bataille, voilà tout. Il lui a fallu un courage extraordinaire, et beaucoup, beaucoup d'honnêteté pour réussir à tenir le coup aussi longtemps.

– Mon Dieu, soupira Kelly d'une voix enrhumée, avant de renifler bruyamment. J'aimerais être aussi indulgente que toi, mais je n'y arrive pas. Regarde ta chemise, je l'ai toute salie.

– Aucune importance. J'avais l'intention d'en changer.

Elle arracha une poignée de mouchoirs de la boîte de Kleenex qu'il lui tendait.

– Je vais me passer de l'eau sur la figure. J'ai une tête à faire peur, on dirait Médée.

Cardinal ne voyait que vaguement qui était Médée. Il n'était pas très sûr non plus des paroles réconfortantes qu'il venait de prodiguer à sa fille. Qu'est-ce que j'en sais, après tout, de ça comme du reste ? se demandait-il. Je n'ai rien vu venir. Je suis encore pire que le maire. Près de trente ans de vie commune, et je suis incapable de voir que la femme que j'aime a décidé de se suicider ?

La veille, ces questions qui le taraudaient l'avaient poussé à s'entretenir avec le psychiatre de Catherine.

Il connaissait Frederick Bell pour l'avoir rencontré à deux ou trois reprises lors du dernier séjour de Catherine à l'hôpital. Ils n'avaient pas suffisamment discuté ensemble pour que Cardinal aille au-delà de sa première impression – celle d'avoir affaire à un homme intelligent et compétent. Catherine, elle, était soulagée d'être suivie par lui, car, à la différence de la plupart de ses confrères, le Dr Bell associait la psychothérapie à la prescription de médicaments. C'était de surcroît un spécialiste de la dépression et il avait écrit plusieurs ouvrages sur le sujet.

Il recevait ses patients à son domicile de Randall Street, dans une horreur Art Nouveau en brique rouge à deux pas de la cathédrale, une maison prétentieuse qui comptait au nombre de ses anciens propriétaires un membre du Parlement et un petit magnat de la presse. Elle écrasait le voisinage avec ses tourelles et ses fioritures tarabiscotées, son jardin prétentieux que fermait une grille en fer forgé.

Cardinal avait été accueilli à la porte par la maîtresse de maison, une quinquagénaire aimable, chaleureuse, qui était justement sur le point de sortir.

– Inspecteur Cardinal ! s'exclama-t-elle quand il se fut présenté. Quelle perte terrible ! Je partage votre peine.

– Je vous remercie.

– Vous n'êtes pas là à titre professionnel, n'est-ce pas ?

– Non, non. Ma femme était suivie par votre mari et...

– Bien sûr, je comprends. Vous avez forcément des questions à lui poser.

Elle le pria de l'excuser le temps d'aller chercher son mari. Resté seul, il inspecta le hall d'entrée du regard : parquet de bois ciré, lambris en chêne, moulures au plafond. Il s'apprêtait à s'asseoir sur une des chaises alignées contre un mur quand la porte s'ouvrit d'une poussée devant le Dr Bell. Plus grand que dans le souvenir qu'en conservait Cardinal, il mesurait un bon mètre quatre-vingts. Sa barbe brune et frisottée grisonnait sous la mâchoire, et son accent anglais agréable était assez inclassable, ni aristocratique à l'excès, ni vraiment populaire.

Il prit la main de Cardinal dans les deux siennes et la serra longuement.

— Inspecteur Cardinal, permettez-moi de me répéter. Je suis désolé, navré, infiniment, pour Catherine. Je vous présente mes condoléances les plus sincères, les plus profondes. Entrez donc, entrez.

À l'exception du grand bureau et de l'absence de téléviseur, la pièce où il l'introduisit ressemblait à s'y méprendre à un salon. Les bibliothèques qui garnissaient les quatre murs étaient bourrées d'ouvrages de médecine et de psychologie, de revues et de classeurs empilés jusqu'au plafond. Les fauteuils en cuir rebondis, passablement usés et dépareillés, invitaient à la conversation, et naturellement il y avait aussi un divan, un bon vieux canapé des familles, à cent lieues du modèle design aux formes géométriques plébiscité par les psychanalystes de cinéma.

À l'invitation de Frederick Bell, Cardinal prit place sur le divan.

— Je peux vous offrir quelque chose ? Un café ? Du thé ?

— Merci, non. J'aurais dû vous prévenir plutôt que d'arriver comme ça à l'improviste. C'est très gentil à vous de me recevoir.

— Je vous en prie, je vous en prie. C'est bien le moins que je puisse faire.

Le Dr Bell remonta machinalement les jambes de son pantalon en velours côtelé avant de s'asseoir dans un des fauteuils en cuir. Avec son gros pull irlandais, il n'avait pas du tout l'allure d'un médecin. Cardinal l'aurait assez bien imaginé prof de fac ou, pourquoi pas, violoniste.

— J'imagine que vous vous en voulez de ne pas avoir anticipé son geste, reprit le psychiatre en donnant voix, d'une seule formule précise, aux pensées qui se bousculaient sous le crâne de son visiteur.

— En effet. C'est parfaitement résumé, docteur.

— Vous n'êtes pas le seul. Moi non plus je n'ai pas vu ce qui se préparait, alors que depuis près d'un an Catherine me confiait en détail ses sentiments et ses affects.

Se laissant aller contre le dossier de son siège, il secoua longuement sa crinière laineuse. Si c'était un chien, songea Cardinal, ce serait un terrier Airedale.

— Évidemment, ajouta tout bas le médecin au bout d'un long silence, si je m'en étais douté je l'aurais fait hospitaliser.

— Ce doit être très inhabituel, non ? D'avoir comme ça une patiente qui continue à venir vous voir sans évoquer le fait qu'elle envisage de... Quel intérêt d'aller chez un psy dès lors qu'on ne peut pas, ou peut-être qu'on ne veut pas, se confier à lui ?

— Elle se confiait à moi. Elle avait des idées suicidaires et elle en parlait. Je ne veux pas dire par là qu'elle m'aurait informé d'un projet imminent, non, mais elle m'exposait ce qu'elle pensait du suicide et nous en discutions ensemble. Elle était partagée, à propos du suicide. C'est une perspective qui lui paraissait à la fois horrible et séduisante, à certains égards, et en disant cela je suis sûr que je ne vous apprends rien.

— Effectivement. C'est une des premières choses qu'elle m'a expliquées sur elle, avant même notre mariage.

— Elle ne se mentait pas, et c'était une de ses forces. Elle disait souvent qu'elle aurait préféré mourir plutôt que de subir une autre dépression sévère. Pas pour s'épargner elle-même, je tiens à le préciser. Comme la plupart des grands déprimés, elle ne supportait pas que sa maladie rende si difficile la vie de ceux qu'elle aimait. Je serais d'ailleurs étonné qu'elle n'ait jamais abordé le sujet avec vous, au fil des ans.

— Si, bien sûr. Souvent.

Cardinal eut la sensation que quelque chose se brisait en lui. Sa vision se brouilla, et c'est machinalement qu'il prit la boîte de Kleenex que le médecin lui tendait.

Ce dernier attendit quelques instants, puis se pencha en avant sur son siège, l'air soucieux.

— Vous n'auriez rien pu faire, de toute façon, dit-il. Permettez-moi au moins de vous apaiser sur ce point. Dans la grande majorité des cas, les gens qui se suicident ne laissent rien filtrer de leur intention.

— Je sais. Catherine ne s'était pas mise à distribuer les objets auxquels elle tenait, ni quoi que ce soit de ce genre.

— Non. Rien ne le laissait présager. Et son dossier médical ne contient pas trace d'une précédente tentative, malgré la place qu'y tient l'idéation suicidaire. En revanche, il atteste de l'énergie farouche avec laquelle, pendant des dizaines d'années, elle a combattu la dépression clinique, la face la plus sombre du trouble bipolaire. Les statistiques l'établissent sans conteste : les personnes atteintes de psychose maniaco-dépressive sont les plus susceptibles d'attenter à leurs jours, et il n'y a pas d'exception à cette règle. Aucun autre groupe n'est aussi exposé au suicide. Ah, Seigneur, à m'entendre on croirait presque que je sais de quoi je parle, n'est-ce pas ? soupira le Dr Bell, les mains levées dans un geste d'impuissance. Quand cela arrive, pourtant, on se sent tellement en dessous de tout.

— Ce n'est sûrement pas votre faute.

Cardinal ne savait plus ce qu'il faisait, dans ce bureau. Avait-il quoi que ce soit à apprendre de cet Anglais au négligé étudié qui l'entretenait de statistiques et de probabilités ? Quelle importance, tout ça ? songeait-il. C'est *moi* qui voyais Catherine tous les jours, *moi* qui la connaissais depuis plus longtemps que quiconque, *moi* qui n'ai pas compris ce qui se tramait. Par bêtise. Par égoïsme. Par aveuglement.

– Dans de telles circonstances, il est tentant de se faire des reproches, n'est-ce pas ? dit le Dr Bell comme si, une fois de plus, il lisait dans ses pensées.

– En ce qui me concerne, docteur, les faits sont accablants, répondit Cardinal d'une voix chargée d'amertume.

– Je m'en veux tout autant, croyez-moi. C'est un des dommages collatéraux du suicide. Les proches d'une personne qui s'est supprimée ont forcément le sentiment d'avoir été négligents, ou insensibles, ils restent persuadés qu'ils auraient pu intervenir. Il s'agit là d'une réaction très courante, mais qui ne repose pas nécessairement sur une évaluation objective de la réalité.

Le médecin enchaîna sur des remarques similaires dont le contenu échappait largement à Cardinal. Son esprit était un immeuble calciné, une coquille vide. Comment, dans ces conditions, espérer saisir à nouveau un jour ce qui se passait autour de lui ?

Quand il prit congé, Bell le raccompagna à la porte.

– Catherine avait de la chance de vous avoir épousé, et elle le savait, lui dit-il.

Il faillit une nouvelle fois se décomposer, à l'énoncé de ces quelques mots. S'il ne s'écroula pas, ce fut au prix d'un effort surhumain – celui que devrait fournir un accidenté juste recousu pour quitter sur ses deux jambes la salle d'opération. Après avoir réussi Dieu sait comment à traverser le hall d'entrée, il sortit dans la rue dorée par la lumière d'automne.

5

Situé à l'angle de Sumner et d'Earl Street, le funérarium des Pompes funèbres Desmond sert de *memento mori* en dur à Algonquin Bay : quiconque entre en ville ou en sort ne peut pas le louper, vu l'emplacement qu'il occupe. La construction en parpaings manque de charme, avec sa forme de losange peinte dans une nuance coquille d'œuf – une couleur choisie pour atténuer la dureté des angles et faire oublier la sombre vocation du lieu. Lorsqu'il passait devant, le père de Cardinal s'exclamait systématiquement, avec un geste expressif de la main : « C'est pas encore cette fois que tu m'auras, m'sieur Desmond ! Pas cette fois ! »

Sauf que M. Desmond avait bien sûr fini par avoir Stan Cardinal, de même qu'il avait eu son épouse avant lui et qu'il aurait tôt ou tard chacun des habitants d'Algonquin Bay. Les catholiques, tout du moins. Un autre établissement de pompes funèbres installé un peu plus loin vers l'est prenait en charge les protestants ; et un troisième, d'implantation plus récente, se développait, semble-t-il avec succès, sur le dos des morts juifs, musulmans et « de confessions diverses ».

Au vrai, M. Desmond n'était pas une seule personne, mais une vraie petite entreprise sur laquelle prospérait toute une tribu de Desmond énergiques, décidés à mener à bien leur triste mais nécessaire activité.

Dès que Cardinal, escorté de Kelly, eut franchi le seuil du funérarium, l'émotion lui broya la poitrine. Il crut que ses genoux allaient le trahir. David Desmond, un très jeune homme tiré à quatre épingles, la précision incarnée, échangea une poignée de main éloquente avec le père et la fille. Ses richelieus noirs étincelants lui faisaient des pieds de vieux.

— Il vous reste quarante-trois minutes avant que les gens commencent à arriver, leur annonça-t-il. Vous désirez y aller tout de suite ?

Cardinal acquiesça d'un signe.

— Bien. Nous vous avons mis dans le salon Rose. Pour vous y rendre, prenez par là, sur votre droite, ce sera la deuxième porte en chêne à double battant que vous trouverez juste après la commode avec une pendule ancienne.

Il leur indiquait ces directions comme si le but à atteindre se trouvait, non à quelques dizaines de mètres, mais infiniment loin. Il les pilota d'ailleurs jusqu'au salon Rose et tira lui-même le panneau coulissant de la porte.

— Entrez, je vous en prie, dit-il en s'effaçant devant eux. Je reste dans les parages, si jamais vous avez besoin de quoi que ce soit.

Ce n'était pas la première fois que Cardinal pénétrait dans cette pièce. Il savait ce qui l'y attendait : des murs vieux rose doux à l'œil, des sofas et des fauteuils assortis, des tables basses, avec, posées dessus, des lampes aux abat-jour vaporeux qui diffusaient une lumière tamisée, bienfaisante. À peine y avait-il pénétré, néanmoins, qu'il stoppa net, bloqué sur une syllabe inarticulée — une sorte de soupir, une brusque exhalaison très en deçà de la parole.

— Qu'y a-t-il ? s'enquit Kelly dans son dos. Quelque chose ne va pas ?

— Je leur avais demandé de fermer le cercueil, réussit à bafouiller Cardinal. Je ne m'attendais pas à la revoir.

— Oh, non. Moi non plus.

Ils s'étaient figés sur le seuil, tous les deux. La pièce devant eux formait une sorte de long tunnel rosâtre avec, à l'autre bout, Catherine, d'une beauté insoutenable, allongée comme si elle les attendait.

– Tu veux que je leur demande de le fermer? proposa Kelly au bout d'un moment.

Sans répondre, il se risqua lentement à l'intérieur, en hésitant à chaque pas comme si le plancher menaçait de céder sous son poids.

C'était dans cette même pièce que, bien des années plus tôt, il avait vu sa mère pour la dernière fois, mais la forme couchée dans la bière ne ressemblait guère à ce qu'elle avait été vivante. Le mal qui l'avait emportée ne laissait aucun vestige du naturel gai et de la volonté farouche de cette femme qui l'avait aimé sa vie durant. Mort, son père aussi aurait eu l'air d'un parfait inconnu, sans ses lunettes et cette posture combative que la mort n'avait pas pu lui ôter.

Catherine, elle, était égale à elle-même, avec son grand front, sa belle bouche encadrée de parenthèses minuscules, ses cheveux bruns qui retombaient sur ses épaules en boucles gracieuses. Par quel miracle les Desmond s'étaient-ils débrouillés pour réparer les dégâts causés par la chute, voilà un point que Cardinal n'avait aucune envie d'approfondir. La pommette gauche, si vilainement enfoncée, était restaurée, et le visage qui semblait intact avait retrouvé sa plénitude.

Cette vision le précipita dans une nouvelle dimension de la douleur. *Douleur* – mot en réalité trop faible pour désigner l'immensité de son chagrin, ce Yukon âpre et désolé où il s'enfonçait un peu plus chaque jour.

Une contraction de l'espace-temps le tassa sur un des canapés roses, épuisé, le souffle court. À côté de lui, Kelly triturait une petite boule de Kleenex détrempés.

On lui parlait. Il se leva en chancelant pour saluer M. et Mme Walcott, des voisins de Madonna Road, des enseignants à la retraite qui se chamaillaient du matin au soir. Ce jour-là, apparemment, ils avaient convenu d'une trêve et décidé de présenter un front uni, aussi formel que guindé.

– Toutes mes condoléances, déclara M. Walcott.

Aussitôt, sa femme se porta vivement en avant.

– Quel drame affreux, renchérit-elle. Et à cette époque de l'année, en plus, quand il fait si bon vivre.

– C'est vrai, dit Cardinal. L'automne était la saison préférée de Catherine.

– Le ragoût, au fait, vous l'avez mis au frais ?

Cardinal jeta un coup d'œil interrogateur à Kelly, qui répondit d'un battement de cils.

– Oui, je vous remercie. C'est vraiment très gentil à vous.

– Vous n'avez plus qu'à le réchauffer. Une vingtaine de minutes à four moyen, cent quatre-vingts, ça devrait suffire.

Les gens arrivaient. Ils s'approchaient du cercueil un par un, esquissaient parfois une génuflexion ou un signe de croix. Cardinal reconnut des enseignants de l'institut d'art où Catherine travaillait, à Northern University. Quelques-uns de ses étudiants. M. Fisk, avec ses beaux cheveux blancs, qui pendant des décennies avait tenu le seul magasin de photo de la ville avant de devoir fermer boutique, comme la moitié des commerçants de Main Street, condamné par la munificence fatale du centre commercial Wal-Mart.

– Il est très bon, ce portrait de Catherine avec ses appareils, disait M. Fisk. Elle avait exactement cette allure quand elle venait au magasin. Elle portait toujours cet anorak ou son ciré de pêcheur. Vous vous souvenez de ce ciré ?

Dissimulant sa nervosité sous une apparente désinvolture, M. Fisk parlait de Catherine comme d'une amie excentrique qui aurait déménagé sur un coup de tête.

– Il y a du monde, c'est bien, ajouta-t-il d'un air approbateur en regardant l'assistance.

Des élèves de Catherine défilaient devant Cardinal en murmurant des mots gentils. Certains étaient déjà largement adultes, les plus jeunes avaient les yeux embués, mais tous, même les plus conventionnels, exprimaient une sympathie qui touchait profondément Cardinal. Qui aurait cru que des paroles toutes simples puissent avoir une telle résonance ?

Puis ce fut au tour de ses collègues : McLeod, dans un costume taillé pour un homme de moindre corpulence ; Collingwood et Arsenault, qui ce jour-là avaient tout d'un duo de comiques au chômage ; Larry Burke, aussi, qui se signa devant le cercueil et se recueillit quelques minutes à côté, la tête penchée sur la poitrine. Il ne connaissait pas très bien Cardinal – son affectation à leur équipe d'enquêteurs était encore récente –, mais il avait tenu à venir en témoignage de sympathie.

Delorme avait mis une robe bleu foncé, pour l'occasion. Cardinal, qui la voyait toujours en pantalon, faillit ne pas la reconnaître.

– Quelle tristesse, cette journée, dit-elle en l'étreignant.

Elle tremblait légèrement, contre lui, luttant pour refouler ses larmes, et il avait la gorge trop serrée pour parler. Elle s'agenouilla longuement devant le cercueil, revint ensuite vers Cardinal pour le prendre à nouveau par l'épaule, les yeux humides.

Kendall, le chef de la police, s'était déplacé, tout comme le sergent chef Chouinard, Ken Szelagy, l'ensemble des effectifs de la brigade criminelle et un certain nombre d'agents de police.

Ensuite, le temps se contracta à nouveau, et ils se retrouvèrent transportés au crématorium de Highlawn. Le trajet à travers les collines ne laissait aucun souvenir à Cardinal. Catherine ne voulait pas de service religieux, mais dans le testament qu'elle avait rédigé avec son époux elle émettait le souhait d'être accompagnée par le père Samson Mkembe.

À l'époque où Cardinal était enfant de chœur, les prêtres catholiques étaient tous d'origine irlandaise ou franco-canadienne. Aujourd'hui, l'Église devait recruter ses ministres dans des contrées plus lointaines, jusque dans le Sierra Leone d'où venait le père Mkembe. Il se tenait à présent sur les marches de la chapelle du crématorium, haute silhouette décharnée surmontée d'un visage d'ébène poli.

Le lieu de culte était presque plein. Cardinal reconnut dans la foule Meredith Moore, la directrice de l'institut d'art, ainsi que Sally Westlake, une grande amie de Catherine. Et il discerna, perdue quelque part dans le fond, la tignasse laineuse du Dr Bell.

Le père Mkembe leur parla de la force de Catherine et trouva les mots justes pour évoquer plusieurs de ses qualités – tâche évidemment facilitée par le coup de fil qu'il avait passé à Kelly pour se rafraîchir la mémoire. Il leur expliqua aussi que la foi de Catherine l'avait soutenue dans l'adversité, ce qui constituait une contre-vérité grossière. Catherine n'allait plus à l'église que dans des circonstances exceptionnelles et elle avait depuis longtemps cessé de croire en Dieu.

Les portes du four s'ouvrirent, laissant entrevoir les parois rougeoyantes. Le cercueil glissa sur ses rails, les portes se refermèrent et le prêtre prononça une dernière prière. *Tu l'as trahie, tu l'as trahie*, chantait le glas funèbre qui résonnait sous le crâne de Cardinal.

Dehors, les couleurs de la vie avaient un éclat surnaturel. Le bleu du ciel copiait celui des flammes du gaz, les jaunes, les ors, les rouges et les rouilles du tapis de feuilles mortes semblaient diffuser la lumière, au lieu de simplement la réfracter. Une ombre fugitive obscurcit ce spectacle, aux yeux de Cardinal, quand la fumée de celle qu'il avait aimée voila le soleil.

— Monsieur Cardinal. Vous ne vous souvenez peut-être pas de moi...

Meredith Moore serra la main de Cardinal dans sa petite paume sèche. Très menue, elle avait un aspect fané, comme déshydraté, qui donnait envie de la plonger dans l'eau pour lui restituer un volume normal.

– ... Je suis une collègue de Catherine.

– Oui, madame Moore. Nous avons eu l'occasion de nous rencontrer, ces dernières années.

Cette femme s'était en réalité opposée de façon déplaisante à Catherine pour prendre la direction de l'institut, allant jusqu'à remettre en cause les compétences de sa rivale en arguant de ses problèmes psychiatriques. Une stratégie payante, puisqu'en définitive c'est elle qui avait eu le poste.

– Catherine va cruellement nous manquer. Elle plaisait beaucoup aux étudiants, ajouta-t-elle sur un ton presque désinvolte, histoire sans doute de marquer qu'elle se souciait comme d'une guigne de l'opinion de ceux-ci.

Cardinal la laissa pour aller retrouver Kelly, qui pleurait dans les bras de Sally Westlake. La chère Sally, au cœur aussi grand que sa taille hors normes, une des rares personnes que Cardinal avait personnellement prévenues de la mort de Catherine.

– Oh, John, soupira-t-elle en s'essuyant les yeux. Elle va tellement me manquer. Catherine était ma meilleure amie. Mon inspiration. Ce n'est pas un cliché, je t'assure : elle n'arrêtait pas de me houspiller pour que je réfléchisse plus à mes photos, que j'en prenne davantage, que je passe plus de temps à les développer. Personne ne lui arrivait à la cheville. Et elle était si fière de toi, dit-elle à Kelly.

– Il n'y a pas trop de raisons, protesta la jeune fille.

– Si, parce qu'en fait tu lui ressembles : tu as son talent, son courage. Tu veux devenir artiste et tu te lances à New York ? Ça prouve que tu as du cran, ma chérie.

– Et si à la fin je m'aperçois que j'ai tout raté ?

– Oh, tais-toi ! Bien sûr que non !

Cardinal s'attendait presque à ce que Sally pince gentiment la joue de Kelly ou lui ébouriffe les cheveux.

Le Dr Bell s'approchait pour réitérer ses condoléances.

– Je suis très touché que vous soyez avec nous, dit Cardinal. Je vous présente ma fille, Kelly. Elle est venue de New York passer quelques jours avec moi. Le Dr Bell était le psychiatre de Catherine, ajouta-t-il à l'intention de sa fille.

– Ah…, fit Kelly avec un sourire contrit. Pas une de vos plus grandes réussites, alors ?

– Kelly…

– Non, non, elle a le droit. C'est tout à fait légitime. Les spécialistes de la dépression sont un peu comme les cancérologues, hélas ; ils ne peuvent pas se targuer de taux de succès faramineux. Je ne voulais pas vous déranger, juste vous saluer avant de partir. Je vous laisse.

Kelly attendit qu'il fût hors de portée de voix pour se tourner vers son père :

– Tu ne m'as pas dit que tu trouvais que maman n'était pas si dépressive que ça, ces temps-ci ?

– Si. Mais il m'est souvent arrivé de me tromper.

– Tout le monde a été d'une gentillesse incroyable, remarqua Kelly quand ils furent rentrés chez eux.

Des bataillons de cartes de condoléances paradaient sur la table de la salle à manger, et dans la cuisine le plan de travail disparaissait sous les pâtés en croûte, les tartes et les tourtes, ainsi que sous un amoncellement de boîtes Tupperware remplies de ragoût, de risotto ou de ratatouille. Quelqu'un avait même apporté un jambon entier.

– Oui, c'est une belle tradition, ces cadeaux de nourriture, renchérit Cardinal. On se sent complètement vidé, on se dit qu'on doit avoir faim et qu'il faudrait manger un morceau, mais l'idée de préparer quelque chose paraît impossible. C'est trop. Tout paraît trop, j'imagine, dans des cas pareils.

— Tu ne veux pas t'allonger un peu ? demanda Kelly en ôtant son manteau.

— Non, je crois que ce serait pire. Je vais faire réchauffer un truc au micro-ondes.

Il attrapa au hasard une des boîtes en plastique et resta planté au milieu de la cuisine à l'examiner sous tous les angles, comme s'il tenait entre les mains un objet d'une autre galaxie.

— Il y avait encore du courrier, dit Kelly en laissant tomber une poignée d'enveloppes sur la table de la cuisine.

— Ouvre-le, tu veux ?

Cardinal plaça le récipient dans le four à micro-ondes puis, interloqué, fixa la rangée de boutons. Encore un hiatus dans l'écoulement du temps. La moindre tâche le dépassait. Catherine n'était plus là. Quel sens cela avait-il de manger ? Ou de dormir ? Ou de s'éterniser ici-bas ? *Tu n'y survivras pas*, chuchotait sa voix intérieure. *C'est fichu pour toi.*

— Oh, mon Dieu, s'exclama Kelly.

— Qu'y a-t-il ? (Elle tenait une carte postale dans une main et se couvrait la bouche de l'autre.) Qu'y a-t-il, poussin ? Montre-moi. (Elle secoua la tête et cacha l'objet dans son dos.) Kelly, ne fais pas l'enfant. Donne-moi ça.

Il la saisit par le poignet et lui arracha la carte des doigts.

— Jette-la, papa. Ne la regarde même pas. Jette-la.

C'était une carte d'un modèle luxueux, à deux rabats, illustrée d'une fleur. Un beau lis. Le message imprimé à l'intérieur était masqué par un petit rectangle de papier sur lequel l'expéditeur anonyme avait écrit, en se servant d'un ordinateur : *Quel effet ça fait, connard ? Bien malin qui pourrait dire comment ça va finir.*

6

Une planète nommée Chagrin. À un nombre incalculable d'années-lumière du soleil, de sa chaleur. Quand il pleut, la pluie tombe ici à grosses gouttes chagrines, quand la lumière perce, c'est sous forme d'ondes et de particules chagrines. Le vent, d'où qu'il vienne – du sud, de l'est, du nord ou de l'ouest – souffle les cendres du chagrin. Le chagrin irrite les yeux, le chagrin coupe le souffle. Il n'y a pas d'oxygène, sur cette planète, pas d'azote non plus. L'atmosphère y est exclusivement composée des gaz du chagrin.

Le chagrin de Cardinal n'était pas seulement nourri par les centaines d'objets ayant appartenu à Catherine – les photos, les CD, les vêtements, les bouquins, les aimants fantaisie appliqués sur le frigo, les meubles qu'elle avait choisis, les murs peints par ses soins, les plantes qu'elle soignait. Le chagrin s'insinuait dans la maison par le moindre interstice, il se faufilait sous les portes, se coulait sous les fenêtres.

Impossible de trouver le sommeil. Les mots fielleux de la fausse carte de condoléances lui trottaient dans la tête. Il finit par se lever pour les étudier sous la lumière vive de la lampe de la cuisine. Kelly avait jeté l'enveloppe. Il alla la récupérer dans la poubelle. La personne qui la lui avait envoyée s'était manifestement servie d'une imprimante d'ordinateur, mais en dehors de cela il ne remarqua pas de détail décelable à l'œil nu.

La carte non plus n'avait rien de remarquable. Tous les supermarchés et toutes les papeteries du pays devaient proposer ce genre de modèle préimprimé avec enveloppe assortie.

Le cachet de la poste indiquait la date et l'heure – autrement dit, non pas le moment auquel l'expéditeur avait glissé l'enveloppe dans la boîte, bien sûr, mais celui du passage en machine. Il mentionnait également le code postal, sans qu'on puisse en déduire où le courrier avait été posté, puisque ce code était celui du centre de tri. Il s'agissait en l'occurrence de celui de Mattawa. Cardinal connaissait des gens là-bas, de vagues relations qui n'avaient pas de raisons de le persécuter. Certes, Mattawa était un centre de villégiature coté : ses gîtes et ses chalets au bord de l'eau attiraient une partie non négligeable de la population de l'Ontario. Mais, en octobre, la plupart de ces privilégiés avaient fermé leur cottage pour l'hiver.

Rien, toutefois, n'empêchait quelqu'un qui préférait rester discret de s'arrêter à Mattawa pour y jeter une lettre à la boîte. En prenant la 17, c'était à une demi-heure en voiture d'Algonquin Bay.

Lise Delorme fut soufflée de le voir débarquer chez elle à l'improviste. C'était un dimanche, et il la surprit en train de nettoyer les carreaux. Elle portait un vieux jean déchiré aux genoux, et une chemise en tissu vichy couverte de taches de peinture qu'elle devait traîner depuis l'adolescence. Sa maison, un pavillon en haut de la rue Rayne, embaumait le vinaigre et l'encre d'imprimerie.

— J'aurais dû m'y attaquer depuis le mois d'août, dit-elle comme pour se justifier, alors qu'il ne lui avait rien demandé. Ce n'est qu'aujourd'hui que j'ai trouvé le courage de m'y mettre.

Elle passa dans la cuisine pour leur préparer un café.

– Pour toi, ce sera un déca, que ça te plaise ou non. Visiblement, tu n'as pas fermé l'œil de la nuit.

– C'est vrai, mais il y a une raison à ça. Une autre raison, je veux dire.

Elle revenait dans le salon avec le café et une assiette de petits gâteaux au chocolat.

– Tu ne veux pas demander à ton médecin de te prescrire du Valium ? Franchement, John, ce serait bête de laisser l'insomnie te pourrir davantage la vie.

– Merci pour le conseil. En fait, c'est là-dessus que je voudrais ton avis.

Il sortit la carte et son enveloppe d'une chemise en papier et les posa sur la table basse. Il les avait glissées dans un sachet en plastique et les lui présenta telles quelles, la carte ouverte, l'enveloppe côté adresse. Delorme fronça les sourcils.

– Quoi, du boulot ? Tu m'apportes du travail, aujourd'hui ? Voyons, John, tu as droit à une semaine de congé sinon deux. Bon sang, mais à ta place je m'arrêterais des mois sans hésiter.

– Regarde, et dis-moi ce que tu en penses.

Elle se pencha en avant.

– C'est à toi qu'on a envoyé ça ?

– Oui.

– Mon Dieu, c'est horrible ! Il faut vraiment être malade.

– J'aimerais savoir de qui ça vient et j'étais curieux d'avoir ta première impression.

– Bien, bien, murmura-t-elle en examinant attentivement la carte. En premier lieu, ce sinistre individu a pris la peine d'imprimer les deux lignes de son message, ce qui laisse supposer qu'il pense que tu pourrais reconnaître son écriture – ou qu'il te serait relativement facile de l'identifier.

– Des noms, s'il t'en vient à l'esprit ?

– Oh, ce ne sont pas les candidats qui manquent.

N'importe lequel de ceux que tu as fait coffrer, pour commencer.

— N'importe lequel ? Je n'en suis pas si sûr. Prends Tony Capozzi, par exemple. Il a de bonnes raisons de m'en vouloir puisqu'il y a deux mois je l'ai envoyé en taule pour voies de fait. Pour autant, je ne le crois pas capable d'un acte aussi veule.

— Je pensais aux truands qui ont écopé de peines sévères. Cinq ans, voire plus. Ils ne sont pas si nombreux, ceux-là.

— D'accord, mais s'il s'agit de l'un d'entre eux, il faut que le type soit assez subtil et opiniâtre pour s'être procuré mon adresse personnelle. Ce n'est pas comme si j'étais dans l'annuaire. Quitte à suivre ton idée, je pencherais pour un des membres du gang Bouchard.

Assassiné deux ans plus tôt en prison, Rick Bouchard était resté jusqu'à sa mort un salaud de la pire espèce, y compris selon la morale élastique des trafiquants de drogue. Il devait en partie à Cardinal la sentence de quinze ans fermes prononcée à son encontre par le tribunal, et ce grand criminel qui se distinguait du lot de ses semblables par une intelligence innée et l'influence que lui procurait sa fortune avait poursuivi le policier de sa haine jusqu'à son dernier jour.

— Possible, admit Delorme, mais peu vraisemblable, non ? Après tout, Bouchard est mort et enterré.

— Ses hommes savent où j'habite, et ce serait assez leur style. Il y a deux ans, Kiki B. s'est pointé chez moi avec une lettre de menaces.

— Oui, mais Bouchard était encore en vie, à l'époque, et tu m'as dit toi-même que Kiki B. avait pris sa retraite.

— Tu crois que les gens de cet acabit se supportent, en retraités ?

— Des tas de racailles connaissent ton adresse. Maintenant, c'est facile avec Internet. Et tu te rappelles cet imbécile de journaliste qui était venu filmer, juste devant ta porte ? Ça avait fait un foin de tous les diables. Qui sait combien de téléspectateurs ont vu ces images ?

– Elles n'ont pas été diffusées nationalement. J'ai vérifié. Ce n'est passé qu'aux infos régionales.

– La région, c'est immense, John.

Osant un geste qu'elle se permettait très rarement, elle lui prit la main entre ses paumes tièdes. Une expression très douce s'imprima sur ses traits, et malgré la souffrance qui lui embrumait les yeux – à cause, peut-être, de la souffrance – Cardinal la trouva soudain étonnamment belle. Au travail, elle revêtait un masque tout différent : elle se blindait en prévision du festival de sarcasmes dont le poste était chaque jour le théâtre. Lui aussi, bien sûr. Tout le monde agissait de même. Mais Delorme était la seule femme du groupe, et il la trouvait tout à coup aussi charmante et incongrue qu'un dauphin dans un aquarium de requins.

– Ce pourrait être un voisin malfaisant, reprit-elle. Quelqu'un qui a une dent contre la police. Ce n'est pas forcément personnel.

– Le cachet de la poste est celui de Mattawa, dit Cardinal en soulevant l'enveloppe sous plastique.

– Oui, mais bon... Pourquoi ne pas faire une croix là-dessus, John ? Je ne vois pas ce que ça peut t'apporter, quel soulagement tu pourrais en tirer. Sans compter qu'en plus, franchement ce n'est pas de la tarte. Pourquoi te lancer dans une mission quasi impossible ?

– Je pensais te la confier, en réalité.

– À moi ?

Ses yeux tout à l'heure si doux le dévisageaient avec méfiance.

– Je ne peux pas m'en charger, Lise. Je suis directement concerné.

– Il est hors de question que je lance une enquête. Ce n'est pas un crime d'envoyer une lettre, si déplaisante soit-elle.

– *Bien malin qui pourrait dire comment ça va finir*, lut Cardinal à haute voix. Cela ne constitue pas une menace, selon toi ? Compte tenu des circonstances ?

– Je pense plutôt qu'il s'agit d'un constat. À propos de la vie en général. Pour moi, non, ce message ne te menace pas, ni directement, ni indirectement.

– Tu ne le trouves pas ambigu, non plus ?

– Non, John. D'accord, la première phrase est odieuse, mais pour autant ce n'est pas une menace. Si tu veux mon sentiment, je crois qu'il s'agit d'une mauvaise plaisanterie. Elle ne mérite pas qu'on ouvre une enquête.

– Suppose que Catherine ne se soit pas tuée, insista Cardinal. Suppose qu'il s'agisse d'un meurtre.

– Catherine n'a pas été assassinée. Elle a laissé une lettre d'adieu. Elle avait des antécédents médicaux. Des gens atteints comme elle de maniaco-dépression se suicident tous les jours.

– Je sais…

– Elle a écrit cette lettre. Tu es au courant que j'ai fouillé sa voiture. J'y ai trouvé le carnet à spirale dont elle s'est servie. Et le stylo. Tu as reconnu son écriture, tu n'as pas hésité une seconde.

– Oui, mais je ne suis pas expert en graphologie.

– Personne n'a vu ou entendu quoi que ce soit de suspect.

– L'immeuble vient juste d'être construit ! Il y a combien d'habitants dedans ? Cinq ?

– Quinze des appartements ont été achetés. Dix sont occupés.

– Autant dire que c'est une ville fantôme ! Elles étaient minces, les chances que l'un des résidents voie ou entende quelque chose !

– Il n'y avait pas non plus de traces de lutte, John. J'ai inspecté le toit moi-même et je n'y ai pas trouvé de sang, d'égratignures, d'objet cassé ou renversé. Les agents de l'identification et le légiste estiment que la position du corps sur le sol correspond effectivement à une chute.

– *Correspond*, oui. Cela n'exclut pas que quelqu'un l'ait poussée.

– L'autopsie ne nous apprend rien d'autre. Tout corrobore l'hypothèse du suicide. Nous ne disposons pas d'éléments qui la mettent en doute.

– Je veux savoir qui m'a envoyé cette carte, Lise. Tu es disposée à m'aider, ou pas ?

– Je ne peux pas. Chouinard a clos l'affaire dès réception des résultats de l'autopsie. Affaire close égale pas d'enquête. Comment veux-tu que je fasse ? C'est de mon job qu'il est question, ici.

– Très bien. N'en parlons plus, dans ce cas. Excuse-moi d'avoir insisté.

Cardinal se leva et attrapa sa veste posée sur le dossier d'une chaise. Il la boutonna, planté devant la fenêtre. Le ciel était toujours du même bleu transcendant, au-dessus de l'édredon ocre et or des feuilles mortes recouvrant le sol.

– Il est toujours très difficile d'admettre que la personne qu'on aimait s'est tuée, John.

– Tu as laissé des traces sur ce carreau, remarqua Cardinal.

Dans le jardin de la maison d'à côté, deux petites filles jouaient avec les feuilles et se roulaient dedans avec une joie de jeunes chiots.

– Laisse tomber, John. Cela ne sert à rien d'essayer de trouver un coupable. Ce n'est pas ta faute si Catherine est morte.

– Je sais, je sais. Seulement ce n'est peut-être pas non plus sa faute à elle.

7

Le lendemain matin, cette conversation avec Cardinal continua de hanter Delorme. Elle avait pourtant de quoi s'occuper, entre les dossiers à classer, les plaintes en souffrance pour des agressions et des cambriolages, et en prime un procès pour viol qui devait s'ouvrir la semaine suivante. Le meilleur de ses témoins à charge n'était pas très chaud pour se présenter au tribunal, et si elle n'arrivait pas à le convaincre, tout le travail qu'elle avait fourni resterait sans suite.

Bref, elle se serait bien passée de la nouvelle affaire que le sergent chef Chouinard avait choisi de lui confier.

– Vous allez recevoir un coup de fil de la brigade des Mœurs de Toronto, lui annonça-t-il. La section des crimes sexuels a un truc pour nous, apparemment.

– Parce que les cracks de Toronto collaborent avec Algonquin Bay maintenant ?

– Ils nous envient notre réputation internationale, c'est sûr. De toute façon, ne me remerciez pas. Ça ne va pas vraiment vous plaire, à mon avis.

L'appel lui fut transmis une demi-heure plus tard. Son correspondant, le sergent Leo Dukovsky, la connaissait pour l'avoir rencontrée à Ottawa. Il dirigeait alors un séminaire sur l'informatique ; Delorme faisait partie du groupe qui planchait sur la juricomptabilité.

– L'atelier de juricomptabilité ? s'exclama-t-elle. Oh, mais ça remonte à dix ans au moins. J'ai dû faire un truc affreux pour que vous vous souveniez de moi au bout de tout ce temps !

— Pas du tout. J'ai le souvenir d'une jeune femme très séduisante, française, avec un...

— Franco-Canadienne, corrigea Delorme.

Elle aimait bien qu'on essaye de lui plaire, mais il y avait tout de même des limites. La précision ne troubla pas le sergent Dukovsky, qui poursuivit comme si de rien n'était :

— ... un nom bien français, en tout cas, et absolument aucun accent.

— Ça vous étonne ? Vous croyez qu'on n'est jamais sortis de nos forêts ? Qu'on parle tous comme Jean Chrétien ?

— Ah, cela aussi je m'en souviens. Vous vous braquez facilement.

— C'est peut-être vous qui avez le don de braquer les gens. Ça ne vous a jamais effleuré l'esprit, sergent ?

— C'est exactement à cause de ce genre de réplique que les hommes comme moi ne sont pas près de vous oublier, surtout quand ils ont un sale, un très sale boulot sur les bras. Vous finirez peut-être par apprécier celui que je vous propose, remarquez. Ce n'est pas un cadeau, mais à terme – si tant est qu'on puisse le mener à terme – il pourrait s'avérer payant. Nous surveillons un réseau de pornographie enfantine depuis déjà un certain temps. Une gamine, en particulier, réapparaît régulièrement. Elle devait avoir autour de sept ans, sur les premières photos. À l'heure qu'il est, elle doit en avoir treize ou quatorze.

— Elle apparaît dans des endroits différents ? Avec des personnes différentes ?

— Non, il n'y a qu'un homme avec elle, toujours le même. Il prend évidemment ses précautions pour qu'on ne voie pas son visage à l'image. Quant aux lieux, c'est plus variable, mais il n'y en a guère que deux ou trois. Nous avons isolé quelques éléments à l'arrière-plan

– des meubles, des vues depuis les fenêtres, ce genre de choses.

– Et vous en avez déduit qu'elle vit à Algonquin Bay ?

– Soit elle y habite, soit elle y vient de temps en temps. Nous n'avons pas de certitude absolue. Vous allez recevoir la doc, on vous l'a envoyée par coursier. Quand vous l'aurez, rappelez-moi pour me donner votre sentiment. S'il s'agit bien d'Algonquin Bay, sur ces photos, nous vous aiderons dans toute la mesure du possible, mais comme de juste l'affaire passera sous votre responsabilité. Voilà. Vous êtes contente que je ne vous aie pas oubliée ?

Ce coup de fil aurait dû détourner le cours de ses pensées, mais il n'en fut rien, et très vite elles se focalisèrent à nouveau sur John Cardinal. Il occupait le bureau voisin du sien et il était exceptionnel qu'il ne vienne pas travailler. À la mort de son père, il n'avait pas voulu prendre plus d'une journée de congé. Le service n'avait pas à s'en plaindre, mais tout bien considéré, réfléchissait Delorme, cette incapacité à s'abstraire du travail était sans doute plus une faiblesse qu'une force.

Elle fonctionnait de la même façon. Elle ne savait pas à quoi employer son temps libre, et à la fin de l'année il n'était pas rare qu'elle touche en salaire l'équivalent de quinze jours de vacances.

Elle contempla un moment le portrait sous verre posé en évidence sur le bureau de Cardinal. À l'époque où cette photo avait été prise, Catherine devait déjà avoir autour de quarante-cinq ans, mais elle était encore très attirante. Le regard un peu sceptique, l'éclat humide de la lèvre inférieure avaient quelque chose de sexy. On comprenait que Cardinal en soit tombé amoureux. Qu'as-tu fait à mon ami ? aurait voulu lui demander Delorme. Pourquoi avoir commis l'irréparable, l'impardonnable ? Comment as-tu pu choisir la mort ? Plusieurs cas de suicide récents lui revinrent en mémoire – une mère de trois enfants, un administrateur des services sociaux, un adolescent. Ceux-là aussi avaient renoncé à la vie.

Elle ouvrit le carnet trouvé dans la voiture de Catherine – un petit carnet à spirale d'un format courant, avec sur la couverture l'inscription *Northern University*. Son contenu laissait supposer qu'il servait essentiellement de pense-bête. Gribouillés à l'intérieur, il y avait des noms et des numéros de téléphone, une recette de bisque aux champignons, une autre d'une espèce de sauce, des notes rappelant qu'il fallait passer chez le teinturier ou payer telle facture, et des idées de projets photo : *série téléphone : uniquement des gens en train de téléphoner – cabines, portables, talkies-walkies, des gosses avec des boîtes de conserve, tout.* Ou encore : *nouvelle série sur les sans-abri : des portraits de SDF, mais en train de poser, bien habillés, pour leur ôter autant que possible leur « étrangeté ». Trouver une autre idée ? Quelque chose de moins artificiel, de moins guindé ?* Sur la page suivante, Catherine avait simplement écrit : *anniversaire de John.*

Delorme avait également le stylo. Trouvé dans le sac de Catherine avec le carnet. Un stylo-bille d'un modèle courant, à encre bleu clair. Elle traça les mots *Effets personnels* sur une feuille de papier et les compara avec les notes du carnet. La même encre, pour autant qu'on puisse l'affirmer en l'absence de test scientifique.

Enfin, elle avait le mot d'adieu de Catherine. L'écriture semblait identique à celle du carnet – on reconnaissait le *J* minimaliste de *John*, les barres des *t*, légèrement recourbées au bout. Un message terrible, mais ni plus emphatique ni plus tremblé que les annotations du carnet. Il était plus net et plus lisible, au contraire, comme si la décision d'en finir était l'aboutissement d'une réflexion calme et raisonnable. Alors qu'elle vivait avec un chic type, un mari fidèle et qui l'aimait. Pourquoi ?

aurait voulu lui demander Delorme. D'accord, tu souf-
frais, mais est-ce une raison ? Comment as-tu pu faire
une chose pareille ?

Elle ferma l'enveloppe dans laquelle elle venait de
glisser les trois objets.

Quelques heures plus tard, Cardinal ouvrait cette
enveloppe sur une table de cuisine, dans sa maison de
Madonna Road. Kelly le regarda feuilleter précaution-
neusement le carnet à spirale. La vue de l'écriture de sa
mère faisait se liquéfier son cœur dans sa poitrine. De
temps à autre, son père inscrivait quelque chose dans
son propre carnet.

— Tu es sûr que c'est une bonne idée d'inspecter
ses affaires comme ça, papa ?

— Tu devrais aller à côté, ma chérie. Ce n'est pas
grand-chose, mais il faut que je le fasse.

— Je ne comprends pas comment tu peux le supporter.

— Je ne le supporte pas. Il faut simplement que je
le fasse.

— Mais pourquoi ? Tu vas devenir fou, à force.

— Assez curieusement, ça m'apaise, en réalité. Je
suis obligé de me concentrer au lieu de penser encore
et encore que Catherine…

Kelly se pencha sur la table pour lui effleurer le
bras.

— Justement, papa. Il vaudrait peut-être mieux penser à elle de toutes tes forces au lieu de fouiller dans
son carnet. Ce n'est pas sain, papa. Ce n'est pas interdit,
tu sais, de te mettre au lit et de pleurer tout ton soûl.
De crier, au besoin, si ça peut te soulager.

Cardinal tenait le carnet sous la lampe accrochée
assez bas au-dessus de la table de cuisine. Il l'inclinait
légèrement d'un côté, puis de l'autre, examinait une
page vierge, revenait à une page écrite. L'attention quasi

obsessionnelle qu'il portait à cette tâche était exaspérante.

– Regarde, Kelly. Enfin, seulement si tu en as envie, bien sûr, mais c'est vraiment intéressant, je t'assure.

– Quoi ? C'est incroyable, je trouve, que tu perdes ton temps à des trucs pareils !

Elle s'en voulut aussitôt, se dit qu'elle devait ressembler à une ado en crise, qu'elle régressait parce qu'elle était sous pression.

– Regarde. À première vue c'est l'écriture de Catherine, non ?

– Évidemment que c'est son écriture. Je la reconnais même à l'envers. Elle fait tout le temps ces drôles de petites boucles aux barres des *t*.

– Et sur la page arrachée du carnet, c'est écrit avec son stylo – ou avec un autre identique.

– Tes collègues l'ont sûrement déjà établi, papa. Qu'est-ce qui t'arrive ? Tu penses que quelqu'un a écrit ce mot à sa place ?

– Non, non... du moins pas encore. Mais regarde. Viens voir.

Kelly se serait bien réfugiée au salon, devant la télé. Elle n'avait pas envie d'encourager son père, mais elle ne voulait pas non plus aggraver la situation par son comportement. Elle se leva et s'approcha de lui, à un pas derrière.

– Voilà, commença Cardinal. Ce qui m'intrigue, c'est que la page arrachée, celle du billet d'adieu, n'est pas la dernière sur laquelle Catherine a écrit.

– Je ne comprends pas.

– On distingue les marques en creux, sur celles qui suivent. Elles ne sont pas très distinctes, c'est vrai, mais on les voit mieux en orientant le carnet pour avoir le bon angle. Là, tu vois ?

– Pas du tout.

– Tu n'es pas bien placée. Assieds-toi.

Il lui tira une chaise et elle se posa dessus tandis qu'il inclinait lentement le carnet sous ses yeux, d'avant en arrière.

— Ah, oui ! s'exclama-t-elle tout à coup. C'est vrai, je les vois.

La main de Cardinal s'immobilisa sous la lampe. En haut d'une page couverte de griffonnages, apparaissait l'empreinte de deux mots inscrits en creux – *John chéri*. Il bascula très légèrement le carnet. Un peu plus bas, Kelly réussit à déchiffrer *eu moyen... autrement... Catherine*. Le reste était recouvert par des annotations plus récentes, dont le rappel de l'anniversaire de Cardinal.

— Je suis né en juillet, comme tu sais. On a fêté mon anniversaire il y a trois mois.

— Elle aurait pu t'écrire cette lettre il y a trois mois, tu crois ? Pourquoi pas, après tout. N'empêche, c'est bizarre, non, de se trimballer pendant trois mois avec ça dans son sac. (Cardinal laissa tomber le carnet sur la table et se carra sur son siège.) L'explication est peut-être toute simple, en fait. Quand elle a écrit ça, elle avait pris sa décision... et puis elle a changé d'avis. Provisoirement, en tout cas. Ou alors, il y a trois mois elle a sauté une page de son carnet sans faire exprès et l'autre jour elle est tombée dessus par hasard et elle l'a utilisée.

— Par souci d'économie ? Drôle de moment, non, pour trouver dommage de gaspiller une page d'un carnet qui n'a même pas coûté un dollar ?

— Enfin papa, c'est son écriture. Son stylo. Qu'est-ce que ça change, en définitive, qu'elle ait écrit ce mot sur cette page-ci plutôt que sur celle-là ?

— Je n'en sais rien, reconnut Cardinal. À dire vrai, je n'en sais rien.

L'expérience lui avait appris que la valeur d'un inspecteur se mesure à son carnet d'adresses. Compte tenu du manque d'effectifs et de moyens des services de police, des relations bien placées facilitent souvent le travail d'enquête, et l'intervention d'un ami sûr opère parfois des miracles.

Tommy Hunn n'était pas à proprement parler un ami. Cardinal l'avait rencontré au tout début de sa carrière, lorsqu'il travaillait encore à la brigade des Mœurs de Toronto. À bien des égards, son ancien collègue était le contraire du bon flic : tout en muscles, irascible et violent, raciste convaincu. Ç'avait aussi été un inspecteur remarquable, jusqu'à ce qu'il se fasse surprendre dans un bordel par les hommes placés sous ses ordres. Radié pour conduite inqualifiable, il avait évité des chefs d'inculpation beaucoup plus graves grâce aux arguments présentés par Cardinal devant la commission de discipline. Quelque temps plus tard, lorsque Hunn avait dû penser à sa reconversion, il lui avait écrit une lettre de recommandation. Hunn avait pu reprendre des études, puis il avait réussi à intégrer le service d'analyse des documents de l'institut de criminologie de l'Ontario. Depuis, il y poursuivait une carrière en apparence honorable.

– Cardinal ? Un revenant, ça fait plaisir ! s'exclama-t-il au bout du fil. Ça doit être spécial, ce qui t'amène, vieux. Sinon le brave Cardinal suivrait la procédure, il passerait comme tout le monde par le central, pas vrai ?

– J'ai là deux documents que j'aimerais bien te soumettre, Tommy. Peut-être même trois. Je me disais que tu allais pouvoir m'aider.

– C'est urgent, je parie ? Faut que je te prévienne, John, ici question boulot c'est l'embouteillage permanent. Pour te donner une idée, ces jours-ci je ne bosse que sur des pièces à conviction qui auraient dû arriver hier au tribunal.

– Ouais. C'est partout pareil.

Tous les flics qui ont bénéficié d'un coup de pouce savent qu'ils devront renvoyer l'ascenseur tôt ou tard. Cardinal n'eut pas besoin d'insister davantage.

— Si tu me disais ce que tu as, exactement ? Je verrais mieux ce que je peux te proposer, comme délai.

— D'abord, une carte de condoléances avec un bout de papier collé à l'intérieur. Sur ce bout de papier, il y a un message, vraisemblablement composé sur un ordinateur, puis imprimé. C'est bref, il n'y a que deux phrases, mais j'espère que tu pourras tout de même m'aider à préciser d'où ça vient. Moi je ne suis pas foutu de dire s'il s'agit d'une jet d'encre ou d'une laser.

— De toute façon on n'ira sûrement pas très loin si on n'a pas au moins un élément de comparaison. Ce n'est plus si simple que dans le temps, avec les machines à écrire. Tu as quoi d'autre ?

— Un mot laissé par une personne qui s'est suicidée.

— Quoi ? Tu te donnes tant de mal pour un suicide ? Putain, mais c'est rien que des casse-couilles, les suicidés. Les types qui choisissent de se tuer sont des pétochards de première, si tu veux mon avis.

— Ouais, acquiesça Cardinal. Tu as raison, ce sont des lâches.

— Et des égoïstes, par-dessus le marché. Il faut vraiment ne penser qu'à soi pour mettre fin à ses jours. Tu imagines tout ce que le premier suicide venu mobilise ? Ton temps à toi, le mien, plus je ne sais pas combien de toubibs, d'infirmiers, d'ambulanciers, de psychologues. C'est dingue. Tout ça pour un connard qui n'avait même pas envie de vivre. Le comble de l'égoïsme, ouais.

— Ils se fichent pas mal des autres, c'est vrai.

— Et encore, là je te parle juste de ceux qui se ratent. Quand ils réussissent leur coup, toi, il ne te reste plus que tes yeux pour pleurer. Un ami à moi – mon meilleur pote, en fait – s'est tiré une balle avec son arme de service, il y a quelques années. Après, pendant des mois et des mois je me suis senti comme une merde. Et pourquoi j'avais rien vu venir ? et pourquoi je l'avais pas mieux soutenu ? Seulement à la fin, tu sais quoi ? De nous deux, c'est pas moi, mais lui, qui a trahi l'amitié.

— Tu as raison, Tommy.

— Les suicides, mon vieux, je te jure...

— Sauf que là on n'est pas sûr que c'en soit un.

— Ah, je vois ! Alors là, ça change tout. Je t'écoute, petit, dit Hunn d'une voix de parrain mafieux. Compte sur moi. Je ne vais pas lésiner sur les moyens pour...

— Il me faut ça très vite, Tommy. Tout de suite, ce serait bien.

— Pas de souci. Dès que je l'ai, je m'y mets. L'ennui, c'est que si tu veux produire au tribunal ces documents ou les analyses que je te ferai parvenir, tu es obligé de passer par le Dépôt, et au Dépôt personne n'est prioritaire. Même si le bon Dieu débarquait pour faire authentifier la signature du diable, il serait obligé d'attendre son tour comme tout le monde.

— Il y a un hic, Tommy : je ne peux pas passer par le Dépôt, pour cette affaire. Je n'ai pas de numéro de dossier.

— Oh, mince...

— Ce n'est pas un problème, remarque : si les résultats que tu me donnes sont intéressants, j'obtiendrai tout de suite l'enregistrement. Après, je remplirai tes formulaires en dix exemplaires, promis, et comme ça tout sera réglo.

Il y eut un silence, à l'autre bout du fil, puis un gros soupir résigné.

— C'est vraiment parce que c'est toi, John. Mon ulcère commence déjà à me titiller, mais puisque c'est toi, d'accord. Je vais le faire.

8

Écœurement était un mot trop faible pour décrire ce que Delorme éprouvait. En rentrant de déjeuner, elle avait trouvé sur son bureau le dossier envoyé par la section des crimes sexuels de Toronto. Il contenait une vingtaine de photos. Elle les avait regardées, et elle aurait payé cher pour ne les avoir jamais vues de sa vie. Ces images lui tordaient le ventre aussi douloureusement que si on l'avait rouée de coups. À cela s'ajoutaient des émotions plus complexes : la détresse, un début de panique, un désespoir infini pour l'espèce humaine.

Elle se sentait très loin des bruits et de l'agitation du bureau – du vacarme de la photocopieuse, du coup de gueule de McLeod contre le sergent Flower, du cliquetis des doigts sur les claviers, des gazouillis des téléphones. Refouler le sanglot qui lui montait dans la poitrine mobilisait toute son énergie. Les actualités télévisées la précipitaient parfois dans cette espèce d'effondrement intérieur de tout l'être – les attentats et les décapitations en Irak, les atrocités des guerres civiles africaines où des pillards vandalisaient les villages, violaient les femmes, coupaient les mains des hommes.

Les actes dont témoignaient ces photos n'étaient pas comparables à des meurtres de masse, mais ils produisaient sur elle le même effet : l'horreur devant l'ignominie de la nature humaine. Ces abominations existent, tout le monde le sait, même à Algonquin Bay, mais Delorme n'avait encore jamais vu d'images pareilles.

L'année précédente, l'inculpation d'un administrateur des services sociaux pour détention de matériel pédo-pornographique avait défrayé la chronique. Le choc avait été d'autant plus grand que l'homme menait apparemment une vie de famille normale, avait des amis, des relations, mais Delorme ne s'était pas personnellement occupée de l'affaire, elle n'avait pas été obligée de regarder le dossier. Ce type s'était tué alors qu'il était en liberté provisoire – par honte, probablement, alors qu'il n'était pas coupable d'avoir fabriqué ou diffusé ces documents, uniquement de les conserver chez lui.

Les images étalées sur son bureau correspondaient à s'y méprendre à des clichés de scène de crime. Le pédophile les avait prises lui-même, en pleine action, ce qui semblait être la loi du genre en matière de pornographie enfantine. Sur certaines photos, sa petite victime n'avait pas l'air d'avoir plus de sept ou huit ans, à en juger par sa gorge et par ses joues grassouillettes ; sur d'autres, on lui en donnait plutôt treize. Elle avait un joli visage confiant, des cheveux très blonds coupés à hauteur d'épaules, des yeux d'un vert étonnant que ses larmes venaient encore intensifier. Car elle pleurait, sur plusieurs de ces images. Autour d'elle, le décor changeait – un grand lit, un canapé, le pont d'un bateau, une tente, une chambre d'hôtel. Un détail avait été retouché, sur un des clichés : une tache floue bleue et blanche remplaçait le chapeau que devait porter l'enfant.

Quant à l'homme, il avait évidemment veillé à ne pas se photographier de face et on ne voyait de lui que des fragments disparates : l'homme, c'était ce bras velu, ce torse hirsute ; ou ces mollets de coq, cette épaule piquetée de trois points de beauté, ces fesses promises au ramollissement. Son pénis saisi en gros plan sur plusieurs prises était si rouge qu'il semblait à vif. Delorme n'était pas bégueule, l'anatomie masculine ne lui inspirait pas de répugnance particulière, mais ce bout d'organe était la chose la plus affreuse qu'il lui ait été donné de contempler.

À tel point qu'elle se surprit à penser qu'elle avait affaire à un robot habillé de chair, un monstre fabriqué par un savant fou. Rien de plus faux, bien sûr. La vérité, horrible et confondante, obligeait à le compter parmi l'espèce humaine. Il pouvait s'agir de n'importe qui, même de quelqu'un qu'elle connaissait. Et non seulement il était humain, mais en plus sa victime l'adorait, à en juger par le sourire confiant et ravi qu'elle lui adressait sur maintes photos. C'était son père, peut-être, ou alors un proche de la famille. La fillette l'aimait, et cette évidence rendait l'affaire d'autant plus cruelle.

Deux autres enveloppes complétaient le dossier envoyé par Toronto. La première contenait des doubles des différents clichés, retouchés numériquement de façon à en supprimer les personnages. Ainsi traités, ils ressemblaient à des instantanés sans intérêt : un canapé ringard, un lit qui évoquait un hôtel bon marché, l'intérieur d'une tente, un jardinet avec une maison de poupée en plastique déglinguée – autant de décors parfaitement insignifiants, pour qui ignorait les scénarios qui s'y étaient déroulés.

La dernière enveloppe ne renfermait qu'une seule photo, un agrandissement montrant la petite fille coiffée d'un chapeau qui n'était plus flou du tout : une toque en laine bleu et blanc parfaitement reconnaissable. Delorme n'avait aucune idée du procédé utilisé par les techniciens de Toronto pour arriver à ce résultat, mais il lui coupa le souffle. Bien que l'inscription tricotée sur la coiffure ne fût visible qu'en partie, on lisait clairement ALGON… RNAVAL… URRURE. Le carnaval de la fourrure d'Algonquin Bay.

Le téléphone se mit à sonner, sur son bureau.

– Delorme, de la brigade criminelle. J'écoute.

– Sergent Dukovsky, à l'appareil. Je vous interromps en pleine crise de vomissements ou ça va mieux ?

– Vous êtes peut-être blindé contre ce genre d'horreur, sergent, mais pas moi. J'ai envie de me réfugier au fin fond de la forêt pour y vivre de baies et de racines jusqu'à la fin de mes jours.

– Je vous comprends. Si ça peut vous consoler, ce sale type n'est pas le pire de ceux qu'on se coltine en ce moment. Vous saviez qu'il y en a qui font ça avec des *nourrissons* ? Et en direct, en plus ?

– En direct ? Comment ça ?

– Par vidéo. Ils branchent leur webcam et ils violentent les gosses en ligne, devant des pédophiles du monde entier qui ont payé pour regarder.

– Oh, non !

– Une partie des photos que nous vous avons envoyées apparaissent sur le site qui diffuse ces vidéos en ligne, malheureusement. De là que ça donne des idées à notre salaud...

– Espérons que nous l'aurons coincé avant. Parlez-moi un peu de ce bonnet de la petite. Le carnaval des fourrures. Comment avez-vous réussi à rendre l'image aussi nette ?

– On a des cracs de l'informatique, dans l'équipe, des gars qui carburent à 64 bits, et le nouveau logiciel de traitement d'image les rend dingues. Il paraît que c'est le top du top. Je leur ai demandé comment ça marchait et je m'en suis mordu les doigts, croyez-moi. Ils m'ont assommé d'explications sur le filtrage inverse, sur la déconvolution et les algorithmes de Lucy-Richardson. Ces mecs, je vous jure, ils dressent les micropuces à la baguette magique.

– Je n'oserai plus jamais me servir de Photoshop ! En tout cas, c'est intéressant, car il y a quelques années de ça la ville a changé le nom du carnaval pour ne pas avoir d'ennuis avec les défenseurs des animaux. Le Carnaval de la fourrure est devenu le Carnaval d'hiver d'Algonquin Bay.

– Ça pourrait être une piste, en effet. Sauf que nous ne savons pas quand on lui a donné ce bonnet. Ni qui le lui a donné.

– En plus, ça ne signifie pas forcément qu'elle habite ici. Des gens du monde entier viennent pour le carnaval.

– À d'autres ! Vous n'allez pas me faire croire que des hordes de touristes accourent de tous les points du globe pour le carnaval d'Algonquin Bay !

– Des hordes, non, il ne faut pas exagérer, et ce ne sont pas non plus des touristes. Ce n'est pas le carnaval qui les attire, mais les ventes aux enchères de fourrures. Les plus grands fourreurs de Paris, de New York, de Londres et d'ailleurs envoient des acheteurs. Même les Russes s'intéressent à ce qui se passe chez nous.

– Vous m'apprenez des choses, inspecteur Delorme. Je n'aurais pas imaginé qu'Algonquin Bay était un pôle du commerce international. Vous avez pris le temps d'étudier la photo du bateau – celle où on devine d'autres rafiots, dans le fond ?

Elle tria rapidement la série de clichés et en sortit celui dont il lui parlait. On y voyait une vedette de croisière tout habillée de bois, avec un plancher en teck et des sièges d'aspect confortable garnis de housses rouges. L'enfant était allongée sur l'un d'eux, en jean bleu et tee-shirt jaune. Elle semblait avoir dix ou onze ans et souriait de toutes ses dents.

– Je sais pourquoi je ne me suis pas attardée sur celle-ci, dit Delorme. C'est une des rares photos sur laquelle il ne lui fait rien. La gamine a l'air heureuse.

– Regardez bien l'arrière-plan.

– Il y a un petit avion équipé de flotteurs. Et on distingue en partie son numéro d'immatriculation. Trois lettres ; C – G – K.

– En effet. C'est un Cessna Skylane immatriculé CGKMC. Il nous a fallu cinq minutes pour croiser ce code avec les immatriculations des Cessna enregistrés à

Algonquin Bay. Le coucou appartient à un certain Frank Rowley. Je peux même vous donner son adresse et son numéro de téléphone, si vous voulez. Ils ne sont pas efficaces, nos services ?

— Parce que vous avez aussi découvert un lien entre le propriétaire de cet avion et le violeur de petites filles ?

— Non, mais on ne sait jamais. Ne vous inquiétez pas, sergent, dès que j'ai des éléments nouveaux, je vous les transmets. Entre-temps, vous pourriez peut-être étudier ces images avec votre cartésianisme si franco-canadien, de façon à rétrécir un peu le champ d'investigation.

— Vous ne pensez pas qu'il faudrait diffuser une photo de la petite, comme on le fait avec les personnes disparues ? On pourrait en afficher une à la poste, dans l'espoir que quelqu'un la reconnaisse et nous appelle. Il faut agir vite, à mon avis. Ce type est en train de la détruire.

— Le problème, c'est qu'il y a toutes les chances pour qu'il voie l'affiche avant elle. La plupart des pédophiles ne vont pas jusqu'au meurtre, mais s'il commence à se dire que la gamine risque de l'envoyer en taule, il n'hésitera peut-être pas à la tuer.

9

Le lendemain matin, Kelly déboula dans la cuisine en tenue de jogging – leggings noirs sous un sweat-shirt mauve orné d'un minuscule éléphant brodé – et attrapa une orange sur le plan de travail. Catherine a acheté ces oranges, songea Cardinal. Est-ce qu'on achète un kilo d'oranges quand on a prévu de se suicider ?

Il versa un café à sa fille.

– Tu ne veux pas de céréales ?

– Peut-être tout à l'heure, au retour. Je préfère ne pas m'alourdir avant de courir. Mon pauvre papa, comme tu as mauvaise mine.

– Tu peux parler, dit-il en examinant ses yeux rouges et gonflés. Tu as réussi à dormir, au moins ?

– Pas trop. J'ai dû me réveiller toutes les demi-heures, à peu près, répondit Kelly en jetant des bouts d'écorce d'orange dans la poubelle à compost. J'ignorais que les émotions peuvent être aussi fatigantes, physiquement. Au réveil, j'avais les jambes comme tétanisées, et je suis vannée alors que je sors de mon lit. Je n'arrive pas à croire qu'elle n'est plus là. Tu sais, si elle poussait cette porte et si elle entrait, là, tout de suite, ça me paraîtrait normal.

– Regarde ce que j'ai trouvé.

Il lui tendait une photo dénichée dans un album où elles s'entassaient en vrac entre les pages : un portrait en noir et blanc de Catherine réalisé en studio. Elle devait avoir dix-huit ans, guère plus, et posait dans un pull ras du cou noir, avec de grands anneaux d'argent aux oreilles.

Cardinal fut désarçonné par la réaction de sa fille. Kelly avait beaucoup pris sur elle pour le ménager et le soulager de son chagrin, mais là c'en était trop et elle sanglotait sans retenue, comme une petite fille. Il lui posa une main sur l'épaule et la laissa pleurer tout son soûl.

– Oh là là, soupira-t-elle enfin en s'essuyant le visage à deux mains. Il me fallait peut-être ça, finalement.

– Elle avait cette allure quand je l'ai rencontrée, reprit Cardinal. Jamais je n'avais vu une femme plus belle, c'est vraiment ce que j'ai pensé, à ce moment-là. Je croyais que ça n'existait qu'au cinéma, les beautés pareilles.

– Elle avait toujours cet air grave ?

– Non, pas du tout. Elle n'arrêtait pas de se moquer d'elle-même.

– Et si tu venais courir avec moi ? proposa Kelly. Ça nous ferait du bien à tous les deux.

– Oh, tu sais…

– Viens. Tu cours toujours, non ?

– Pas aussi souvent qu'autrefois.

– Viens, papa. Tu te sentiras mieux, après. On se sentira mieux tous les deux.

Madonna Road jouxtait la 69, et ils durent courir pendant près de cinq cents mètres sur la bretelle de raccordement avant de prendre à gauche, dans Water Road, pour longer le bord du lac. Le ciel était dégagé, l'atmosphère cristalline, l'air sentait bon l'automne.

– J'adore cette odeur de feuilles, papa. Et tu as vu les couleurs des collines ? Il n'y manque que le bleu.

Kelly n'étant pas d'un naturel très communicatif, son père était touché de ses efforts pour le distraire. La journée promettait d'être radieuse, en effet, mais tandis

qu'ils couraient dans cette banlieue chic d'Algonquin
Bay, le martèlement de leurs pieds lui scandait aux
oreilles un refrain obsédant – *Catherine est morte.*
Catherine est morte. Il éprouvait des sensations physiques contradictoires, se sentait à la fois vidé de l'intérieur et extrêmement lourd, comme si on l'avait lesté
d'un poids en plomb à la place du cœur. *Catherine aussi*
inhalait cet air vif.

– Quand faut-il que tu rentres à New York, mon
chou ?

– J'ai prévenu que je devais m'absenter quinze
jours.

– Tu n'as pas besoin de rester si longtemps, tu sais.
Tu as sûrement du travail là-bas.

– Ne t'inquiète pas. J'ai envie de rester un peu.

– Tu as des projets, pour aujourd'hui ?

– Je pensais appeler Kim Delaney, mais j'hésite. Tu
te souviens de Kim ?

Cardinal avait gardé le souvenir d'une grande blonde
bien roulée, indignée par la marche du monde, très poli-
tisée. Kim et Kelly étaient inséparables, à la fin de leurs
études secondaires.

– La connaissant, j'imaginais que sitôt son bac en
poche elle partirait se battre contre le pouvoir corrup-
teur des nantis, remarqua-t-il.

– Ouais. Moi aussi.

– Ça t'attriste ?

Tout en courant, il heurta sans le faire exprès un
container de recyclage. Le bruit alerta un Jack Russell
qui bondit derrière une clôture et se répandit en injures
canines.

– On était très, très copines, à l'époque, et maintenant je ne sais même pas si j'ai envie de la voir. Kim
était de loin la plus intelligente du lycée, elle me surpassait largement. Elle dirigeait le club des débats, elle
a été déléguée à la conférence des Nations unies sur la
jeunesse, elle a coordonné l'édition de l'annuaire des

terminales, et aujourd'hui, son rêve, apparemment, c'est d'être sacrée Miss Trifouilly-les-Oies.

– Tout le monde n'a pas envie de vivre à New York.

– D'accord, mais à vingt-sept ans Kim a déjà trois gamins et, tiens-toi bien, elle possède deux 4 × 4.

Cardinal lui montra du doigt l'allée devant laquelle ils passaient : deux grosses cylindrées y étaient garées, un Grand Cherokee et un Wagoneer.

– Elle ne parle que de sport. J'ai l'impression que sa vie tourne autour du curling, du hockey et de la ringuette[1]. Elle ne s'est pas encore mise au bowling, ça m'étonne.

– On n'a plus les mêmes priorités quand on a des enfants.

– Ah oui ? Eh bien je n'en aurai jamais si ça t'oblige à laisser l'intellect au vestiaire. Kim n'a pas ouvert un journal depuis des années. À la télé, elle ne regarde que *Survivor*, *Canadian Idol*, les matchs de hockey. Le hockey, non mais tu te rends compte ! Elle qui détestait le sport, au lycée. Franchement, je croyais qu'on ne se perdrait jamais de vue, Kim et moi, et là je suis en train de m'avouer que ça ne me dit rien de l'appeler.

– J'ai autre chose à te proposer. Ça te tente, un saut à Toronto avec moi ?

Elle se tourna vers lui. Un léger film de sueur s'était déposé sur sa lèvre supérieure, elle avait les joues toutes rouges.

– Tu vas à Toronto ? En quel honneur ?

– J'ai un fer au feu à l'institut de criminologie. Je préfère m'en occuper moi-même.

– C'est en rapport avec maman ?

– Oui.

---

1. Sport d'équipe essentiellement féminin, la ringuette oppose deux équipes de six patineuses et consiste à attraper un anneau de caoutchouc à l'aide d'un bâton pour l'envoyer dans le but adverse. Le curling est également un sport de glace qui depuis 1998 figure parmi les épreuves des Jeux olympiques d'hiver. *(Toutes les notes sont de la traductrice).*

Pendant quelques minutes, le silence ne fut plus troublé que par le bruit de leurs respirations, ou à tout le moins par le halètement rauque de Cardinal. Kelly ne semblait pas avoir besoin de souffler. Water Road se terminait en cul-de-sac autour d'un petit rond-point. Ils ralentirent l'allure et continuèrent à courir sur place un court moment. Par-delà les pavillons en brique rouge aux pelouses bien ratissées, bordées de sacs pleins de déchets de tonte, la surface du lac était bleu indigo.

— Maman s'est suicidée, papa. Aussi affreux, aussi insupportable que ça paraisse, elle s'est tuée parce qu'elle était maniaco-dépressive et qu'elle passait la moitié de sa vie à l'hôpital. Dans ces conditions, ce n'est pas scandaleux, franchement, qu'elle ait préféré en finir. (Elle lui effleura le bras.) Ça ne te remet pas en cause, tu le sais.

— C'est oui, pour Toronto ?

— Oh, toi, quand tu as une idée dans la tête !... D'accord, ajouta-t-elle après une courte pause. D'accord, je viens, mais uniquement pour te tenir compagnie pendant le trajet.

Il lui indiqua un chemin qui serpentait entre les arbres.

— On rentre par la promenade ? Ce sera plus joli.

Pas un instant il ne cessa de penser à Catherine tandis qu'ils roulaient sur la 11 en direction du sud. Plus exactement, la pensée de Catherine l'obsédait. La beauté du paysage vallonné rendait l'absence encore plus criante. Ses souvenirs l'escortèrent tout au long de la route, celle qu'il prenait toujours quand il quittait Catherine ou rentrait la retrouver. Aujourd'hui, elle n'était pas sortie sur le seuil pour agiter la main, elle ne serait pas là pour l'accueillir au retour.

Kelly tripota le bouton de la radio pour changer de station.

— Hé, pas touche ! C'était les Beatles.

– Beurk. Je déteste les Beatles.

– Comment peux-tu dire ça ? Détester les Beatles, c'est comme détester le soleil. Comme détester la glace en été.

– C'est surtout leurs premiers tubes que je trouve ringards. Ils chantent comme des petits automates à ressort.

Il lui jeta un regard en coin. Vingt-sept ans. Catherine était plus jeune, à la naissance de Kelly. Il l'interrogea sur sa vie à New York.

Elle lui fit part de ses tentatives sans cesse déçues pour percer en tant qu'artiste. New York était une ville impitoyable. Le prix des loyers l'obligeait à partager un appartement avec trois autres jeunes femmes et la cohabitation n'était pas toujours facile. Elle devait cumuler deux emplois pour joindre les deux bouts : à côté de son boulot d'assistante du peintre Klaus Meier (elle lui préparait ses toiles, tenait sa comptabilité), elle était serveuse trois jours par semaine. Cela ne lui laissait pas beaucoup de temps pour peindre.

– Et alors que c'est si difficile, tu n'as jamais été tentée de revenir à la campagne ? De t'installer dans une petite ville plus tranquille ?

– Jamais, même si quelquefois le Canada me manque. C'est dur, tu sais, de se lier avec les Américains.

– Comment ça ?

– En apparence ce sont les gens les plus ouverts du monde. Au début, je trouvais ça presque grisant. Ils sont tellement plus extravertis que nous, tu comprends. Ils s'amusent, ils n'ont pas de complexes.

– C'est vrai. On est plus réservé au Canada.

Je joue, réalisa-t-il brusquement. Je ne suis pas en train de discuter, je joue au papa qui cause avec sa fille. C'est facile : il suffit d'écouter, d'opiner de temps en temps, de poser une petite question. Mais je ne suis pas là, je suis aussi désintégré que le World Trade Center, mon cœur, c'est la surface rase de Ground Zero. Il aurait voulu en parler à Catherine, mais Catherine aussi s'était désintégrée.

Il s'obligea à revenir à la conversation.

– Les Américains ont fini par inventer une fausse intimité, tout **en** surface. Quelqu'un que tu rencontres pour la première fois te parlera d'entrée de jeu de son divorce, ou des viols qu'il a subis enfant. Sans rire. J'en connais un qui m'a bassinée toute une soirée avec son père « incestueux », comme il disait. On sortait ensemble pour la première fois. Au début, je prenais ça pour des preuves de spontanéité, de confiance, mais je me trompais. C'est simplement qu'ils n'ont aucun sens des convenances. Pourquoi tu souris ?

– Parce que c'est drôle d'entendre ce mot dans ta bouche, convenances. Toi qui es si peu formaliste.

– Oh, mais dans le fond je suis très formaliste, en réalité. Je crains d'ailleurs que ça me perde, en tant qu'artiste. Que ces bois sont beaux, mon Dieu !

Il leur fallut quatre heures pour arriver à Toronto. Après avoir déposé Kelly au Second Cup, dans University Street, où elle devait retrouver une vieille copine, Cardinal poursuivit seul jusqu'à Greenville Street et l'institut de criminologie.

Sur le plan architectural, l'institut manquait totalement d'intérêt. Guère mieux qu'une dalle dressée, à l'instar de tant d'autres bâtiments administratifs construits à l'époque où la brique et la pierre furent supplantées par le béton. À l'intérieur, les cloisons couleur mastic qui compartimentaient l'espace, la moquette à gros grain, les dessins humoristiques fixés de guingois sur les armoires métalliques se répétaient à tous les étages.

Cardinal n'avait jamais eu l'occasion de pousser la porte du service d'analyse des documents, mais il était venu assez souvent dans le bâtiment pour être troublé par cette impression de déjà-vu. Il traversait la pire épreuve de son existence, les choses ne seraient plus jamais comme avant, et pourtant les gardes de sécurité, l'ascenseur poussif, les bureaux « paysagés », le mobilier, les tableaux d'affichage, la décoration, rien, ici, n'avait changé.

– Bien, bien bien. Nous avons donc trois petits articles au total, dit Tommy Hunn en étalant les papiers sur la paillasse du labo.

Tommy avait changé, contrairement à l'immeuble. Ses cheveux étaient plus clairsemés, son ceinturon disparaissait sous un boudin de graisse molle.

– Nous avons le billet d'adieu de la personne disparue. Nous avons un carnet dans lequel ledit billet a ou n'a pas été écrit, et nous avons une carte de condoléances déplaisante avec, collé dedans, un message tapé à la machine.

– Pourquoi ne pas commencer par elle ? demanda Cardinal. On peut l'étudier indépendamment des deux autres.

– Les condoléances d'abord, très bien.

Hunn enfila une paire de gants en latex pour retirer la carte du sachet en plastique.

– *Quel effet ça fait, connard ?* lut-il à haute voix sur un ton monocorde. *Bien malin qui pourrait dire comment ça va finir. Sympathique.*

Il plaça la carte sous le jour de la fenêtre, l'inclina légèrement en l'examinant avec attention.

– Une imprimante à jet d'encre, c'est sûr. À part ça, pas de particularités décelables à l'œil nu. Essayons avec une loupe... Ah, ça change tout ! Il y a un défaut d'impression à la deuxième ligne. Regarde les *f* et les *t*.

Après avoir un peu tâtonné pour trouver la bonne distance entre le papier et la loupe, Cardinal réussit à distinguer le fil grisé très pâle qui prolongeait la boucle des *f* et la barre des *t*.

– Ce défaut d'impression se reproduit systématiquement, lui expliqua Hunn. La première ligne est toujours impeccable, mais si nous avions une autre page sortie de la même imprimante nous retrouverions le même défaut à la deuxième ligne.

— On peut en tirer quelque chose ?

— Il me faudrait un autre échantillon, pour pouvoir comparer. L'embêtant, c'est que si ton type change de cartouche il va obtenir une autre qualité d'impression. En ce qui nous concerne, c'est exactement comme s'il s'offrait une imprimante neuve.

— On aura plus de chance avec ça, tu crois ? reprit Cardinal en montrant le carnet du doigt.

— Ça dépend de ce que tu veux savoir.

— Deux choses. *Primo*, si la lettre a bien été écrite avec le stylo utilisé sur le reste du carnet. Et, *deuzio*, à quel moment elle a été rédigée, par rapport aux autres annotations. Va à la page où il y a marqué « anniversaire de John », pour voir.

— Anniversaire de John ? Tu m'en diras tant.

Hunn feuilleta le carnet, puis l'examina à la lumière du jour, comme la carte précédemment.

— Mais oui, mais oui. On a des empreintes en creux ici. J'arrive à lire *John chéri*. Le comparateur va nous aider à y voir plus clair.

Il souleva le couvercle vitré d'une machine sur laquelle figurait l'inscription VSC 2000.

— Regarde par le hublot, ça va s'allumer à l'intérieur. Grâce à ce petit bijou, je peux examiner les documents sous différents types d'éclairage, et c'est parfois révélateur. À l'œil nu, par exemple, la couleur de l'encre peut paraître identique, mais un rayonnement infrarouge permet de déceler des différences entre deux stylos du même modèle, fabriqués dans la même usine. La composition chimique de l'encre varie sensiblement d'une livraison à l'autre. Tu n'imagines pas le nombre de fraudeurs qu'on arrive à épingler, avec cette technique. *John chéri*. Ça va lui plaire.

Cardinal se pencha vers la vitre. Les lettres tracées sur les pages se mirent à briller.

– R.A.S., déclara Hunn dans son dos. Le même stylo a servi pour le mot d'adieu et le rappel de l'anniversaire.

– Tu peux savoir lequel a été rédigé en premier ?

– Absolument. Cette fois, je vais me servir de l'humidificateur, dit-il en mettant le carnet dans un appareil qui ressemblait à four électrique miniature. Une minute de patience, et je te dis tout. Les aspérités apparaissent plus nettement, sur du papier humide.

Un bip sonore signala que l'opération était terminée.

– Et maintenant, abracadabra. Je te le passe au DEM et tu vas voir ce que tu vas voir.

– Au quoi ?

– Au DEM, le petit nom du détecteur électromagnétique.

De taille nettement plus impressionnante, cette machine était munie sur le dessus d'un capot de ventilation. Hunn y glissa le carnet de telle sorte que la page qui les intéressait repose à plat sur une couche de mousse, puis il enroba le tout d'un film en plastique.

– Sous la mousse, expliqua-t-il, il y a un vide au travers duquel l'air est aspiré. La pression va coller le document au film plastique. Voilà. Je prends ma baguette magique – non, non, ne t'inquiète pas, je ne vais pas jouer les exhibitionnistes... (Il venait d'attraper un instrument cylindrique.) Ce joujou crache je ne sais combien de milliers de volts, dit-il en forçant la voix pour couvrir le bourdonnement de l'appareil.

Il le passa à plusieurs reprises sur le film plastique, sans que Cardinal constate le moindre changement.

– Un peu de poudre de perlimpinpin, à présent...

Joignant le geste à la parole, il préleva une pincée d'un mélange granuleux dans une boîte métallique.

– Joli, n'est-ce pas ? Ce sont des billes de verre

minuscules, enrobées d'encre. Je vais en saupoudrer ma
préparation...

Les billes roulèrent sur le film en plastique, et
l'encre qui les recouvrait se déposa dans les creux exis-
tant à la surface du papier. Un flash illumina l'intérieur
de la cabine.

– L'épreuve de vérité, mon vieux. On va savoir de
quoi il retourne. Tu as demandé un relevé d'empreintes
digitales ?

– Pas encore. Pourquoi ?

– L'encre sèche en fait souvent apparaître, mais
moins clairement que la poudre dactyloscopique. Il faut
qu'elles soient très marquées pour que ça marche.
Tiens, regarde.

Cardinal se saisit du cliché qui sortait d'une fente
de l'appareil.

La petite empreinte de pouce visible à gauche de la
mention « anniversaire de John » apparaissait en blanc,
sur ce tirage. Le mince fil rectiligne qui traversait les
lignes concentriques correspondait à la cicatrice d'une
coupure que Catherine s'était faite un jour dans la cuisine. *L'empreinte de son pouce, qu'elle a posé sur la
page pour maintenir le carnet pendant qu'elle écrivait.
Elle était vivante. Elle pensait à moi, à mon anniversaire. Elle avait des projets d'avenir.* Il se racla la gorge
pour étouffer un gémissement. La lettre d'adieu apparaissait à présent dans son intégralité, imprimée noir sur
blanc. *Quand tu liras ces mots...*

Tracés de sa main, incontestablement. Tu le vois,
tu connais son écriture. Qu'est-ce que tu essaies de
prouver, pauvre fou ?

– Beau boulot, Tommy. Ainsi, le billet d'adieu
aurait été rédigé avant les pages qui suivent. Logiquement, elles devaient donc être encore vierges à ce
moment-là. Histoire d'en avoir le cœur net, tu pourrais
aussi déterminer si la note à propos de l'anniversaire est

antérieure aux marques en creux ? Ou bien si c'est le contraire ?

— Ah, j'aime ta subtilité machiavélique. Il faut que je me serve du microscope pour te répondre. Sur mon tirage, les deux mots de la note d'anniversaire sont en blanc. Si du noir zèbre les lettres par endroits, on pourra en déduire que les marques en creux sont venues s'imprimer par-dessus.

Hunn se pencha sur le microscope et régla la mise au point.

— Non. J'ai des griffures blanches sur le noir, autrement dit de l'encre surajoutée aux marques en creux.

— Alors le billet d'adieu a été rédigé *avant* la note d'anniversaire ? C'est une certitude ?

— Absolument. Quand est-ce qu'il fête son anniversaire, M. John ? Tu as une idée ?

— Mouais. C'était il y a trois mois.

— Ah. Ce serait un suicide avec préméditation, alors ?

— Va savoir. Je peux le garder, le tirage ?

— Bien sûr. Ça t'évitera de trop manipuler l'original.

Hunn sortit le carnet du détecteur électromagnétique et le remit dans le sachet en plastique.

— Ce serait abuser de te demander encore un service, Tommy ?

— Dis toujours.

— J'aimerais voir ce que donne ta poudre de perlimpinpin sur le billet d'adieu.

— Tu cherches d'autres impressions en creux ? À quoi bon ? Tu en as déjà avec la note d'anniversaire.

— Je t'en serais vraiment reconnaissant. Sur ce coup, je fais un peu cavalier seul, si tu vois ce que je veux dire.

Hunn posa un instant sur lui ses yeux pâles et froids, calculateurs. Il haussa les épaules.

— Si tu y tiens vraiment...

Il reprit la série d'opérations depuis le début : il humidifia la feuille arrachée au carnet, la scella sous plastique, alluma le détecteur, et pour finir il répandit de la poudre sur le film.

– Apparemment, il y a pas mal de marques correspondant à des notes prises précédemment dans le carnet. Si tu veux, je peux les examiner au microscope pour les classer dans l'ordre chronologique.

– Attends, dit Cardinal en s'emparant du tirage craché par la machine.

Le mot d'adieu s'y inscrivait en blanc, cette fois, mais il y avait autre chose de visible, en haut de la feuille, à peu près au milieu – une empreinte digitale dessinée à l'encre noire.

– Carrément plus grosse que l'autre, observa Hunn. Et sans trace de cicatrice. J'ai beau ne pas être expert en identification, pour moi ces deux pouces n'appartiennent pas au même individu.

Hunn raccompagna Cardinal jusqu'à l'ascenseur, qu'ils attendirent ensemble en silence. Une sonnerie retentit, annonçant l'arrivée de la cabine. Cardinal s'y engouffra et appuya sur le bouton du rez-de-chaussée.

– Écoute voir, murmura Hunn sur un ton circonspect, comme s'il ne savait par quel bout commencer. Toute cette histoire ne te touche pas de trop près, si ? Personnellement, je veux dire. Ce n'est quand même pas toi, le John dont il est question dans ce carnet ?

– Encore merci pour tout, Tommy, dit simplement Cardinal à l'instant où les portes se refermaient.

Avec cette escapade d'une journée à Toronto, Cardinal et Kelly passèrent au total huit heures côte à côte en voiture. Ils parlèrent très peu, pendant le trajet de retour.

À un moment donné, pour essayer de lancer la conversation, Cardinal demanda à Kelly comment s'était passée sa rencontre avec sa copine.

– Très bien. Elle, au moins, n'est pas devenue un légume comme Kim. Elle s'intéresse à l'art, elle sait ce qui se passe dans le monde.

Elle enroula distraitement autour d'un doigt une mèche noir de jais et se tourna vers la vitre. Cardinal se souvenait du tri opéré dans ses amitiés, lorsqu'il avait à peu près son âge. Plusieurs de ses copains avaient cessé de le voir parce qu'il avait choisi d'entrer dans la police, et après son départ pour Algonquin Bay, un certain nombre de ses collègues de Toronto ne lui avaient plus donné signe de vie.

« Les gens sont imprévisibles, disait Catherine. Chacun suit son petit bonhomme de chemin, et parfois ce chemin s'écarte du nôtre, alors que nous aurions aimé, au contraire, faire un bout de route avec cette personne. Parfois au contraire il le recoupe, alors que nous aurions préféré garder nos distances. »

Et maintenant, Catherine ? Comment suis-je censé me débrouiller sans toi ?

Il l'imaginait devant lui, avec ce demi-sourire en coin qu'elle avait toujours, quand elle le taquinait, et il entendit sa voix moqueuse : « Comme un flic, voyons. Tu sais t'y prendre autrement, tu crois ? »

Ça ne m'aide pas ! eut-il envie de protester. Personne ne m'aide !

Ils passaient devant WonderWorld, un grand parc à thèmes aménagé sur plusieurs hectares au nord de Toronto, avec une montagne artificielle au sommet trop pointu et des manèges gigantesques. Kelly lui demanda s'il avait trouvé ce qu'il cherchait, à l'institut de criminologie. Il éluda en marmonnant, les yeux fixés sur la route pour ne pas croiser son regard apitoyé et lucide.

Lorsqu'ils eurent dépassé Orillia, elle rompit à nouveau le silence.

– Je parie que tu m'emmènes dîner au Sundial, papa.

– Perdu, hélas. Le Sundial a fermé.

— Ce n'est pas vrai ! Décidément, rien ne dure ici-bas.

Ils se contentèrent des petits sandwichs insipides qu'on leur servit dans un Tim Hortons.

Ils arrivèrent à la nuit tombée. Le calme des collines et des bois était une bénédiction, après le vacarme de la grande ville. La température avait sérieusement fraîchi. La lune à moitié cachée derrière les nuages éclairait leurs tentacules griffus qui se déployaient imperceptiblement au-dessus du lac, surface étale et noire luisante comme du cuir vernis.

La première chose que vit Cardinal, en entrant, fut la grande enveloppe blanche qu'on avait glissée sous la porte. Il se baissa pour la ramasser à l'insu de Kelly.

— Je vais prendre une douche, déclara cette dernière en retirant son manteau. On se sent sale, après une journée de voiture.

Cardinal fila dans la cuisine, avec l'enveloppe qu'il tenait entre le pouce et l'index comme si elle lui brûlait les doigts. Il alluma le plafonnier et examina l'adresse. Un mince trait noir à peine visible à l'œil nu reliait par le milieu le *M* et le *R* de Madonna Road.

10

Cardinal n'avait pas remarqué, lors de sa première visite, à quel point le bureau du Dr Bell était pensé pour que les patients s'y sentent bien. Les stores translucides des grandes fenêtres inondées de soleil, les bibliothèques murales où s'alignaient en rangs serrés des centaines d'ouvrages de philosophie et de psychanalyse qui fleuraient bon l'encre, la colle et le papier, les tapis persans élimés, tout, dans cette pièce, disait la stabilité, la permanence, la sagesse – autant de valeurs propres à rassurer ceux qui venaient soigner leurs blessures ici. Cet endroit devait leur apparaître comme un refuge sûr, un cocon où réfléchir en sécurité à leur vie erratique.

Cardinal choisit de s'asseoir sur le divan. En remarquant les boîtes de Kleenex discrètement placées à chaque bout, en sus de celle posée sur la table basse, il se demanda si Catherine avait souvent puisé dedans, lors des séances avec son thérapeute. Lui arrivait-il de pleurer quand elle lui parlait de son mari – ce mari négligent et trop désinvolte à son égard, impatient, prompt à s'emporter ?

– *Elle devait te haïr du fond du cœur*, dit tout haut le Dr Bell qui lisait la dernière en date des cartes de condoléances. *Tu as été en dessous de tout, avec elle.*

Il leva les yeux pour observer Cardinal par-dessus ses lunettes de presbyte.

– Quelle a été votre réaction à la lecture de ce mot ? Votre première réaction ?

– J'ai pensé que c'était la vérité. Je ne sais pas qui a écrit ça, mais c'est vrai. J'ai été en dessous de tout, avec Catherine. Elle avait toutes les raisons de m'en vouloir.

– Vous croyez ?

Le médecin le fixait d'un regard neutre, ni scrutateur ni insistant, et les verres de ses lunettes reflétaient les cadres lumineux des fenêtres.

– Que j'ai été en dessous de tout ? Oui, je le crois.

Il fut sidéré de s'entendre parler ainsi. Jamais il ne parlait à personne avec autant d'abandon, sauf à Catherine. Quelque chose chez le Dr Bell – son attention sereine, ses sourcils broussailleux, sa préférence pour le velours côtelé – incitait à la franchise. Il n'était pas étonnant que Catherine l'eût porté aux nues, alors que…

– Qu'y a-t-il ? intervint le médecin. Je vous sens hésitant.

– Non, ce n'est pas ça. Je me souviens d'un truc que Catherine m'a dit, un jour, en rentrant de chez vous. Elle avait pleuré, ça se voyait, et je lui ai demandé ce qui n'allait pas. « J'adore le Dr Bell, m'a-t-elle répondu. Je le trouve extraordinaire, mais parfois même le meilleur des médecins te fait souffrir malgré lui. »

– Est-ce que j'ai touché un point sensible, avec mes questions ? (Cardinal acquiesça d'un signe.) Bien. Comme on dit souvent, dans ma profession, il faut aller mal pour pouvoir aller mieux.

– Oui. Ça aussi, Catherine me le répétait souvent.

– Évidemment, le but de la psychothérapie n'est pas d'aggraver l'état du patient, reprit le Dr Bell en tripotant un curieux objet en cuivre dans lequel Cardinal crut reconnaître un modèle réduit de moteur à vapeur. Mais tous tant que nous sommes, nous érigeons des défenses pour ne pas voir certaines vérités qui nous concernent, nous ou notre situation, et la psychothérapie permet de démolir ces barrières qui ont essentiellement pour but de tenir la réalité à distance. C'est le patient qui procède à cette déconstruction, pas le thérapeute, mais si salutaire soit-elle, l'entreprise est nécessairement douloureuse.

– Par chance pour moi, ce n'est pas en tant que patient que je suis ici. Je voulais juste avoir votre avis sur ces lettres anonymes. Vous n'êtes pas criminologue, bien sûr...

– Non, désolé. La criminologie est un domaine qui m'est étranger.

– Aucune importance, mon enquête n'a rien d'officiel. J'espérais simplement que vous pourriez m'aider à dresser le profil psychologique de la personne qui m'envoie ces cartes. Bien qu'elles aient été postées de différents endroits, l'imprimante utilisée est la même dans les deux cas.

– Et quel est l'objet de cette enquête... non officielle, donc ?

– Catherine. Les circonstances de... de sa... (Le mot refusait de franchir ses lèvres. Il était veuf depuis une semaine et n'arrivait toujours pas à prononcer cette syllabe, *mort*.) De la disparition de Catherine.

– Parce que selon vous il ne s'agit pas d'un suicide ?

– Le médecin légiste est formel, mes collègues sont d'accord avec lui, mais pour moi, non, ça ne va pas de soi. Oh, je sais, vous allez m'expliquer qu'il s'agit d'un simple mécanisme de défense et...

– Non, non. « Simple » n'est sûrement pas le terme que j'emploierais. Je respecte beaucoup les défenses, inspecteur. C'est largement grâce à elles que nous arrivons à tenir jour après jour, et surtout nuit après nuit. Je ne me risquerais pas non plus à critiquer vos compétences en matière d'homicide. Pour avoir bien connu Catherine, j'avoue que la thèse du suicide me paraît convaincante, mais si on m'apportait la preuve du contraire je ne m'obstinerais pas à nier l'évidence. D'autant qu'il me serait sans doute plus facile d'accepter l'idée qu'elle est morte accidentellement. Vous n'avez cependant pas l'air de penser que c'était un accident. Je me trompe ?

– Non.

– En d'autres termes, vous pensez qu'on l'a tuée. Et que l'individu qui vous envoie ces mots détestables a joué un rôle dans son meurtre.

– Disons que pour l'instant je suis toutes les pistes qui se présentent afin de ne rien laisser au hasard. Il va de soi que je suis prêt à vous payer, bien sûr. J'aurais dû en parler tout de suite.

– Oubliez ça, inspecteur. Je n'ai aucune compétence en matière d'investigation criminelle et je ne peux donc pas accepter. C'est très volontiers que je vous donne mon sentiment, à titre purement confidentiel, mais cela n'a rien à voir avec une intervention professionnelle, une analyse fondée sur un savoir expert, et il n'est pas question que vous me rétribuiez.

Le sourire du Dr Bell éclipsa momentanément ses yeux, masqués par la toison des sourcils.

– Excusez-moi pour cette mise en garde, mais le point a son importance. Vous souhaitez toujours connaître mon opinion ?

– Je vous en prie.

Le médecin roula des épaules et secoua la tête de droite à gauche avant de se carrer sur son siège. Cardinal s'en voulut d'être agacé par ce manège ; après tout, il y avait des tics plus déplaisants. Bell saisit ensuite la première des cartes et ajusta ses lunettes avant de pivoter légèrement sur son fauteuil pour la placer dans la lumière. Après quoi il ne bougea plus, aussi immobile qu'un modèle qui prend la pose.

– Bon, soupira-t-il enfin. Tout d'abord, comment caractériser quelqu'un qui vous envoie ce type de message ? Pour moi, vous avez essentiellement affaire à un mauvais plaisant.

– Une vieille connaissance m'a dit la même chose.

– Et non seulement l'auteur de ces lignes vous joue un mauvais tour, mais il ne veut pas être démasqué. Un peu comme un gamin qui crie des injures de loin, cette personne vous empêche de riposter. Elle vous agresse, mais de façon lâche, ou craintive. Alors qu'une agression suivie d'un meurtre implique un face-à-face très personnel. Une confrontation. Si vous établissez un lien entre ces courriers et l'assassin potentiel de Catherine, vous devez nécessairement supposer que dans les deux cas le mobile est le même : vous blesser, *vous*, Catherine n'étant ici qu'un moyen d'y parvenir. Vous devez également admettre que pour *vous* blesser, l'assassin s'est emparé du mot d'adieu de Catherine, ou alors qu'il a fabriqué un faux. Vous avez des doutes sur l'authenticité de l'écriture ?

– Non. Jusqu'ici, elle semble attestée.

– Dans ce cas, votre ennemi présumé a réussi à se procurer cette lettre. Comment ?

– Je l'ignore, mais j'y réfléchirai. Continuez, je vous en prie.

– Parce qu'il a décidé de s'attaquer à Catherine pour vous blesser, cet individu la suit pendant un certain temps. Pas mal de temps, probablement. Il fouille dans ses affaires, il y trouve un billet d'adieu rédigé par Catherine un jour où ça n'allait pas fort. Il est même possible qu'il tombe dessus parce que Catherine l'a jeté, qui sait ? Quoi qu'il en soit, il est sur ses traces, la nuit où elle sort prendre des photos. Il se rend compte qu'elle est seule, il monte à sa suite sur le toit, il la pousse et il dépose le billet sur les lieux pour maquiller le crime en suicide. À supposer que les choses se soient passées ainsi, il me semble qu'un individu capable d'autant de préméditation n'est pas exactement le genre d'inhibé refoulé qui s'amuse à envoyer des lettres anonymes. Vous êtes d'accord avec ce raisonnement ?

– Si les profileurs de la police provinciale étaient aussi efficaces que vous, nous gagnerions un temps précieux. Continuez, c'est passionnant.

– S'agissant de l'auteur des cartes, je pense qu'il faut chercher parmi vos relations. Je dis bien les *vôtres*, pas forcément celles que vous aviez en commun avec Catherine. Cette personne – nous ignorons si c'est un homme ou une femme – prend la précaution d'imprimer ses messages pour que vous n'identifiez pas son écriture. Elle les poste en outre de deux endroits différents.

Le Dr Bell se cala contre le dossier de son siège et se mit à se balancer doucement, un pied en appui sur la table basse.

– À ce stade, je la vois comme quelqu'un d'instable, de peu communicatif. Convaincue d'avoir raté sa vie. Il y a des chances pour que cet homme, ou cette femme, soit au chômage. Qu'il ou elle se considère comme une nullité absolue. Si j'en juge par le ton de la première carte, c'est quelqu'un qui a des raisons de vous en vouloir personnellement. J'imagine que vous avez déjà envisagé cette éventualité. inspecteur ?

– Oui, bien sûr. Le problème, c'est que les candidats sont légion.

– Peut-être, mais il y a cette question – *Quel effet ça fait* ? Le genre de question qui procède d'un désir bien précis. Quelque chose du style œil pour œil. Quel effet ça fait ? Qu'est-ce que *tu* ressens, connard, si je te rends la pareille ? Ce qui me laisse penser que votre correspondant n'est peut-être pas seulement quelqu'un qui aurait été condamné à cause de vous. Son couple n'a peut-être pas résisté à l'épreuve de la prison.

– Je ne suis pas sûr qu'il existe des statistiques sociologiques là-dessus, mais ce doit être assez fréquent. La détention n'est pas un facteur de stabilité conjugale.

– À l'instar des séjours répétés en HP, même si, il faut le reconnaître, vous êtes une exception admirable à cette règle.

Le chagrin qui le serrait à la gorge empêcha Cardinal de protester qu'il avait tout perdu, qu'il n'avait pas pu empêcher l'irréparable. Pour se donner une contenance, il fourragea un instant dans sa mallette avant d'en sortir le mot d'adieu de Catherine – l'original protégé par le sachet en plastique.

Comme précédemment, le Dr Bell se détourna pour examiner le document à la lumière du jour. Il gratta pensivement ses rêches boucles grisonnantes, puis se figea, absolument immobile. Plusieurs secondes s'écoulèrent avant qu'il ne reprenne la parole.

– Je comprends que vous ayez eu un choc, en lisant cela.

– C'est votre réaction à vous qui m'intéresse, docteur. Catherine a pu écrire ce mot, selon vous ?

– Ah, ah. Ainsi, vous avez des doutes sur l'authenticité de l'écriture.

– Laissons cela pour le moment. Qu'en pensez-vous ?

– Cela correspond trait pour trait à Catherine. Une femme d'une tristesse infinie, souvent désespérée, mais capable néanmoins de beaucoup d'amour. Grâce à cette faculté d'aimer, elle a trouvé le courage de résister à la dépression pendant des années, de lutter contre ses idées morbides. Son principal souci, qu'elle a formulé maintes et maintes fois ici même, était de vous épargner. Apparemment, elle y pensait encore en se donnant la mort.

– Si elle se l'est donnée, observa Cardinal.

11

Larry Burke était un petit nouveau, au sein de la brigade criminelle. Il n'y avait que quelque mois qu'il avait quitté l'uniforme, et il souhaitait par-dessus tout impressionner favorablement ses collègues. Ce pourquoi il avait hésité à aller déjeuner au Country Style, tant il craignait que ce choix l'expose à des plaisanteries sans fin sur le brave flic amateur de beignets. De toute façon, il se fichait pas mal des beignets. Ce qui lui plaisait, au Country Style, c'était d'abord le café, et puis les sandwichs n'étaient pas mauvais. Tout bien pesé, flic ou pas flic, il avait bien le droit de manger où il voulait.

C'était sa sortie préférée, quand il avait sa journée. Il s'achetait le *Toronto Sun* – imbattable pour ses pages sport – et il allait s'attabler au Country Style devant un double café et un sandwich poulet-crudités. Il y restait une bonne heure et demie, tranquille, pénard. Ce jour-là, le soleil frappait directement les vitres et il faisait presque trop chaud, dans la salle, alors qu'on était déjà en octobre et que la température extérieure commençait à fraîchir. Les collines boisées qui entouraient la ville rutilaient d'écarlate et d'or.

Burke lécha la sauce qui lui avait coulé sur les doigts et avala une gorgée de café. Un muffin à la farine complète l'attendait, posé sur une assiette, mais il n'était pas pressé de terminer son déjeuner. Les journées lui paraissaient longues, depuis qu'ils avaient rompu, Brenda et lui – ou plus exactement depuis que Brenda l'avait quitté. Lui s'accommodait parfaitement de leurs rapports, même si ce n'était plus comme avant, et le train-train de la vie à deux lui manquait.

Il caressa l'idée de l'appeler sur son portable, juste pour lui demander de ses nouvelles, y renonça par peur du ridicule. De toute façon, Brenda avait raison, tôt ou tard ils auraient rompu.

– Non, c'est pas vrai ! Je rêve.

L'exclamation arracha Burke à la lecture d'un article sur le championnat de football. Il se retourna vers la vitre placée dans son dos, suivant le regard du consommateur assis à la table d'à côté qui, les yeux rivés dessus, la fixait d'un air stupéfait. Il ne vit rien de particulier sur le parking qui s'étendait derrière.

– La Honda Civic, là, reprit son voisin. Il y a un mec qui vient juste d'en sortir, et je vous jure qu'il tenait un fusil. Il est entré dans la laverie. La tête qu'il avait, Seigneur.

– Il était armé ? Vous êtes sûr ?

– Hé, j'ai tiré six canards le week-end dernier. Je sais reconnaître un fusil de chasse à cinquante mètres.

Burke eut la bouche sèche, tout à coup. Il était sorti sans son arme de service, il n'avait pas de liaison radio. Il se rabattit sur son portable et appela directement le sergent de garde.

– Salut, Mo, c'est moi. Burke... Ouais, ouais, j'sais bien... Dites, j'ai un témoin qui a vu un individu entrer dans la laverie automatique près du Country Style, dans la ville haute. Moi, j'ai rien repéré, mais le témoin est là, c'est un chasseur et il est sûr et certain que l'individu avait un fusil.

Il raccrocha en entendant l'officier de garde lancer un appel radio, puis traversa le parking en direction de la laverie. L'odeur de lessive soufflée par les bouches d'aération de la boutique masquait presque celle des feuilles mortes. Le froid vif lui donnait la chair de poule. Il préférait penser que c'était à cause du froid.

Il n'hésita pas. Burke savait d'expérience que dans
ce genre de situation il n'y a rien de pire que de gam-
berger. Ça rend les choses encore plus difficiles. Il espérait simplement que ce type n'avait qu'un fusil en
plastique pour mômes, ou que si c'était un vrai, il le
portait chez le réparateur.

Il poussa la porte de la laverie, se risqua à l'intérieur. En arrêt devant un séchoir placé tout au bout de
la rangée de machines à laver, un très jeune homme
– maigre, la peau sur les os, un cou de poulet et déjà
un début de calvitie alors qu'il avait, quoi ? vingt ans
maximum ? – fixait avec fascination la spirale de linge
qui se déployait derrière le hublot. Près de la porte, trois
femmes assises sur une rangée de sièges en plastique
feuilletaient des magazines ou se laissaient assourdir par
leur MP3.

S'approchant des machines à laver sous prétexte de
feuilleter les revues posées en vrac sur la table, Burke
constata que le garçon avait effectivement un fusil. Il le
tenait négligemment d'une main, le canon pointé vers
le sol, et semblait perdu dans son monde, inconscient
de ce qui l'entourait.

Burke recula de deux pas pour tapoter l'épaule de
la première femme de la rangée. Elle lui jeta un regard
courroucé. Un doigt sur les lèvres, Burke lui montra sa
plaque de police et lui désigna la porte. Comme elle
ouvrait la bouche, il lui intima le silence en réitérant sa
mimique. Elle ramassa le petit sac à dos posé à ses pieds
et sortit.

Son départ attira l'attention des deux autres, à qui
Burke indiqua par gestes de quitter la laverie. Elles se
levèrent, mais au lieu de partir l'une d'elles se dirigea
vers les séchoirs.

– Oh, mon Dieu ! s'exclama-t-elle. Il a un fusil.

Burke l'attrapa par le coude pour lui parler à
l'oreille :

– Sortez tout de suite. Sortez et éloignez-vous de la vitrine. Empêchez les gens d'entrer avant que les renforts arrivent. Allez-y maintenant. Vite.

La femme partit sans demander son reste.

Au fond de la boutique, il y avait encore quelques clients qui, distraits par les bruits d'eau et le vrombissement des machines, n'avaient pas remarqué ce qui se passait. Pour les prévenir, Burke devait contourner le jeune homme, qui se redressa juste au moment où il allait passer derrière lui.

– Qu'est-ce qu'il y a ? demanda-t-il sur un ton de voix déplaisant – une sorte de croassement râpeux qui aurait mieux convenu à un vieillard.

– Un type au café d'en face a un peu paniqué, en te voyant avec ce fusil, répondit Burke avec un sourire engageant. Je me suis dit qu'il valait mieux vérifier.

– Je ne vais pas tirer sur les gens.

– Un bon point pour toi. Mais tu sais que c'est un délit de se promener en ville avec un fusil qui n'est pas dans son étui ?

– Vous êtes quoi ? Flic ?

Burke opina avec bonne humeur. La tête renversée en arrière, il regarda un moment le plafond avant de revenir au garçon. Il essayait de se rappeler ce qu'on leur avait enseigné, à l'école de police d'Aylmer, sur le contact visuel avec les individus perturbés. Certains y voyaient une provocation, sur d'autres au contraire cela avait un effet apaisant. Comment les distinguait-on ? Incapable de s'en souvenir, il croisa fugitivement le regard du garçon.

– En plus, c'est mon jour de congé, j'ai vraiment pas de veine. Tu vas me donner ce fusil, s'il te plaît, en le tenant par le canon, la crosse en avant.

– Non.

Les clients qui se trouvaient dans le fond ne s'étaient toujours rendu compte de rien. Si Burke parvenait à les faire sortir, il se débrouillerait pour que

personne n'entre dans la laverie avant l'arrivée des renforts. Qu'est-ce qu'ils fichaient, les collègues ? Ils avaient
la vie devant eux ou quoi ?

– Écoute, petit. Je vais simplement demander à ces
gens-là de partir. Tu comprends, j'ai un peu peur que
le coup parte par hasard et qu'un innocent se prenne
une balle perdue. Ce serait trop bête, tu ne crois pas ?

– D'accord. Ça me va. Qu'ils fichent le camp. Et
vous avec.

– S'il vous plaît ! hurla Burke pour couvrir le bruit
des machines. Messieurs dames, s'il vous plaît !

Il agitait son insigne à bout de bras, comme si à
cette distance les deux pékins pouvaient le reconnaître.

– Madame ? Monsieur ? Je suis officier de police. Je
dois vous demander de sortir. Immédiatement. Sortez
de la laverie et éloignez-vous du bâtiment, s'il vous plaît.

– Ça va pas non ? rétorqua l'homme. Je vais pas
laisser mes affaires dans le séchoir. Y en a plus que pour
une minute.

– Vous les récupérerez tout à l'heure. Sortez. Je
dois sécuriser les lieux.

Le râleur se baissa pour attraper le sac de linge et
la bouteille de thé glacé posés par terre à ses pieds, puis
sans cesser de bougonner il se dirigea vers la porte que
la femme avait déjà franchie sans faire autant d'histoires.

Burke se retourna vers le garçon au fusil. Qu'il était
jeune, mon Dieu !

– Je vais te redemander de me donner le fusil. La
crosse en avant, s'il te plaît.

Pour toute réponse, le garçon introduisit une cartouche dans la culasse. Burke se sentit défaillir. Il leva
les mains en l'air.

– Allons, allons. Tu vois bien que je ne suis pas
armé. Pose ça et essayons de communiquer un peu, tous
les deux.

Communiquer ! *Communiquer ?* Du calme, s'enjoi-
gnit-il. Parle normalement si tu veux qu'il comprenne.

– Dehors ! caqueta le garçon avec sa vieille voix écorchée. Rassurez-vous, je ne suis pas dangereux. C'est à moi que j'en veux.

– Dis-moi au moins comment tu t'appelles. Parce que, tu comprends, après, s'il faut t'identifier et tout...

– Perry. Perry Dorn.

– Moi c'est Larry Burke. Perry et Larry, c'est marrant, tu ne trouves pas ?

Forcer la sympathie, c'est ce qu'on leur expliquait, à l'école. Il faut se trouver des points communs avec le gars. S'il allume une clope, tu fais pareil. S'il est en train de bouffer une pizza, tu lui en demandes un bout. Forcer la sympathie, ça change vraiment la donne ; à partir de là, l'autre te voit comme un être humain, il peut partager des choses avec toi.

– Où est-ce que tu habites, Perry ?

– Woodruff Avenue. 341, Woodruff Avenue.

– Ouais, je crois que je vois. Près de l'ancienne gare, c'est ça ? Un bel immeuble, hein ?

– Un trou à rats.

– Ah, bon ? On ne croirait pas, de dehors.

– Ça se peut. C'est fou le nombre de trucs qu'on ne croirait pas, de dehors.

– Exact, reconnut Burke. Très juste, même. Si tu m'expliquais ce qui ne tourne pas rond, Perry ? Tu as pourtant l'air d'un gars qui sait encaisser les coups. Pas le genre à t'effondrer dès que ça ne va pas comme tu veux. Qu'est-ce qui t'arrive, mon garçon ? Qu'est-ce qui te casse le moral comme ça ? Un problème de boulot ? Un souci avec ta copine ?

Le garçon secoua la tête. Ses lèvres se tordirent de dégoût.

– Si je vous le dis, vous partez et vous me laissez tranquille ?

– Je ne peux te laisser avec ce fusil, Perry.

Ce dernier transpirait abondamment et cilla à plusieurs reprises. Les rigoles de sueur formées sur son front lui dégoulinaient dans les yeux. Il faisait chaud, dans la laverie, mais ce n'était tout de même pas l'étuve.

– Je n'ai pas de copine et je n'ai pas de boulot. Vous voulez les données du problème ? Les voilà : X est étudiant. Ex-étudiant, plutôt. J'ai été accepté à l'université McGill mais j'ai mis comme condition que ma copine vienne avec moi. Disons que Y est ma copine. Mon ex-copine. Elle était d'accord, on devait partir ensemble, mais elle a changé d'avis alors que les formalités d'inscription étaient réglées, que j'avais pris mon billet et tout. Je savais que quelque chose clochait dans l'équation. Je m'en doutais avant qu'elle change d'avis. Je savais que c'était trop beau, que ça ne pouvait pas marcher. Et j'avais raison. Je suis tombé juste, même si au départ le raisonnement était faux.

– Dur, dur, Perry. C'est vraiment un coup vache et c'est pas facile à régler. Je crois que tu devrais peut-être te laisser le temps de souffler, histoire de récupérer.

Le garçon ne paraissait pas l'avoir entendu.

– J'aurais dû aller à McGill. Ils m'offraient même une bourse pour toute la durée de mes études. Je n'avais plus qu'à payer mes bouquins et les dépenses courantes, mais c'est fichu. Le vrai problème, ce n'est pas qu'elle refuse de venir à Montréal. Elle m'a plaqué parce qu'elle couche avec un de mes copains – enfin, un type que je prenais pour un copain. Appelons-le Z. Stanley, mon ex-faux pote.

Burke essayait de se persuader qu'il y avait du progrès. Après tout, le jeune lui parlait, à sa façon il lui racontait son histoire, mais son débit mécanique le glaçait. Perry Dorn dévidait comme un automate les métaphores algébriques de son malheur personnel, il s'enfermait dans un jargon de matheux visant à réduire la vie à une équation impossible. La froideur de cet exposé dépourvu d'émotions avait quelque chose d'insoutenable.

– Eh bien, mon pauvre Perry, c'est terrible ce qui t'est arrivé. Pas étonnant que tu sois au trente-sixième dessous. Je serais pareil à ta place. Tu as besoin de souffler, petit. Il faut que tu prennes le temps de digérer ce qui vient de t'arriver.

– Trop tard. Je ne me suis pas présenté à l'université dans les temps. J'ai raté le créneau. Et ma copine, elle...

– C'est quoi son nom ?

– Margaret. Mais tout le monde l'appelle Peg.

– Margaret ? Il me semble bien que c'est d'origine irlandaise.

La remarque tomba à plat.

– Elle couche avec tout le monde, déclara Perry avec emphase. Quand je l'ai compris, il a fallu que j'intègre un nouveau vecteur dans l'équation. Elle me trompe. Et depuis longtemps, en plus. En cachette. Dans mon dos. Elle nie, elle dit que c'est tout récent mais je sais qu'elle ment. J'en suis sûr même si je n'ai pas la preuve. Tout est faux, complètement faux.

Il aurait dû fondre en larmes, mais non. Il poursuivait son soliloque sur le même ton monocorde, implacable. Les machines s'étaient arrêtées, à l'exception d'un séchoir qui continuait à trépider contre le mur du fond. Burke entendit des voitures piler dehors. La cavalerie, enfin ! Il eut un pressentiment, soudain, une intuition de génie digne d'un vieux de la vieille de la Criminelle.

– C'est ici que tu l'as rencontrée, Perry ? C'est dans cette laverie que vous avez fait connaissance, Margaret et toi ?

– Vingt sur vingt, mention très bien, dit le jeune homme avec un brusque sourire.

Bingo ! songea Burke avec soulagement. Maintenant, on va pouvoir avancer. À l'instant où cette pensée optimiste se formait dans son esprit, Perry Dorn retourna le fusil, cala l'embouchure du canon sous son menton et pressa la détente.

12

L'extrême diversité des tâches que doivent assumer les policiers en poste dans une petite ville rend leur travail à la fois plus intéressant et plus frustrant que celui de leurs collègues des grandes métropoles. Un flic de petite ville n'est pas spécialisé dans les affaires de mœurs, dans les homicides, ou dans les malversations : il doit traiter tous les crimes et délits que le chef lui assigne. Cardinal étant en congé pour deuil et McLeod et Burke en congé tout court, ce fut Lise Delorme qui, en sus de son enquête en cours sur le prédateur pédophile, dut s'occuper du suicide survenu à la laverie automatique. D'emblée, elle y fut assaillie par des odeurs familières de bourre de tissu, de lessive et de métal chaud.

Cela sentait fort le sang, aussi. Il avait fusé au plafond, entraînant avec lui une partie de la cervelle. Il se répandait en traînées, en taches et en éclaboussures écarlates sur les murs et le sol, près des machines à laver contre lesquelles le corps était affalé. La flaque plus sombre formée par terre commençait à coaguler.

– Mazette ! siffla Szelagy entre ses dents. C'est quoi, selon toi, la cause du décès ?

Ken Szelagy était l'Empire State Building fait homme. Ses deux mètres et des poussières donnaient à Delorme l'impression illusoire d'être une petite chose fragile. Elle compensait en adoptant un comportement plus bourru qu'à l'ordinaire, ce qui était à la fois inutile et injuste, car il n'y avait pas plus placide que Szelagy au sein de la brigade criminelle.

Ils s'étaient écartés pour laisser le légiste travailler. Le Dr Claybourne officiait en silence, inconscient des reflets que l'éclairage au néon projetait sur son crâne dégarni.

Delorme inspectait le portefeuille du défunt. Gênée par les gants en latex, elle avait du mal à trier les divers papiers et cartes, mais elle tomba enfin sur le permis de conduire et scruta longuement la photo d'un jeune homme au visage morose, un peu asymétrique, qui ne présentait aucune ressemblance avec le magmas grenat étalé par terre.

— Perry Wallace Dorn, lut-elle à voix haute. Si l'adresse mentionnée ici est encore bonne, il habitait Woodruff Avenue.

— C'est pas tout près, observa Szelagy. Il aurait pu choisir la laverie de son quartier, tu ne trouves pas ?

Delorme examina sans s'y attarder plusieurs cartes de crédit, une carte de la bibliothèque municipale d'Algonquin Bay, une carte de sécurité sociale, une carte de fidélité de la librairie Chapters, une carte d'étudiant périmée émise par Northern University. Le certificat de naissance l'intéressait davantage.

Elle le retourna. Il s'agissait malheureusement d'un document au format simplifié ne précisant pas les noms des parents.

— Tiens, dit-elle à Szelagy. Appelle le bureau de l'état civil. Demande-leur l'identité des parents et essaye de savoir si ce pauvre Perry était marié.

Pendant que Szelagy pianotait sur son téléphone portable, elle s'approcha de Claybourne et prit le papier qu'il lui tendait.

— Trouvé ça au fond de sa poche, expliqua-t-il laconiquement.

La feuille, en piètre état, avait dû être roulée en boule, serrée au creux d'un poing avant d'être défroissée et repliée en quatre. Quoi qu'il en soit, elle n'avait pas sa place dans une anthologie des grandes lettres d'amour.

Margaret ma chérie... L'amorce prometteuse avait été barrée, puis réécrite à plusieurs reprises en différents endroits de la page. *Margaret ma chérie, Margaret ma chérie, Margaret... ma chérie...*

L'éloquence n'était pas ton fort, Perry, ironisa Delorme qui s'en voulut aussitôt. Qu'ajouter d'autre, quand on ne croit plus à rien ? Merci tout le monde, c'était sympa, mais j'ai mon compte. Continuez sans moi, surtout ne vous gênez pas... En définitive, Perry Dorn avait distillé le billet d'adieu jusqu'à sa quintessence – *ma chérie...*

C'est par ignorance qu'on s'imagine que seuls les ratés, les losers, les gens qui n'ont plus de perspective mettent fin à leurs jours, songeait Delorme. Elle était payée pour savoir que le suicide est une issue ouverte à tous sans discrimination. Chacun, à tout moment, peut emprunter cette voie de sortie, qu'il soit génial ou taré, beau ou laid. Pourquoi, cependant, y avait-il plus de candidats en cette saison ? Pourquoi cette recrudescence en octobre ? Contrairement aux idées reçues, ce n'est pas à Noël que la courbe atteignait son pic, du moins pas en Ontario. Au creux de l'hiver, les gens d'ici étaient tellement las de la neige et du froid qu'ils désespéraient de revoir le soleil. Raison pour laquelle, en février, la quasi-totalité de la population d'Algonquin Bay migrait vers la Floride ou les Caraïbes.

Mais pourquoi se tuer à l'automne, grands dieux, quand tout était si beau ? Comment pouvait-on se priver du flamboiement des couleurs déployées à perte de vue ? Delorme n'était jamais plus heureuse qu'en cette période de l'année. C'était toujours en automne, pas au Nouvel An, qu'elle prenait de nouvelles résolutions. Une manie peut-être contractée pendant sa scolarité – l'automne était l'époque de la rentrée des classes, des cahiers tout neufs aux pages immaculées sur lesquelles on se promettait d'écrire proprement, sans ratures ni gribouillis. Au fil de l'année, l'écriture se relâchait, les notes décousues échouaient souvent à rafraîchir les mémoires écolières. Mais à la rentrée, lorsque l'air vivifiant apportait la promesse excitante de l'hiver, que le ciel devenait d'un bleu de flamme de gaz, Delorme ne comprenait pas qu'on puisse ruminer des idées noires. L'été avait beau s'achever sur un énième revers sentimental, l'automne lui rendait chaque fois la joie de vivre.

Dehors, la lumière du soleil était si vive que le parking paraissait surexposé. Dedans, hormis les zones éclaboussées de sang, tout était terne, délavé, semblable à du linge passé trop souvent en machine.

La porte s'ouvrit à la volée devant Burke, qui tenait son bloc-notes comme s'il voulait le broyer.

– J'ai inspecté sa voiture. Sur le siège arrière, il y a des tonnes de bouquins neufs, des classeurs, un tas de bazar.

Il essayait de jouer les durs, mais il était pâle à faire peur, il avait les mains qui tremblaient.

– On a trouvé sa carte d'étudiant, dit Delorme. Vous devriez rentrer chez vous et vous allonger un moment, Larry. Un homme vient de se faire sauter la cervelle devant vous. On ne se remet pas d'un pareil traumatisme en cinq minutes.

– Ouais. Mais jetez donc un œil là-dessus.

Il lui tendait une feuille de papier vélin frappée d'un écusson rouge. La lettre était datée du mois d'avril précédent.

Cher Monsieur Dorn,

J'ai le grand plaisir de vous informer que vous avez été admis en année de licence dans le département de Mathématiques de McGill University. Compte tenu des excellentes appréciations que vous avez obtenues à Northern University, votre admission chez nous sera assortie d'une allocation d'études conséquente. Le service d'attribution des bourses vous avisera officiellement de son montant, qui devrait suffire à couvrir vos frais de loyer et vos dépenses courantes.

En attendant de vous recevoir ici, à l'automne prochain..., etc.

— L'année universitaire est commencée depuis belle lurette, observa Delorme. Dorn aurait dû se trouver à Montréal puisqu'il avait été accepté à McGill.

— Il lui manquait une case, c'est clair. Un vrai cinglé, ce type.

Burke n'était pas convaincant, dans son rôle de flic blasé.

— Sincèrement, Larry, rentrez chez vous et reposez-vous. Vous ne pouvez pas travailler après un tel choc. Allez, filez ! Ça ne scandalisera personne, je vous assure.

— Ça va, je tiens le coup. Des trucs pareils, on en voit tout le temps au boulot. De toute façon, on est là pour encaisser les conneries des autres.

— Non, on n'est pas là pour ça. Personne ne s'est encore tiré une balle dans la tête devant moi et j'espère bien que ça n'arrivera jamais. Qu'est-ce que vous tenez, à la main, Larry ?

— Hein ?

Il ouvrit les doigts et posa un œil perplexe sur le Palm Pilot niché dans sa paume.

— Ah, ouais. C'était dans la bagnole, ça aussi. Je me suis dit que ça pourrait vous intéresser.

— Excellente initiative. Maintenant, filez ! À la maison, Burke.

— Je vais m'asseoir un peu dehors, le temps de récupérer.

– Le bureau de l'état civil doit me rappeler, annonça Szelagy qui venait de raccrocher.

– Pas sûr qu'on ait besoin d'eux, finalement.

Delorme taquinait l'écran du Palm avec la pointe du stylet, passant en revue le carnet d'adresses enregistré dedans. Rien à *D*, pour Dorn. Rien non plus à *P*, pour Parents.

– Ah, j'y suis ! *M*, comme Maman.

13

Un bonheur inouï envahit Cardinal. Ils sont réunis tous les trois – Catherine, Kelly et lui – au restaurant Trianon, la meilleure table d'Algonquin Bay. C'est là qu'ils viennent toujours fêter les événements mémorables, les anniversaires de naissance, de mariage, ou des occasions plus impromptues, telles les trop rares visites de Kelly qui débarque justement de New York. Catherine est très en forme, l'hôpital et son décor verdâtre ne sont plus qu'un lointain souvenir, et le cœur de Cardinal se soulève dans sa poitrine, aussi léger qu'un ballon gonflé à l'hélium.

Il a peut-être un peu forcé sur la boisson. Il déborde de sentimentalité et se répand en déclarations euphoriques, du style :

– Comme on est bien ! C'est génial, ça devrait toujours être comme ça. Nous formons la famille idéale des réalisateurs de série télé. Nous pourrions leur inspirer un feuilleton – *Une belle réussite familiale*.

– Papa, franchement ! dit Kelly en levant les yeux au ciel.

– Mais non, regarde, insiste son père. (Le bordeaux lui monte à la tête, d'accord, mais il ne veut pas en démordre.) La fille, belle, intelligente. Le mari, responsable et compétent...

– La femme folle à lier, s'interpose Catherine.

Sa remarque déclenche un fou rire. Cardinal prend dans la sienne sa main tiède.

– Je vous suis tellement reconnaissant, à toutes les deux, déclare-t-il. Plus que reconnaissant. Ce mot ne suffit pas à exprimer ce que je ressens. Je suis si... si...

– Arrête de débloquer, papa !

Kelly fronce les sourcils. Son expression indique clairement qu'elle brûle de demander l'addition et de repartir pour New York par le premier avion.

– On ne peut pas avoir une conversation normale, à la fin ?

– Il n'y a rien d'anormal dans notre conversation, proteste Cardinal. C'est bien pour cela que c'est merveilleux. J'ai rêvé que Catherine était morte, et non : nous sommes là, nous sommes ensemble, et tout est parfaitement normal.

Il pose sa main droite sur son cœur brûlant d'allégresse. En face de lui, Catherine le jauge d'un regard grave. Les minuscules parenthèses qui encadrent sa bouche se creusent.

– Tu as rêvé que j'étais morte ?

– Oui, et cela semblait tellement réel. Horrible.

– Pauvre chéri.

Sa voix inquiète, douce comme le miel. Elle lui caresse la joue du bout d'un doigt chaud où le sang circule.

– Tu es moins triste maintenant ?

– Moins triste ? Moins triste ? répète Cardinal, hilare. Je suis gai, oui, j'ai de la gaieté à revendre. Il faudrait m'en prélever et la distribuer à tous les coins de rue. Il n'y aurait plus de clients pour l'héroïne et l'ecstasy. Je suis si gai que je pourrais... je pourrais...

Sa voix se brise. Il se met à pleurer et n'arrive plus à parler. Il pleure de bonheur, c'est cela, il pleure de joie et ses larmes sont comme un prisme qui magnifie et brouille à la fois les visages de sa femme et de sa fille.

Le flot de larmes qui ruisselle sur ses joues finit par le tirer du sommeil. Il dormait couché sur le dos, et au réveil il a l'impression que ses yeux sont noyés. Il a le nez qui coule, un filet de morve tiède s'étire sur sa lèvre supérieure, les larmes se sont frayées un chemin autour de ses oreilles, dans son cou. Quel beau rêve ! Il se sèche les yeux et se retourne, en appui sur un coude, pour le raconter à Catherine.

Ce fichu rêve l'a mis à cran. Après, le moindre de ses mouvements était comme décuplé. Il a posé sa tasse sur le plan de travail de la cuisine et le claquement lui a vrillé les tympans. Le jet du robinet dans l'évier faisait un bruit dégoûtant, obscène. Le tintement des couverts a été une torture, de même que la lecture du journal, car au lieu du froissement attendu chaque page tournée produisait un son heurté des plus désagréables. De toute façon, le sens des titres lui échappait largement.

Catherine, elle, était omniprésente. Chacun des objets de la maison était imprégné d'elle à des degrés divers, les plus catherinisés étant évidemment ceux qu'elle avait elle-même choisis. Elle y avait inscrit un projet, une envie, elle s'était déplacée pour les acheter, elle y avait réfléchi. Ceux qu'elle utilisait quotidiennement mesuraient cruellement son absence : les médicaments empilés dans l'armoire à pharmacie, les petits tubes d'anticerne et de crème hydratante, sa brosse à cheveux, d'où s'échappaient toujours quelques cheveux. À quoi bon garder ce fatras ? Comment se résoudre à s'en débarrasser ?

Les tulipes qu'elle avait mises dans un vase – il y avait de cela, quoi... quinze jours ? plus ? – avaient fané depuis longtemps. Cardinal ne pouvait tout simplement pas les jeter. Kelly non plus, apparemment. Et toutes ces photos qu'elle avait tenu à encadrer : un portrait de Kelly, un autre d'eux deux, qu'elle s'était amusée à prendre avec le retardateur. Les casiers de CD étaient remplis de disques qu'elle aimait : *Les Variations Golberg*, *Le Clavier bien tempéré*, dans une interprétation de Gould et une autre de Landowska. Bonnie Raitt, Sheryl Crow.

Serait-il un jour capable d'écouter à nouveau cette musique ? Pourquoi ne pas tout jeter tout de suite ?

Seul dans la cuisine, il versa des Corn Flakes dans un bol. D'habitude, il ne mangeait pas ses céréales froides, mais aujourd'hui cette mixture insipide ferait l'affaire. Il contemplait les pétales qui flottaient dans le lait quand le téléphone sonna.

Il se leva pour aller répondre. La voix féminine, à l'autre bout du fil, lui était inconnue.

– Allô. Est-ce que Catherine est là ?

Debout près de l'évier, il serrait le combiné à le briser.

– Allô ? Je suis bien chez Catherine Cardinal ?

– Oui, réussit-il à articuler. Oui, c'est chez elle.

– Elle est là ? Je peux lui parler ?

– C'est-à-dire... non. Non, elle... elle n'est pas là.

– Vous savez à quel moment je peux la joindre ?

– Non. Non, je ne sais pas.

– Ah, tant pis. Je vais vous donner mon nom et mon numéro de téléphone. Vous voulez bien lui demander de me rappeler quand elle rentrera ? Vous avez de quoi noter ?

Un stylo à la main, il laissa la femme lui donner son nom et un numéro de téléphone à Toronto. Il fallait que Catherine rappelle à propos d'un séminaire sur la photographie numérique prévu pour un prochain week-end. Le stylo en suspens au-dessus du petit bloc-notes dont ils se servaient, Catherine et lui, pour noter les messages, il la laissait parler sans noter ses coordonnées.

Il partit travailler pour fuir la maison. Il pouvait compter sur les doigts d'une main le nombre de fois où Catherine était venue le chercher au poste. Rien, là-bas, ne lui rappellerait sa femme, hormis la photo posée sur son bureau. Ce lieu restait essentiellement masculin, en dépit de la présence de Lise Delorme, du sergent Flower, de Frances et d'une poignée de secrétaires. La brigade était avant tout une histoire d'hommes. Catherine ne viendrait pas l'y troubler.

– Déjà de retour, lança McLeod ! Ça commençait à se civiliser ici, et te voilà !

– T'inquiète, je ne vais pas m'attarder. Je passe ranger quelques bricoles.

– Ah, ouais ? Moi je viens au boulot pour récupérer du sommeil en retard.

Cardinal ouvrit son agenda et remonta au mois de janvier précédent. L'affaire Renaud : deux frères inculpés pour une série de cambriolages. Ils roulaient dans une camionnette transformée en mont-de-piété ambulant quand on les avait arrêtés pour excès de vitesse. Cela n'aurait pas été chercher bien loin si un de leurs casses n'avait pas dégénéré. Surpris par le propriétaire d'une maison qu'ils comptaient dévaliser, ils s'étaient affolés et avaient laissé l'homme à moitié mort. Cardinal les avait interrogés pendant des semaines d'affilée avant d'obtenir que l'un se défausse sur l'autre. À présent, ils purgeaient tous les deux une peine de six ans à Kingston.

– Qu'est-ce que tu fais là ?

Delorme qui venait d'arriver s'approcha pour l'embrasser, et Cardinal que le chagrin rendait hyper sensible se rétracta à son contact. La jeune femme balaya du regard la surface du bureau, s'arrêta sur l'agenda ouvert.

– Ah, ah, fit-elle ! Deux affreux jojos qui ne doivent pas te porter dans leur cœur. Mon petit doigt me dit que tu cherches à mettre un nom sur l'auteur de cette carte de mauvais goût.

– *Ces* cartes, rectifia-t-il. J'en ai reçu une autre.

– Postée du même endroit ? demanda-t-elle en scrutant son visage.

– Non. La deuxième vient de Sturgeon.

Sturgeon Falls se trouvait à une demi-heure environ d'Algonquin Bay, en direction de l'ouest. Il ne fallut qu'une seconde à Delorme pour formuler à voix haute les soupçons de Cardinal.

– Mattawa, Sturgeon. S'il s'agit du même expéditeur, il est probablement du coin. C'est comme si ce type s'amusait à déguiser son écriture.

– J'ai la quasi-certitude qu'il s'est servi de la même imprimante.

Le bureau de Delorme jouxtait celui de Cardinal. Elle se laissa tomber dans son fauteuil et le fit pivoter pour lui parler en face à face.

– Tu me montres ?

– Je ne voudrais pas te faire perdre ton temps.

– Oh, John. Ne déforme pas ce que j'ai dit.

Elle venait de l'appeler par son prénom au travail. Cela le touchait, et il s'en étonnait. Il sortit de sa mallette la carte toujours protégée sous plastique.

Elle devait te haïr du fond du cœur. Tu as été en dessous de tout, avec elle.

– Salopard, jura Delorme. Enfin, s'il s'agit bien d'un gars. Les femmes aussi sont capables des pires crasses. Tu penses aux frères Renaud ? (Sa voix se teintait de l'accent français du Québec, comme chaque fois qu'elle était émue.) Si c'est eux, je suis prête à me taper tout le trajet jusqu'à Kingston pour leur chauffer les oreilles.

– Non, ça me paraît peu probable. Je vois mal comment ils pourraient savoir que Catherine...

– Les nouvelles vont vite, en prison, et ils ont toujours de la famille dans la région.

– Admettons qu'ils l'aient appris, mais après ? Ils auraient trouvé quelqu'un pour poster une lettre de Mattawa et une autre de Sturgeon Falls, imprimées toutes les deux avec la même imprimante ? Un peu compliqué pour eux, tu ne crois pas ?

– Tu connais mieux leur dossier que moi, c'est sûr.

La sonnerie de son téléphone l'interrompit. Elle décrocha et, une main sur le haut-parleur, se mit à discuter à mi-voix avec Larry Burke du jeune désespéré qui s'était tué dans la laverie automatique. Cardinal était au courant. Il avait écouté la radio en venant au poste. Delorme ne lui avait pas soufflé mot de cette histoire qui allait pourtant la mobiliser une bonne partie de la semaine. Évidemment. Il s'agissait d'un suicide et elle voulait le ménager. À tort, songea-t-il. Il n'aimait pas qu'on le traite comme une petite chose fragile.

Il se remit à feuilleter son agenda. Toutes les trois minutes, des collègues étonnés de le voir s'approchaient pour le saluer gauchement :

— Quelle bonne surprise, Cardinal ! Content que tu sois de nouveau parmi nous.

— Je ne reste pas, répondait-il invariablement.

Il passa en revue les dossiers classés dans son tiroir, vérifia les onglets un à un. Une liste impressionnante de félons et de gredins, mais pas grand monde là-dedans qui ait le profil d'un épistolier anonyme, moins encore d'un assassin.

L'assassinat restait d'ailleurs à prouver. Tout le monde souscrivait à la thèse du suicide. Pour l'invalider, il ne suffisait pas d'invoquer l'absence de signes précurseurs, de répéter que la lettre d'adieu avait vraisemblablement été écrite des mois plus tôt. Trop minces pour emporter la conviction de Delorme, ces arguments ne seraient jamais retenus, ni par le médecin légiste, ni *a fortiori* par un juge ou par un jury. Les doutes, d'ailleurs, rongeaient Cardinal.

À côté de lui, Delorme chuchotait toujours au téléphone :

— Larry, ce n'est pas ta faute. Tu devrais en parler à quelqu'un. C'est humain, ce qui t'arrive. Tu as le droit d'avoir des réactions normales.

Il l'entendait, mais de très loin, comme s'il était sous l'eau. Il avait l'impression de se noyer, les poumons remplis d'un chagrin aqueux. Ces félons et ces gredins remis en liberté n'étaient que des épaves auxquelles il se raccrochait en attendant les secours. Mais, à être franc, qui aurait pu le sauver ?

Catherine, vivante.

Il s'obstina cependant, et lorsqu'il eut tout épluché il se retrouva avec en main un brelan de trois candidats plausibles. Trois citoyens d'Algonquin Bay relâchés au cours des douze derniers mois, après avoir moisi cinq ans au moins à l'ombre grâce à la diligence de l'inspecteur John Cardinal.

14

Algonquin Bay compte un certain nombre de lieux de culte dont quelques-uns ne manquent pas de charme, contrairement à Sainte-Hilda la catholique. Carrément affreuse, cette église en brique rouge qui se dresse dans Sumner Street n'est pas avantagée par son toit en tôle ondulée dont la couleur vert-de-gris imite le cuivre terni. Le parking qui la jouxte et la raréfaction croissante de l'espèce des croyants expliquent cependant qu'elle attire les automobilistes en quête de places de stationnement gratuites.

Cardinal remontait Sedgwick Street après s'être garé à l'ombre de Sainte-Hilda. Ce quartier passait pour un laboratoire de la « mixité sociale », ce qui signifiait que ses pavillons décrépis et ses constructions sommaires abritaient des instituteurs dévoués, des flics en début de carrière et des cas sociaux notoires, tel Connor Plaskett.

Connor Plaskett était encore en culottes courtes quand il avait commencé à sniffer de la colle. En grandissant, il avait élargi ses centres d'intérêt à la marijuana et à l'alcool sous toutes ses formes, avec une prédilection pour le porto bon marché, riche en sucre. Jusqu'au jour où, à la suite d'une rude altercation avec un bus urbain, une illumination subite l'avait conduit chez les Alcooliques Anonymes.

Il s'était désintoxiqué, il avait monté une petite entreprise spécialisée dans la conception de sites web, il s'était marié. Ses affaires marchaient suffisamment bien pour qu'il puisse subvenir sans problèmes aux besoins de sa jeune épouse et de leur enfant. Puis patatras ! Ruiné par l'explosion de la bulle du Net, il s'était remis à boire pour oublier.

Pendant deux semaines il n'avait pas dessoûlé, et au sortir de cette cuite il n'avait rien imaginé de mieux que d'aller dévaliser une supérette. Armé, qui plus est. Il avait eu la présence d'esprit de subtiliser la cassette du système de vidéosurveillance, mais sans se rendre compte qu'il s'agissait d'un boîtier factice placé là à dessein, pour que les malfaiteurs potentiels ne touchent pas à la bande enregistrée.

C'est ainsi que Connor Plaskett était passé plein cadre aux infos de dix-huit heures, en train de sommer la jeune caissière de lui remettre la recette du jour.

Cardinal avait rarement eu d'affaire plus simple à élucider.

Plaskett n'avait pas eu de chance avec le ministère public, avec le juge chargé de statuer sur son cas et avec sa femme. Non seulement il en avait pris pour cinq ans, mais à la faveur de son absence sa femme avait découvert qu'elle était lesbienne et elle l'avait quitté (en emmenant le petit) pour une femme qui gagnait sa vie en réparant des pylônes électriques.

Plaskett l'avait mal pris. Non content de repiquer à ses anciennes drogues, il avait goûté à d'autres substances. Cinq ans plus tard, il était sorti de prison plus déglingué qu'il n'y était entré.

Il n'était pas dehors depuis bien longtemps, le soir où il était tombé sur Cardinal devant le café Chinook. Cardinal venait d'appréhender un autre petit malfrat – un type dont il ne se rappelait même pas le nom – quand Plaskett l'avait rejoint dehors.

– Salaud, avait-il craché en lui soufflant au visage son haleine chargée de bière. 'spèce de fils de pute. T'as bousillé ma vie. 'cause de toi ch'suis foutu.

– Non, non, Connor, avait répondu Cardinal. Tu t'es mis dans la mouise tout seul.

– J'avais une famille, avant qu'tu t'pointes. Tu vas me le payer, saloperie.

Titubant sur ses jambes, il lui avait décoché un coup de poing, mais il avait mal calculé son élan. Le coup pitoyable avait raté sa cible et le pochard s'était écroulé sur le trottoir. Cardinal avait fouillé ses poches pour y prendre ses clés de voiture, il l'avait hissé sur la banquette arrière de sa camionnette pourrie, avait claqué la portière et confié les clés au serveur du Chinook.

Le numéro 164 correspondait à une baraque en planches qui gîtait de façon inquiétante. Le 164B, à une verrue en blocs de parpaing qu'on avait accolée à cette masure dans l'intention dérisoire de la rendre plus confortable.

Cardinal appuya sur la sonnette, apparemment hors d'usage. Il tambourina contre la porte, ornée des vestiges d'un décalcomanie de guirlande de Noël.

Une voix éraillée, très vaguement féminine, se fit entendre à l'intérieur. « Voilà. Voilà. » La promesse fut suivie d'un fracas de vaisselle brisée et d'une kyrielle de jurons déplorables de banalité.

Le mot « souillon » avait beau faire partie du vocabulaire de Cardinal, il ne lui venait pas souvent à l'idée de l'utiliser. D'emblée, pourtant, il s'imposa à lui lorsque la porte s'ouvrit.

À voir la femme qui se tenait dans l'embrasure, il eut l'impression qu'on l'avait traînée ici de force, des mois plus tôt, au travers d'un terrain vague plein de boue et de verre pilé, sans lui laisser jusqu'à maintenant l'occasion de faire un brin de toilette. Elle avait les yeux rouges, les coudes et les genoux couverts de vieilles croûtes, et sa tignasse hallucinante devait servir de niche à toute une faune sauvage.

– Que c'est que vous voulez ?

Elle avait dû avaler des morceaux de verre pilé pour avoir cette voix-là.

– Je cherche Connor Plaskett.

– Ah, ouais ? Ben, moi aussi.

Elle s'écarta pour le laisser entrer dans une cuisine aux allures de dépotoir de chiffonnier.

– Excusez le bordel, dit-elle. Y a pas de rangements.

À la faveur de la lumière glauque qui suintait par la fenêtre minuscule, Cardinal réussit à deviner l'évier, placé contre un mur, une plaque chauffante posée sur un petit frigo, et des placards de fortune fabriqués avec des cageots à légumes couverts de moisi, entassés les uns sur les autres dans un équilibre précaire.

Il suivit la femme dans la pièce adjacente, à l'aspect encore plus sinistre. Elle s'accroupit sur un divan si bas qu'elle avait les genoux à hauteur du menton, ou quasiment. Cardinal s'appuya contre le chambranle. L'endroit puait le vieux mégot et la moquette humide.

– Il est où, Connor ? demanda-t-il.

– Ça, mystère. Cigarette ?

– Non, merci. Quel type de relations avez-vous avec lui ?

– La baise.

Devant sa réaction, elle ajouta, l'air méprisant :

– Que c'est que vous croyez ? Que je le paye pour placer mes sous ?

– Vous ne savez pas où je pourrais le trouver ?

– Non, mon joli.

– Dommage. J'imagine que son contrôleur judiciaire n'est pas mieux informé que vous, et Connor risque de se voir sucrer sa liberté conditionnelle.

– Ah, bon.

Ayant enfin réussi à allumer son briquet, elle tira goulûment sur sa cigarette et souffla la fumée en direction de Cardinal.

– La merde, quoi. Qu'est-ce c'est'y qu'vous lui voulez ?

– J'aimerais lui poser deux trois questions à propos d'un décès récent.

– Connor est pas fichu de tuer quelqu'un. Nouer ses lacets, déjà c'est trop pour lui.

Le capharnaüm ambiant donnait au sarcasme un poids de vérité. Ce taudis aurait peut-être pu servir de repaire à un individu capable de filer une femme et de la tuer, mais pas à quelqu'un d'assez organisé pour acheter des cartes de condoléances, remplacer la formule de circonstance par un message de son cru, s'appliquer en plus à brouiller les pistes en postant ses envois de Mattawa ou de Surgeon Falls.

Mais la menace lancée par Plaskett résonnait encore aux oreilles de Cardinal – *Tu vas me le payer, saloperie.*

– Dites-moi où il crèche, ces temps-ci. Je veux des adresses précises.

– Putain, mais y va pas nulle part, Connor. Même que c'est ça qui tourne pas rond, chez lui. Reste des jours et des nuits planté là, à regarder le foot à la télé. J'peux jamais rien lui faire faire. Je vais m'chercher une bière. Si je vous en offre vous direz non, pas vrai ?

– En effet. Non, merci.

Elle revint de la cuisine avec à la main une canette de Molson Canadian déjà aux trois quarts vide, qu'elle buvait au goulot. En voulant s'asseoir sur le divan, elle fit un faux pas et heurta une table basse. Le téléphone posé dessus tomba par terre. Elle resta un moment à le contempler, les paupières plissées, l'air de se demander à quoi cette chose pouvait bien servir.

– Tiens, ça me revient, lâcha-t-elle enfin. J'ai eu un drôle de coup de fil, hier soir.

– Avec qui ?

– Ça ! Je le connais pas, le mec. Paraît qu'y serait pote avec Russell McQuaig, un copain de biture à Connor, et que c'est Russell qui lui a dit de m'appeler. Russell et Connor, y se barrent à Toronto dès qu'y peuvent. Pour faire la foire. Moi, personnellement Toronto c'est pas mon truc. Trop crade, comme ville. En tout cas, le mec qui a appelé, là, c'était pour dire que Connor reviendrait pas.

– Qu'est-ce que ça signifie ? Connor part en virée à Toronto et au téléphone un inconnu vous prévient qu'il va rester là-bas ?

– Mouais. Y m'semble, en tout cas. (Elle enfonça les doigts dans sa tignasse pour se gratter le crâne.) Maintenant que j'y pense, j'crois même qu'y voulait me dire que Connor il est mort. Ouais. Mort.

– C'est tout ce que ça vous fait ?

– Ben, je l'connais même pas d'Adam, ce mec-là. Pourquoi que je le croirais ? Et puis si Connor il était mort, la police, ou j'sais pas qui, me l'aurait dit, pas vrai ? Ou l'hosto, mettons. Forcément ils m'auraient appelée, vu que je suis comme qui dirait sa plus proche parente.

– Ce n'est pas sûr. La « baise », ce n'est pas exactement une relation de parenté. On avertirait plutôt quelqu'un de sa famille, son ex-femme peut-être, avant de vous contacter. Et pour cela, il faudrait encore que les services compétents soient au courant de votre existence.

– J'en sais rien, moi. (Elle écarta avec lassitude la toile d'araignée de cheveux qui lui tombait sur l'œil.) Il est mort, vous croyez ?

– Je l'ignore, mais ce devrait être assez facile à vérifier.

– Merde, pourvu qu'y soit pas mort.

La tête renversée en arrière, elle avala d'une lampée le reste de sa bière, lâcha la canette à ses pieds et tenta de réprimer un rot.

– Jamais j'aurais la force de redéménager.

15

Le sergent Mary Flower posa d'autorité ses fesses sur le bureau de Delorme. Sa façon à elle de réclamer l'attention toutes affaires cessantes. Agaçant, mais efficace, comme technique.

Au téléphone avec le médecin légiste, Delorme tentait sans succès de déterminer où avait pu atterrir sa déposition sur une affaire d'homicide conjugal qui devait passer en jugement quinze jours plus tard. Posant une main sur l'appareil, elle jeta un coup d'œil interrogatif à Flower.

– On a une certaine Mme Dorn, dehors, qui fait un raffût de tous les diables. Elle veut absolument vous voir. Ne me demandez pas pourquoi.

– Il se trouve que je connais sa fille.

– Parfait. Elle est là, elle aussi. J'aime bien votre haut, à propos. C'est quelle marque ? Gap ?

– Benetton. Dites-leur que j'arrive tout de suite.

Delorme les retrouva dans l'espace d'accueil. Debout sous la pendule, les bras croisés sur la poitrine, la mère, âgée d'une cinquantaine d'années, scandait les secondes du bout du pied, comme si elle comptait le temps perdu à attendre que justice lui soit rendue. Sa fille, Shelly, était assise en retrait. C'est au club de gym que Delorme avait rencontré cette rousse au rire contagieux. Il leur arrivait souvent de s'entraîner côte à côte sur les tapis de jogging, en bavardant de tout et de rien.

Delorme la trouvait sympathique, mais Shelly était mariée, elle avait deux enfants, et c'était la première fois qu'elles se voyaient en dehors du club. La jeune femme vint tout de suite vers elle.

– Lise, bonjour. Nous aurions dû prendre rendez-vous, je sais.

– Non, c'est normal. Je suis vraiment désolée, pour ton frère. Il était si jeune.

– Très jeune, intervint la quinquagénaire avec une rage sourde. Guère plus qu'un gamin, en effet. Il allait encore à l'université, et c'était un étudiant brillant. Il venait d'être admis à McGill, il avait toutes les raisons de vivre, il n'aurait jamais dû mourir.

– Lise, je te présente ma mère, Beverly Dorn.

– Je vous prie d'accepter mes condoléances, madame Dorn.

– Êtes-vous prête à nous aider ? Voilà ce que je veux savoir. Perry était un garçon intelligent, un garçon sensible, il n'aurait pas dû mourir, ça n'aurait jamais dû arriver. Il faut qu'il y ait une enquête. Nous méritons d'avoir des réponses.

– Maman, Lise fera tout ce qui est en son pouvoir. Cela ne sert à rien de t'énerver.

– Vous voulez bien venir avec moi ?

Delorme les entraîna dans une pièce qui servait essentiellement à recevoir des témoins ou des parents en état de choc. À la différence des autres salles d'interrogatoire, elle était garnie d'une moquette et d'un canapé encore présentable. Une œuvre d'art un peu sommaire représentant une mère et son enfant était accrochée à l'un des murs, un autre s'ornait d'un tableau noir sans traces de craie. Delorme ferma la porte derrière les deux visiteuses.

– Asseyez-vous, proposa-t-elle.

– Je n'ai pas envie de m'asseoir, rétorqua Mme Dorn. Je suis trop remontée, je préfère rester debout.

— Tu n'as aucune raison de t'emporter contre Lise, maman.

— Un officier de police se trouvait dans cette laverie automatique avec Perry. Où est-il maintenant ? Il était là-bas quand c'est arrivé. Il y était *avant* qu'il ne soit trop tard. Vous pouvez m'expliquer pourquoi il n'a pas désarmé mon fils ? Pourquoi il n'est pas intervenu ?

Du geste, Delorme lui désigna à nouveau le canapé et attendit qu'elle y ait pris place à côté de sa fille. Ses yeux rouges et tout irrités démentaient le dicton voulant que pleurer soulage, son état de tension et d'agitation trahissait les longues heures d'insomnie. Delorme déplaça une chaise pour s'asseoir en face des deux femmes avant de répondre, très doucement :

— Il y avait un policier sur place, en effet. Il n'était pas de service, il déjeunait à la cafétéria du centre quand un autre client a vu votre fils entrer dans la laverie avec un fusil. Mon collègue l'y a rejoint après avoir demandé des renforts.

— Pourquoi ne lui a-t-il pas pris ce fusil ? Voilà ce que je veux savoir. Pourquoi ne lui a-t-il pas arraché cette arme des mains ? Au lieu de rester là à attendre tranquillement que Perry…

— Il s'est d'abord préoccupé de mettre les clients de la laverie en sécurité. Perry n'était pas seul, il y avait d'autres gens dans le local. Le premier souci de ce policier était de les mettre hors de danger.

— Perry n'a jamais été dangereux pour personne, sauf pour lui. Il suffisait de le regarder, c'était évident. Il n'aurait pas fait de mal à une mouche. Ce n'est pas un cliché, je vous assure. Il se donnait un mal incroyable pour sortir n'importe quel insecte de la maison sans l'amocher.

— Mon collègue ne connaissait pas votre fils. Il avait devant lui un individu armé, passablement hagard, dans une pièce pleine de monde. En arrivant, il a entrepris de mettre les autres à l'abri, et il a bien agi.

– Tout ça pour qu'un enfant « passablement hagard » se suicide sous ses yeux ? Bravo. Il mérite une médaille, vraiment.

– Laisse-la parler, maman, intervint Shelly en lui posant une main sur le bras.

Sa mère la repoussa brusquement.

– Arrête de me prendre pour une demeurée.

– Personne ne te prend pour une demeurée. Tu as posé une question à Lise, elle y répond. Laisse-la aller jusqu'au bout.

– Mon collègue a alors essayé...

– Votre collègue, votre collègue ! Il n'a pas un nom, ce monsieur ? Un numéro de matricule ?

– Si, bien sûr, et nous pouvons vous les communiquer sans problème, mais cela n'y changera rien. Il a essayé de raisonner votre fils. Il lui a parlé, calmement, pour l'inciter à lui remettre son arme. Perry a refusé.

– Ce n'était qu'un enfant ! À vous entendre, un policier confirmé ne serait même pas capable d'empêcher un enfant de se tuer ? Pourquoi ne lui a-t-il pas arraché ce fusil ? !

Delorme attendit que l'écho de ces questions en forme d'accusation se soit dissipé, avant de reprendre la parole :

– Je pense que vous connaissez la réponse, en réalité. (Mme Dorn secoua sèchement la tête.) Voyant que Perry n'était pas dans son état normal, il n'a pas voulu le perturber davantage. Il ne voulait pas non plus que votre fils lui tire dessus. Je vous répète qu'il n'était pas armé.

– Un policier doit prendre des risques, c'est son métier. Il fallait qu'il lui parle, encore et encore, tranquillement, et une fois Perry calmé il aurait pu s'approcher de lui et le désarmer.

— Je suis persuadée que c'est ce qu'il aurait fait, s'il en avait eu la possibilité. Il a engagé la conversation avec votre fils dans le but, précisément, de le calmer. Ils étaient en train de discuter, tous les deux, quand Perry a retourné son arme contre lui et s'est tué.

— Sans que personne s'interpose.

— Entre le moment où votre fils est entré dans la laverie et celui où il a appuyé sur la détente, moins de huit minutes se sont écoulées. Évacuer les autres personnes en a pris trois ou quatre. Au mieux, mon collègue en a donc passé cinq en tête à tête avec Perry.

— Cinq minutes, c'est plus qu'il n'en faut pour sauver une vie. Pourquoi n'a-t-il pas stoppé son geste ? Pourquoi cet homme ne l'a-t-il pas stoppé, mon Dieu ? Ce n'était qu'un enfant !

— Il a essayé, madame. Simplement il a manqué de temps.

— Est-ce que je pourrais le voir, ce policier ?

— Maman...

— Il n'est pas là, répondit Delorme. Il est trop affecté par ce qui s'est passé pour venir travailler. Un policier placé dans ce genre de situation souhaite de tout cœur qu'elle se termine le mieux possible. Croyez-moi, madame, personne, à ce moment-là, ne souhaitait plus fort que mon collègue que votre fils reste en vie. S'il avait réussi à dissuader Perry de commettre l'irréparable, il aurait pris son service aujourd'hui et il serait aux anges. Ce n'est pas le cas. Il n'a pas pu venir et il est malheureux.

— Peut-être parce qu'il se sent coupable. C'est peut-être pour cela qu'il est malheureux. Parce qu'il n'a pas tout mis en œuvre pour réussir.

— J'espère sincèrement qu'avec le recul vous réussirez à voir les choses autrement.

Une grimace plissa le visage de Mme Dorn. Elle regarda le tableau accroché au mur, puis se tourna vers sa fille :

– Quoi qu'il en soit, j'ai bien l'intention d'exiger l'ouverture d'une enquête.

– Nous n'avons plus ici de service chargé des enquêtes internes, mais je vais vous donner le numéro de celui de Toronto. Si votre demande est justifiée, il y donnera suite.

16

Ce fut avec soulagement qu'elle quitta le poste au volant d'une voiture banalisée pour entamer ses recherches sur l'affaire de pornographie enfantine. Le pauvre Burke n'avait pas pu sauver Perry Dorn, mais Delorme, elle, croyait à ses chances de retrouver vivante la petite inconnue et de l'arracher à l'ignoble prédateur.

Arrivée au lac des Truites, elle se gara sur le parking aménagé au-dessus du port. Elle descendit les marches en bois, ragaillardie par le vent frais qui soufflait du lac. À cette saison, cela valait le coup de venir ici à seule fin de s'emplir les poumons d'oxygène, toujours plus pur à l'approche de l'hiver. Cet air vif donnait envie de bouger, de s'embarquer dans de nouveaux projets, de résoudre des crimes.

Delorme avait appris à nager tout près d'ici, quand elle était gamine – pas dans le port, mais à une centaine de mètres plus loin, sur le ponton du ministère des Ressources naturelles. Les maîtres-nageurs ordonnaient à leurs victimes de plonger toutes ensemble dans une eau dont la température ne dépassait pas les dix degrés, et de s'aider mutuellement à en sortir en utilisant divers équipements de secours. Elle avait dû pratiquer le bouche-à-bouche sur Maureen Stegg, et chaque fois qu'elle y repensait elle avait une drôle de sensation au creux de l'estomac.

L'air était chargé d'une odeur de cordages humides, de créosote et d'essence propre à tous les ports du monde. La plupart des bateaux avaient déjà été remisés pour l'hiver. Seules deux vedettes à l'ancre se balançaient mollement, non loin du quai. Delorme sentit son cœur bondir dans sa poitrine à la vue du Cessna qui étincelait au soleil. Le numéro d'immatriculation était le même que sur la photo prise du bateau qui lui avait été communiquée.

– Je peux vous aider ?

Sous la casquette de base-ball au logo du Port du Lac, l'homme portait des lunettes de soleil de richard. Et il n'était visiblement pas frileux, puisqu'il se promenait en short malgré le temps plutôt frisquet.

– Je me demandais combien ça coûte, de louer une place par ici.

Delorme n'avait jamais eu de bateau, et sa connaissance des termes de marine était plus qu'approximative. Par crainte du contresens, elle préféra ne pas utiliser les termes « mouillage » ou « anneau ».

– Tout dépend de vos besoins, dit-il en remontant les lunettes sur son front.

Elle remarqua qu'il louchait sur sa main, à la recherche de l'alliance qui ne s'y trouvait pas, puis il leva à nouveau les yeux vers elle.

– Mes besoins ?

– Ben, s'il vous faut l'électricité avec une bonne puissance au compteur et tout, quoi. La taille du bateau compte aussi, évidemment. Vous êtes de la région ?

– Tout au bout du quai, par exemple, près du petit avion ? demanda Delorme en montrant le Cessna du doigt. Ça va chercher dans les combien ?

– Il n'y a pas beaucoup d'emplacements qui se libèrent, de ce côté, ce n'est pas de chance. Ce sont les mieux situés, les plus chers, et les gens qui les ont se les gardent d'une année sur l'autre. Ils payent pour les réserver même lorsqu'ils s'en vont à Sudbury, à Sunridge ou ailleurs.

– Vous voulez dire que l'avion, par exemple, est toujours amarré au même endroit ?

– Oh, ça oui. Les avions bougent encore moins que les bateaux. Il y a dix ans que je suis là, et j'ai toujours vu ce type mouiller au même endroit.

– Ah, je serais curieuse de voir de près les places du bout du quai, celles qui sont protégées par la barrière ! Ça ne vous ennuie pas de me les montrer ?

Le grand sourire découvrit deux rangées de dents blanches et bien plantées dans le visage encore halé par l'été. Il croit que c'est dans la poche, le pauvre, se dit Delorme. D'ailleurs c'est vrai qu'il n'est pas mal, avec ses cheveux blonds bouclés et son sourire de play-boy – sans compter son beau paquet de muscles. Le genre à trouver normal que les minettes en vacances s'intéressent à lui. Ce n'est sûrement pas mon pédophile – beaucoup trop jeune pour ça, trop mince, et puis ses cheveux n'ont pas la bonne couleur et ils sont plus épais.

Il ouvrit le portail qui protégeait le bout du quai et s'effaça devant elle.

– Combien ça peut valoir, des bateaux comme ça ? Quarante mille dollars ?

– Oh, vous êtes loin du compte ! Dans les soixante-dix ou les quatre-vingt mille, voire plus. Vous voyez ? demanda-t-il en posant la main sur un coffret bleu fixé à un réverbère. Il suffit de se brancher sur ce boîtier pour avoir tout le confort moderne : l'électricité, le câble, la télé, le satellite, le top de la technologie.

– L'ensemble des quais n'en est pas équipé ?

– Non, non. Seulement ces deux-là. Quelques autres sont reliés au réseau électrique, mais c'est tout. En plus, ici, il y a un éclairage de nuit et des caméras de surveillance. Si quelqu'un avait la mauvaise idée de forcer le portail, il serait vite repéré.

– Si je comprends bien, on entre dans le reste du port comme dans un moulin ?

– L'ensemble de nos installations est sécurisé, répliqua-t-il sur la défensive. Chez nous, c'est comme partout, ceux qui payent plus cher ont droit à plus de services.

– Et question assurance, ça marche comment ?

– L'assurance est à la charge du propriétaire. Bien sûr, nous sommes nous-mêmes couverts contre l'incendie, le vol, etc., avec une responsabilité civile très étendue. Mais c'est votre assurance, pas la nôtre, qui vous dédommagerait pour le vol de votre bateau ou pour les dégradations commises dessus.

– Je vois. Permettez-moi de me présenter : inspecteur Delorme, des services de police d'Algonquin Bay, dit-elle en montrant son insigne.

L'intérêt qu'elle avait éveillé en lui fondit comme neige au soleil. Elle avait l'habitude. L'idée de draguer des flics femmes excitait peut-être certains types, mais Delorme savait d'expérience, d'abord qu'ils n'étaient pas nombreux, ensuite qu'ils n'étaient jamais son genre.

– Jeff Quigly, répondit-il en serrant sans enthousiasme la main qu'elle lui tendait.

– J'enquête sur des faits probablement commis dans le coin, et j'aurais besoin de votre coopération.

– Oh, bien sûr. Si je peux vous être utile...

Il avait l'air d'en douter et ne souhaitait visiblement qu'une chose : qu'elle débarrasse le plancher et disparaisse hors de sa vue.

– Je voudrais les noms des gens qui vous louent ces emplacements.

– Lesquels ? Ceux de ces deux quais, justement ?

– Oui. Et pas simplement vos locataires actuels, mais ceux qui ont pu les précéder au cours des dix dernières années.

– Dix ans... Je ne suis pas sûr qu'on ait gardé les contrats.

– Vous m'avez dit vous-même que votre clientèle se renouvelait très peu.

Les bras croisés sur la poitrine, le play-boy regardait ostensiblement du côté du lac.

— En fait, je ne pense pas pouvoir vous donner ces renseignements sur nos clients. Ce n'est pas comme ça que je conçois mon métier. Il faut respecter la vie privée des gens.

— Vous gérez un port de plaisance, pas un hôpital. Ce que je vous demande n'a rien de confidentiel.

— D'accord, mais n'empêche. Supposons que je vous dise que cet emplacement est loué par Untel. Comme par hasard, justement, le bateau d'Untel n'est pas à quai. Un voleur pourrait parfaitement en déduire qu'Untel est parti en vacances. Qu'il navigue sur les Grands Lacs, mettons. Qu'il a mis le cap sur New York ou n'importe où. Et comme par hasard, deux jours plus tard sa maison est cambriolée. Dans quelle position ça me met, à votre avis ?

— Celle de l'innocent au-dessus de tout soupçon. À toutes fins utiles, je vous rappelle que je ne suis pas une voleuse, monsieur Quigly, mais un officier de police.

— Ouais, eh bien, posons le problème autrement ! Sur quoi est-ce que vous enquêtez, au juste ? D'accord les gens picolent sur leurs bateaux, ils prennent un peu de dope et tout, mais je trouve bizarre que la police s'y intéresse à ce moment-ci de l'année, et j'estime que vous n'avez pas à me soutirer des renseignements d'ordre privé pour des infractions sans gravité.

Delorme ne voulait pas lui révéler la nature de son enquête. La moindre allusion à des attouchements sur mineur déclencherait des rumeurs incontrôlables qui risquaient d'alerter le criminel. Elle préférait qu'il ne se doute de rien tant qu'elle n'était pas prête à lui passer les menottes.

— Il est indispensable que je puisse compter sur votre discrétion, dit-elle. Vous me promettez de garder cela pour vous ?

– Absolument.

– J'enquête sur des voies de fait.

– Ah, bon ! (Il secoua la tête.) Ça ne doit pas être grand-chose, sinon j'en aurais entendu parler.

– Je ne peux pas vous donner plus de détails pour le moment. Vous acceptez de coopérer ? À défaut, j'obtiendrai un mandat, bien sûr, mais il va falloir que j'attende demain. Ça ne vous gêne pas de savoir qu'entre-temps ce type risque de s'attaquer à d'autres gens ?

Quigly la conduisit dans le bureau du port, une petite pièce très en désordre, avec, accrochée à un mur, une carte détaillée du lac des Truites, et, posé en appui sur un autre, un poster géant du *Bluenose*. Punaisées un peu partout, il y avait aussi des photos de pêche, des agrandissements de dessins humoristiques et de blagues de marins. Le play-boy fourragea dans le tiroir d'un classeur dont il extirpa plusieurs chemises en papier.

– Tenez, annonça-t-il. Voilà tous les dossiers que j'ai sur les locations de mouillage depuis dix ans. Ils ne sont pas dans l'ordre, mais vous vous débrouillerez.

17

Après avoir trié les adresses selon des critères de proximité géographique, Delorme se retrouva avec le nom de Frank Rowley en tête de liste. Elle avait vaguement imaginé le propriétaire de l'hydravion dans un cadre de vie cossu – une grande maison en brique sur la colline de Beaufort, par exemple, ou une des vieilles demeures victoriennes de Main West, mais Frank Rowley logeait simplement dans une petite maison de brique badigeonnée de blanc, à une centaine de mètres de la déviation. Elle s'engagea dans l'allée et se gara derrière une Ford Escort marron, véhicule passe-partout et sans prétentions mal assorti à l'idée qu'elle se faisait d'un mordu de l'aviation.

Le petit érable du jardin avait perdu toutes ses feuilles, tombées autour du tronc en cercle coloré, mais la rangée de houx bien taillée qui bordait la maison était d'un vert soutenu. Avant même de sortir de la voiture banalisée, Delorme perçut les miaulements déchirants d'une guitare électrique.

La guitare s'interrompit sur un bref glapissement, puis reprit sa mélopée. Delorme reconnut des accords des Beatles mais elle était incapable de mettre un nom sur la chanson.

Le quadragénaire chauve comme un œuf qui vint lui ouvrir tenait toujours sa guitare à la main. Ah, les mecs et leurs joujoux, pensa Delorme.

– Monsieur Rowley ?

– C'est moi.

Elle lui présenta son insigne.

– Vous auriez un peu de temps à m'accorder ?

Une bonne odeur de pâtisserie flottait dans la maison, et Delorme nota avec approbation la petite trace de farine saupoudrée sur le crâne lisse de Rowley.

Il l'introduisit dans un salon où plusieurs poupées et des animaux en peluche gisaient sur un tapis aux couleurs vives. Elle remarqua le scooter miniature, les livres d'images ouverts sur le canapé et sur plusieurs sièges, et manqua trébucher en se prenant les pieds dans le tapis.

– Oh, désolé. Il a été assez sauvagement recousu sur le bord. À vrai dire, s'il n'avait pas eu ce défaut je n'aurais pas pu me l'offrir.

– Vous avez des enfants, je vois. Ils ont quel âge ?

– Tara a sept ans. Elle est trop gâtée, je sais. Les enfants uniques, vous savez... Elle va bientôt rentrer de l'école. Asseyez-vous, je vous en prie.

Elle s'installa dans un fauteuil profond aux pieds et aux accoudoirs en bois brut. La pièce était chaleureuse, avec sa décoration rustique et bohème à la fois. Le bois dominait largement, égayé par une profusion de coussins et de petits tapis, sans oublier celui, plus grand, qui avait failli provoquer sa chute, d'un beau bleu soutenu rehaussé de chevrons noirs. Quant au propriétaire lui-même, le type à la guitare, sa tête n'aurait pas paru incongrue sur une table de billard. L'homme entrevu sur les photos avait les cheveux mi-longs, et Delorme n'avait de toute façon pas de raison de soupçonner Rowley dont l'avion n'apparaissait qu'à l'arrière-plan d'un des clichés. De plus, sa fille était trop jeune. Elle décida néanmoins de prendre la mesure du personnage.

– Monsieur Rowley, vous avez un brevet de pilote, si je ne me trompe ?

– En effet. Je bosse pour Northwind.

Cette compagnie aérienne locale possédait une petite flotte d'appareils légers qui assuraient à la demande des vols entre Algonquin Bay et des villes plus au nord, comme Timmins ou Hearst.

– C'est la saison creuse, en ce moment ?

– Non, non. Je travaille quatre jours d'affilée et j'ai quatre jours de relâche, ce qui explique que vous me trouviez chez moi, en train de jouer à l'homme au foyer.

– Par ailleurs, vous avez un hydravion amarré au Port du Lac, n'est-cc pas ?

Ouvrant son carnet, elle lut à haute voix le numéro d'immatriculation du coucou.

– Oui, pourquoi ? Il y a eu des dégâts ?

– Aucun. Je voulais seulement m'assurer que je parlais à la bonne personne.

– Il n'y a pas d'erreur. Vous voulez boire quelque chose ? Un café ?

– Non, ça va. Merci.

– J'ai aussi des muffins absolument fantastiques qui ne devraient pas tarder à être cuits. Tara en raffole.

Il éteignit son ampli Vox et appuya la guitare contre un mur. Un instrument de belle taille, tout noir, avec quantité de boutons et de chrome. Delorme l'imaginait mieux adapté aux rythmes de la musique country qu'aux mélodies des Beatles, mais elle ne s'y connaissait pas plus en guitares qu'en bateaux.

– Vous passez beaucoup de temps au port, monsieur Rowley ?

– Tout dépend de ce que vous appelez beaucoup. Je ne vais là-bas que pour m'occuper de Bessie.

– Bessie ?

– Bessie le Cessna. Je l'ai baptisé comme ça, ne me demandez pas pourquoi. Je le fais tourner une ou deux fois par semaine, pour une petite virée d'une à deux heures. Wendy – ma femme – voudrait que je m'en sépare. Elle trouve que c'est trop dangereux, mais je

résiste. J'aime trop voler, et je m'éclate bien plus avec
Bessie qu'avec les zincs de Northwind.

– Je comprends.

Il avait l'air d'un homme bien dans sa peau et dans
sa vie, qui préparait des muffins pour sa gamine et qui
s'entraînait à la guitare au milieu d'illustrés et de jouets
en pagaille.

– Vous devez connaître pas mal de monde au port ?

– Pas tant que ça. Je vois souvent Jeff Quigly, le
gérant...

– Personne d'autre ?

– Pas vraiment, non, répondit-il en haussant les
épaules. Je ne m'attarde jamais trop. Je ne vais pas au
bar après, comme la plupart des propriétaires de
bateaux. Ça fonctionne un peu comme un club-house,
mais ce n'est pas le genre d'endroit que j'ai envie de
fréquenter. C'est plein de guignols pour qui la belle vie
consiste à sortir sur le lac avec une caisse de vingt-quatre
bières et à se péter la gueule. Déjà, à vingt ans ça ne
m'emballait pas trop, alors ce n'est pas à quarante que
je vais m'y mettre. En plus, j'ai une femme et une
gamine, moi, je ne sais pas où ils trouvent le temps de
glander comme ça.

– Parlez-moi un peu d'eux. Je voudrais avoir une
idée un peu plus précise de la clientèle du port.

– Pourquoi ? Vous enquêtez à quel sujet ?

– Coups et blessures.

– Oh ! Vous savez, ce que je vous ai raconté à
propos de leurs petites fêtes arrosées, ça ne veut pas
dire que ces gars-là sont violents.

– Non, bien sûr que non. À ce stade, je cherche
simplement à rassembler des témoignages. Il n'y a rien
qui vous vienne à l'esprit ?

– Le seul type que je connaisse vraiment bien
là-bas, c'est Owen Glenn.

Delorme nota le nom dans son carnet. Elle était
déjà tombée dessus en parcourant les dossiers, mais ne

l'avait pas retenu car l'emplacement loué par M. Glenn ne se trouvait pas dans la partie du port qui l'intéressait.

— Owen est pilote comme moi. Il a un petit Piper à lui et il vole avec une fois par mois environ. Il m'arrive souvent de le rencontrer, surtout en été, mais on n'est pas potes, ni rien. Il est beaucoup plus conservateur que moi. Les rares fois où la politique vient sur le tapis, je me débine poliment, si vous voyez ce que je veux dire. Owen est plutôt du genre à penser que la politique de rigueur de Mike Harris est trop laxiste et que le Canada aurait dû envoyer des troupes en Irak.

— Il n'est pas aussi propriétaire d'une de ces vedettes qui sont à quai au lac des Truites ?

— Non. Il a juste un petit kayak, le même que le mien, et son coucou.

— Et en dehors de lui ?

— Avec les autres, c'est bonjour, bonsoir.

— Rien de plus ? Pourtant, vous les voyez forcément quand vous prenez votre canot ?

— Les kayaks sont amarrés sur le côté nord du port – sous la terrasse du bar, vous voyez ? Je vais directement chercher le mien pour aller jusqu'à l'avion, et je n'ai pas trop l'occasion de tailler une bavette avec les voisins, si vraiment il faut parler de voisins.

— Vous ne savez même pas comment ils s'appellent ?

— Si bien sûr. Le plus près, c'est Matt Morton. Il a une vedette. Matt et moi, on se connaît depuis le lycée, mais on n'a jamais eu d'atomes crochus. Ce qu'il aimait, lui, c'était le sport, alors que moi, la gonflette, merci bien.

— Un artiste, déjà.

— Un artiste, voilà ! s'exclama Rowley en éclatant de rire. C'est moi, exactement. Il ne me reste plus qu'à trouver une forme d'expression artistique que je pourrais maîtriser.

– Ce n'était pas mal du tout, votre petite interprétation des Beatles. Il vous arrive de jouer sur scène ?

– La guitare, c'est juste un hobby. Je joue dans un groupe fondu des Beatles – Sergent Tripper, ça ne vous dit rien ? On se produit surtout à des mariages, des barmitsvas...

– Quel est l'emplacement attribué à M. Morton, au port ?

Delorme connaissait la réponse, mais elle avait suffisamment de métier pour relancer l'interrogatoire dès que l'occasion s'en présentait.

– Sa vedette est amarrée au bout du quai numéro trois, côté nord.

– Où, exactement, par rapport à vous ?

– Aussi près qu'on peut l'être. Si je voulais, je pourrais me rincer l'œil en regardant ce qui se passe dans sa cabine. Non que ça me tente particulièrement, remarquez.

– Pourquoi ? Vous avez surpris des choses pas très ragoûtantes ?

– Sur le bateau de Matt ? Non, pas du tout.

– Vous pourriez me décrire M. Morton ?

– Matt ? Oh, je ne sais pas. Il est de taille moyenne. Il jouait au foot, au lycée. Brun, mais il commence à grisonner, comme tout le monde. Au moins je n'ai pas ce souci, dit-il avec un sourire en passant la main sur son crâne lisse, ratant de peu la trace de farine.

– Des enfants ?

– Une fille et un garçon, il me semble. Leurs prénoms m'échappent.

– Et la place en face de celle de M. Morton ?

– Côté sud ? Aucune idée. Beau bateau, c'est sûr.

Selon Jeff Quigly et les dossiers qu'il lui avait remis, cet emplacement était loué par un certain André Ferrier. Il payait toujours son loyer dans les temps mais ne se montrait que rarement au port.

Delorme prit note du renseignement, puis referma son carnet.

— Comme je vous l'expliquais, monsieur Rowley, pour l'instant je me contente de rassembler des témoignages. Merci d'avoir pris le temps de répondre à mes questions.

Elle lui donna sa carte. Tandis qu'il la raccompagnait à la porte d'entrée, elle regarda à la dérobée dans les autres pièces, mais ni les murs, ni les objets, ni les meubles – rien, en tout cas, de ce qu'elle put observer – ne correspondaient à des éléments visibles sur les photographies.

— Je vous rappellerai si je m'aperçois que j'ai oublié quelque chose, lui dit Rowley sur le pas de la porte. Pourtant je vous assure, parmi les gens que je croise au port, je n'en vois pas un qui pourrait être votre agresseur.

— La vie réserve parfois des surprises. Moi-même je suis toujours stupéfaite de découvrir de quoi sont capables des gens qu'on croyait au-dessus de tout soupçon.

18

Frederick Bell venait de terminer sa part de tarte à la framboise et, s'aidant de sa fourchette à gâteau, il raclait son assiette pour en ôter toute trace de crème fouettée.

– Tu es sûre qu'elle est allégée ? demanda-t-il à sa femme, Dorothy, qui rangeait les restes dans le frigo.

– J'ai trouvé la recette dans *Cuisine Santé*. Ne t'inquiète pas, ce n'est pas trop gras.

– Oui, à condition de n'en prendre qu'une fois. Tu crois que je dépasserais ma ration calorique si je me resservais ?

– Tu n'y penses pas, rétorqua Dorothy qui n'était jamais à court d'arguments.

Son bon sens l'avait bien servie, du temps où elle était infirmière, et c'était toujours un précieux allié, face à son psychiatre de mari.

– À quoi bon suivre un régime basses calories si tu manges comme quatre ?

– J'ai consacré ma vie à me battre contre des moulins à vent et à m'autodétruire. Je ne vois pas au nom de quoi je devrais m'arrêter aujourd'hui.

La tête renversée en arrière, il lampa le fond de sa tasse de thé. Il était froid, mais tant pis. Le thé trouvait toujours grâce à ses yeux. Certaines manies britanniques ont la vie dure.

– J'ai découvert un amour de maison, du côté de Nottingham, déclara Dorothy. J'ai mis la photo sur ton bureau, mais j'imagine que tu n'as pas pris le temps de la regarder ?

– Hélas, non ! Une fois de plus, je manque à tous mes devoirs.

– Qu'est-ce que ça te coûte, Frederick, de regarder une photo ?

– Je ne sais pas… Disons que je ne me résigne pas à l'idée de vieillir en Angleterre.

– On en a discuté plein de fois. Tu es d'accord avec moi, non, pour penser que nous serions plus heureux là-bas ? Cette maison est très jolie, pas trop grande, tout près de la Trent. Pour toi qui as toujours rêvé de passer ta retraite au bord d'une rivière, c'est idéal.

– Les héros meurent les armes à la main. Ils ne prennent pas leur retraite.

– Pourtant, ça te pend au nez. Pense à l'hiver canadien. Pas plus que moi, j'en suis sûre, tu n'as envie de passer des mois et des mois enfermé à l'intérieur à te tourner les pouces.

– Les prix anglais sont bien trop chers. La livre a atteint un niveau astronomique.

– Elle est un peu redescendue, ces dernières semaines. Nous avons les moyens d'acheter cette maison. Elle est à croquer, je t'assure.

Sur ce chapitre, malgré son bon sens légendaire Dorothy déraisonnait complètement, de l'avis de son époux. À Algonquin Bay, ils vivaient dans une vaste demeure, presque un hôtel particulier, alors qu'en Angleterre le moindre trou à rats leur coûterait au bas mot près d'un demi-million de livres. Dorothy n'avait semble-t-il qu'une idée très approximative, et largement surévaluée, des revenus des médecins psychiatres, au Canada. Elle devait confondre les dollars canadien et américain. Quelle importance, de toute façon ? Elle pouvait bien continuer à rêver sur ces maisonnettes entourées de jardinets, si ça lui faisait plaisir.

Après avoir posé sa tasse et son assiette dans l'évier,

Frederick Bell contourna sa femme et lui pinça les fesses au passage. Se retournant vivement, elle lui donna une tape sur les poignets.

– À quoi penses-tu ? On sort de table, ce n'est pas le moment.

– Rien n'était plus éloigné de mes pensées. J'ai un patient qui arrive dans cinq minutes. Je m'empreins déjà de la *gravité* de l'homme de l'art.

– Ah, oui, ta sacro-sainte *gravité*. Que deviendrait-on, sans elle ?

À Londres, au début de leur liaison, Bell et sa femme s'étaient aimés fougueusement. Ils s'arrachaient mutuellement leurs vêtements, ils n'en avaient jamais assez. Au fil des ans, leur vie sexuelle avait pris un tour plus routinier dont ils s'accommodaient, lui surtout. Ils s'aimaient, ils avaient des attentions l'un pour l'autre et cela lui convenait très bien. Dorothy n'avait ni sa classe, ni son brio intellectuel, elle n'était même pas médecin, mais elle était agréable à vivre. Et elle était toujours assez belle, à cinquante ans passés. Elle avait ce genre de visage menu qui vieillit bien et la silhouette fine d'une femme beaucoup plus jeune.

Après s'être lavé les mains et avoir cédé à sa manie de rouler des épaules et de secouer la tête, Bell ouvrit la porte qui séparait la cuisine du hall d'entrée et de son bureau. Une petite blonde aux cheveux sales et en désordre attendait déjà, assise sur le banc. D'autres, à sa place, auraient feuilleté un vieux numéro du *New Yorker* ou tripoté leur iPod, mais elle se contentait de regarder dans le vide, avachie sur son fauteuil, le dos rond et les bras croisés. Melanie, dix-huit ans, était l'image même de la détresse humaine.

– Bonjour, Melanie, dit le Dr Bell.

– Bonjour.

La lenteur, la difficulté d'élocution qu'il décela dans ce petit mot tout simple témoignaient de l'effort énorme qu'elle avait dû fournir pour prononcer ces deux syllabes. La dépression prenait l'ascendant. Bell se la représentait sous les traits d'un personnage obstinément silencieux, méconnaissable sous son masque et sa cape, invisible à d'autres yeux que les siens et qu'il avait surnommé l'Entité. Il se comparait parfois au vieux prêtre de *L'Exorciste*, voué à combattre inlassablement une force maléfique invincible. L'Entité.

Melanie le suivit dans le bureau et se posa sur le divan sans prendre la peine d'enlever son manteau. Le sac qu'elle portait à l'épaule glissa le long de son bras, tandis qu'elle se tassait contre un coussin, le regard rivé sur ses pieds. Bell prit place dans un des petits fauteuils disposés de biais, près du divan, et, lissant la page du carnet ouvert sur ses genoux, il se composa une expression de calme expectative, sérieuse et impénétrable. Il était important de laisser les patients prendre la parole les premiers, après les badineries d'usage : l'amorce du discours était toujours infiniment révélatrice. Parfois, cependant, et c'était le cas ce jour-là, il n'était pas drôle d'attendre qu'ils aient surmonté les obstacles tout personnels qui les empêchaient de s'exprimer. Les minutes s'égrenaient sans que rien ne se passe.

Melanie faisait nettement plus que son âge. Avec ses épaules frêles, ses seins inexistants, son nez camus plus long que la moyenne qui saillait sous les mèches tristes des cheveux, elle avait quelque chose d'un rat noyé qu'on vient de repêcher. Son sweat-shirt au logo de Northern University ne l'avantageait pas. Elle se résolut enfin à ouvrir la bouche, mais sans quitter des yeux ses pieds, écartés au bout des jambes tendues.

– J'ai failli ne pas venir.

– C'était si difficile que ça ? Vous pouvez m'expliquer pourquoi ?

– Je ne sais pas...

Suivit une longue pause lors de laquelle elle resta figée, à l'exception d'un pied qui bougeait de gauche à droite à une cadence de métronome.

– J'en ai tellement marre de moi. Marre de penser à moi. Marre de parler de moi. Je n'ai rien à dire, rien qui vaille la peine. À quoi ça sert de continuer ? Pour toujours ressasser les mêmes choses ?

– Vous trouvez que ça ne vaut pas la peine de parler de vous, ou bien que ce n'est pas en me parlant de vous que vous irez mieux ?

Elle posa pour la première fois sur lui les deux puits verts de ses yeux tristes, avant, rapidement, de fixer à nouveau ses pieds.

– Les deux, je crois.

Le Dr Bell laissa le silence s'étirer pour qu'elle prenne conscience de ses exagérations – ou plutôt des exagérations que lui soufflait la silhouette énigmatique dont elle ne décelait pas la présence. L'Entité obligeait toujours ses victimes à radoter de la sorte, à s'accuser de valoir moins que rien, afin de les dissuader de tenter quoi que ce soit pour guérir.

– Je vais vous poser une question, dit-il. Supposez que quelqu'un, ami ou inconnu, peu importe, vienne vers vous et vous déclare : « Ne me parle pas, je suis trop nul. Ça ne vaut même pas la peine de penser à moi. » Que lui répondriez-vous ?

– Qu'il a tort, bien sûr. Que personne n'est nul à ce point.

– Mais cette indulgence que vous lui accorderiez, vous vous la refusez à vous-même ?

– Je ne sais pas... J'ai cette souffrance qui ne me quitte pas. Je ne supporte plus d'en parler. Ça ne sert à rien de parler. Rien ne sert à rien. Je voudrais juste que ça s'arrête. Et même...

– Même quoi ?

Melanie se mit à pleurer. Bell attendit un petit moment avant de lui tendre la boîte de Kleenex posée sur la table basse. Elle en prit deux d'un coup, mais ne s'en servit pas tout de suite. Elle sanglotait éperdument, le visage dissimulé entre les mains.

– Pourquoi vous cachez-vous ?

La question n'eut d'autre effet que d'accroître son désespoir, jusqu'à ce que, petit à petit, le relâchement des épaules, l'espacement des hoquets brusques et des gémissements indiquent que la crise s'éloignait.

– Mon Dieu, soupira-t-elle quand le flot des larmes se fut tari.

– Il vous fallait ça.

– Oui, sans doute. *Pfff...*, lâcha-t-elle, visiblement à bout de forces.

– Je voudrais juste que ça s'arrête, disiez-vous. Et même... ?

– Oui. (Elle essuya son nez qui coulait, tenta de reprendre son souffle.) Oui. L'autre jour, à la librairie Coles, j'ai trouvé un livre sur le suicide. Le suicide assisté, vous savez. Il explique comment faire – comment il faut s'y prendre pour se tuer sans souffrir. Le truc, en gros, c'est de s'enfoncer un sac en plastique sur la tête.

– Ah ?

– Je ne l'ai pas acheté, docteur, mais j'en ai lu des grands bouts.

– Vous pensez sérieusement à vous tuer, c'est cela ?

– Oui.

– Bien. Je vais vous poser une question directe, Melanie, et je veux que vous y répondiez franchement : est-ce que vous avez déjà tenté de vous suicider ?

La réponse ne l'étonna pas. Il était sûr qu'elle serait négative.

– Non. Enfin, pas vraiment.

– Comment ça, « pas vraiment » ?

– J'ai voulu m'ouvrir les poignets avec une lame de rasoir, mais je n'ai pas pu, j'avais trop peur d'avoir mal. Je panique complètement à l'idée d'avoir mal, même un tout petit peu. Je n'ai pas coupé assez profond pour que ça saigne.

– C'était quand ?

– Oh, il y a longtemps. Je devais avoir douze ans.

– Douze ans. Vous aviez écrit un mot d'adieu ?

– Non. Je n'avais pas vraiment l'intention de me tuer, je crois. J'étais horriblement malheureuse, c'est tout.

– Plus qu'aujourd'hui ?

– Non, non. Aujourd'hui c'est bien pire. Mille fois pire.

– Et il vous arrive souvent de songer au suicide, ces temps-ci ?

– Je ne sais pas...

– Allons, Melanie. Vous le savez sûrement.

Il lui parlait avec une douceur inégalable, en s'appliquant à la réconforter, à l'encourager, afin de la persuader qu'elle méritait son estime pleine et entière, absolue. Qu'ici, avec lui, elle n'avait rien à craindre, qu'elle pouvait affronter tous ses démons.

– J'y pense très souvent, en fait. Presque tous les jours, je dirais. Principalement le soir. En fin d'après-midi. Là, je vois vraiment les choses en noir. Une journée morte de plus, et je n'ai toujours rien fait de ma vie. Je ne fais rien, je ne *suis* rien. Mes colocs sont gaies, je les entends discuter, au téléphone, elles sortent, elles s'amusent, et moi j'ai l'impression que... qu'on n'appartient pas à la même espèce, elles et moi. C'est facile, pour elles, elles sont heureuses et moi pas, je ne l'ai jamais été. Quatre heures de l'après-midi, cinq heures, et je me dis, encore une journée gâchée. Encore une journée à m'escrimer sur une disserte sans aucun intérêt, encore une journée à me biler à cause de ce que mes profs pensent de moi, de ce que mes amis pensent de moi. C'est à ce moment-là que ça me pèse le plus.

– Le suicide vous obsède, je comprends. Et vous n'avez jamais envisagé d'écrire un mot d'adieu ?

– Si, plus d'une fois, mais je n'ai pas été jusqu'au bout.

– Imaginons que vous alliez jusqu'au bout. Qu'est-ce que vous écririez ?

Là aussi, il connaissait la réponse : elle veut avant tout épargner sa mère ; sa mère n'est pas en cause, ce n'est pas sa faute. La malheureuse souffre comme une damnée et elle s'inquiète avant tout pour sa mère.

— Il me semble que j'essaierais surtout... Oh, je ne sais pas comment l'exprimer. Je voudrais dire à ma mère qu'elle n'a rien à se reprocher et que je ne lui en veux pas. Elle a fait de son mieux. Pour m'élever, vous comprenez ? Elle a dû assumer toute seule, en plus.

— Melanie, je sais que vos études vous demandent un gros effort, ces temps-ci, que vous avez l'angoisse de la page blanche, tout ça, mais je vais tout de même vous donner un devoir pour la prochaine fois. Vous êtes d'accord ?

Elle haussa les épaules ; les seins minuscules se déplacèrent imperceptiblement, sous le sweat-shirt.

— J'aimerais que vous vous appliquiez à écrire ce mot d'adieu. Couchez par écrit ce que vous avez dans la tête. Ce sera un bon exercice. Il devrait vous aider à clarifier les sentiments qui vous envahissent, en ce moment. Vous pensez pouvoir y arriver ?

— Je ne sais pas.

— Vous n'avez pas besoin d'y passer des heures, de noircir des pages et des pages. Contentez-vous de rédiger le plus précisément possible le message que vous voudriez laisser derrière vous, si vous preniez réellement la décision de vous suicider.

19

Il est bien connu que certains tempéraments, ou certains individus placés par les circonstances dans des dispositions d'esprit particulières, s'attachent de préférence aux gens, aux lieux ou aux choses les plus susceptibles d'aviver leur malheur. Un alcoolique poussera spontanément la porte d'un bar, un joueur invétéré videra le compte épargne de la femme de sa vie, un amoureux délaissé se rejouera inlassablement la scène de la rupture. Quant à John Cardinal, il passa une bonne partie de l'après-midi du lendemain à s'imprégner des odeurs de révélateur dans la semi-pénombre rougeâtre qui baignait la chambre noire de Catherine.

Jamais encore il n'avait pénétré sans y être invité dans ce lieu où Catherine était exclusivement chez elle.

Même si elle parlait souvent, et volontiers, des projets qui lui tenaient à cœur, jamais elle n'évoquait le travail qu'elle accomplissait ici. Elle se comportait un peu comme ces cuisinières hors pair, qui ne tolèrent personne à proximité de leurs fourneaux pour laisser croire qu'elles concoctent des repas sublimes avec trois fois rien. Parfois, elle surgissait de son antre avec une poignée de nouveaux tirages qu'elle étalait sur la table de la cuisine. Se plaçant légèrement en retrait, elle laissait alors Cardinal les examiner un par un.

Puis, devant sa lenteur à se former une opinion, elle exprimait la sienne par-dessus son épaule – « J'aime bien l'escalier de secours, sur celle-là, la diagonale est magnifique, tu ne trouves pas ? » – « Tu as vu le cycliste, à l'arrière-plan, qui fonce dans la direction opposée ? J'adore ce genre de coïncidence. » Une fois sur deux, Cardinal s'apercevait que c'était tout autre chose qui motivait son admiration – la frimousse attendrissante d'un gamin, la beauté de la neige, mais Catherine accueillait ses remarques avec une petite moue.

Plusieurs tirages noir et blanc de la même photo étaient accrochés sur un fil, au-dessus des bacs qu'il avait lui-même installés des années auparavant : un mur de brique au premier plan, et, dans le fond, un homme qui s'en approchait à une cinquantaine de mètres de distance. Par un effet de mise au point, les deux sujets apparaissaient aussi nets l'un que l'autre. Même Cardinal qui n'y connaissait pas grand-chose savait que ce résultat était particulièrement difficile à obtenir. Il n'y avait pas de différence de qualité entre le personnage et le mur, l'humain et la chose, et cela rendait la composition particulièrement dérangeante. L'homme marchait la tête penchée en avant, le visage dissimulé sous un chapeau passé de mode. L'image lui paraissait sinistre – mais peut-être ne pouvait-il pas l'interpréter autrement.

– Qu'est-ce que tu fais là ?

Kelly se tenait dans l'embrasure, adorable de simplicité et de naturel dans sa chemise blanche et son jean. Sa mère, vingt ans plus tôt.

Il embrassa du geste les étagères qui garnissaient un mur, le grand placard où Catherine rangeait appareils et objectifs, les tiroirs coulissants où elle stockait ses tirages.

– Tout cela, je l'ai aménagé pour elle, dit-il.

– Je sais, oui.

– Elle avait conçu les plans elle-même, évidemment. Après tout, c'était son lieu de travail.

– Elle a été heureuse ici.

Cardinal sentit son cœur se serrer.

– Kelly, reprit-il, je voudrais te demander un service. Pas pour tout de suite, mais d'ici quelques mois, j'imagine.

– Bien sûr. Dis-moi.

– Je n'ai aucune distance critique par rapport aux photos de Catherine. Je les aime toutes sans exception. C'est cela qu'elle a vu, qu'elle a voulu fixer sur la pellicule, et j'y attache beaucoup de prix. Toi, c'est différent. Tu es une artiste.

– Une pauvre barbouilleuse qui tire le diable par la queue, papa. Pas une photographe.

– Tu as un œil plus exercé. J'aimerais qu'un jour, pas maintenant, plus tard, tu te plonges dans les photos de Catherine pour sélectionner les meilleures. Mon idée, c'est d'essayer, peut-être l'an prochain, de présenter son travail à l'université, ou bien à la bibliothèque.

– Entièrement d'accord, papa. Je m'en chargerai avec plaisir, mais toi tu ne devrais pas venir t'enfermer ici. Tout est encore trop à vif, tu ne crois pas ?

– Oh, si. Beaucoup trop.

– Allez, viens.

Elle le prit par la main, au vrai sens du terme, et l'entraîna hors de la chambre noire. À la moindre manifestation de tendresse supplémentaire il se serait effondré.

Kelly avait raison, néanmoins. Respirer lui était moins pénible en haut, dans le domaine qui était pour moitié le sien. Passant dans le salon, il inspecta les livres alignés sur les étagères. Choisis par Catherine, pour la plupart. Il s'agissait essentiellement de bouquins de photo, mais il y en avait aussi sur le yoga, sur le bouddhisme, elle aimait les romans de John Irving, elle lisait pas mal de psycho – surtout des ouvrages traitant de la dépression et du trouble bipolaire. Il prit celui de Frederick Bell intitulé *Pour en finir avec l'autodestruction*.

Le psychiatre de Catherine en avait écrit d'autres, qui à en juger par les titres mentionnés sur la page de garde s'adressaient surtout à des spécialistes. Celui-ci, en revanche, visait manifestement le grand public, avec sa relative simplicité d'expression, son ton calme, rassurant, ses confidences étonnantes. On y apprenait dès les premières pages que Bell n'avait que huit ans quand son père s'était suicidé, et qu'une dizaine d'années plus tard, alors que le jeune homme entamait sa vie d'étudiant, sa mère avait également mis fin à ses jours. Il était somme toute logique, ainsi qu'il l'expliquait dans l'introduction, qu'il ait très tôt résolu « de sillonner sans relâche les terres du chagrin et du désespoir ».

Le livre était construit autour d'un certain nombre de cas cliniques, chaque chapitre commençant par la description d'une tentative de suicide qui avait conduit son auteur dans le cabinet du Dr Bell. Toute une partie était consacrée aux conjoints et conjointes des désespérés arrivés à leurs fins, avec un long développement sur celles et ceux d'entre eux devenus plusieurs fois veufs pour cause de suicide. « Il est des gens, écrivait Bell, qui ont à leur insu des tendances suicidaires profondes, refoulées, et qui d'instinct se rapprochent de personnes capables de se tuer. Trop pusillanimes pour se jeter dans le gouffre mortel, ils ont besoin que quelqu'un se suicide *à leur place.* »

Cardinal referma le livre, d'avis que ce type de lecture n'était sans doute pas ce qu'il y avait de plus indiqué pour lui, en ce moment.

Il gagna la cuisine où Kelly travaillait, penchée sur un carnet de croquis. Il prit le courrier qu'elle avait posé en pile sur un coin de la table. Tout ou presque était pour Catherine : un magazine de photo, des annonces d'exposition en provenance du musée d'Art de Toronto et du musée royal de l'Ontario, un avis de débit sur sa MasterCard, plusieurs envois en nombre émanant de Northern University. Deux enveloppes carrées lui étaient personnellement adressées. Encore des condoléances.

Il cherchait son coupe-papier quand le téléphone sonna.

C'était Brian Overholt, un flic de la brigade criminelle de Toronto que Cardinal connaissait depuis des lustres. Une bonne vingtaine d'années plus tôt, ils avaient fait équipe aux Mœurs, et après cela ils étaient passés ensemble aux Stups. Ils formaient un tandem efficace, et Overholt comptait parmi les anciens collègues avec qui Cardinal était resté en relations. Il l'avait contacté à propos de Connor Plaskett.

— John, salut. J'ai une vraie nouvelle pour toi. Connor Plaskett est désormais feu M. Plaskett. Il y a environ deux semaines, il a été renversé par une Cadillac Escalade dans le quartier des boîtes de Toronto. Il est resté un moment dans un état dit critique, mais il a claqué la semaine dernière, le samedi.

— Il était mêlé à des combines qui pourraient m'intéresser, tu crois ?

— Pas que je sache. Ses potes se sont dispersés dans la nature tout de suite après l'accident, alors je te laisse tirer tes propres conclusions. De toute évidence, ça ne les enchantait pas de perdre au poste le temps qu'ils passent à glander.

— Vous avez arrêté le chauffard ?

— Non, mais ça ne saurait tarder. Il y a autre chose que je peux faire pour toi ?... John ?... Allô ? Tu es toujours là ?

Le combiné coincé entre l'épaule et l'oreille, Cardinal avait ouvert une des enveloppes qui lui étaient adressées et il regardait fixement la carte qu'il venait d'en sortir.

— Euh, oui, Brian. Je suis là, oui. Écoute, je te remercie, vieux. Si je peux te rendre la pareille, n'hésite pas.

— T'inquiète. La prochaine fois que j'ai un Esquimau à mettre au chaud, je te confie l'affaire, promis. Comment va Catherine, au fait ?

– Il faut que je te laisse, Brian. Excuse-moi. On m'appelle.

L'enveloppe portait le tampon du bureau de poste de Mattawa, et il s'agissait cette fois encore d'une carte d'un modèle courant en vente dans tous les supermarchés et toutes les papeteries du pays. L'expéditeur en avait donc acheté au moins trois. Peut-être en un seul lot, et toutes au même endroit. La vendeuse avait dû trouver bizarre que quelqu'un lui achète trois cartes de condoléances d'un coup.

Faisant abstraction des mots qui dansaient sous ses yeux, Cardinal s'appliquait à raisonner selon la logique déductive chère aux enquêteurs.

Tu devais être un mari du tonnerre, franchement, disait le message, qui, comme les précédents, était collé sur la formule de circonstance imprimée à l'intérieur de la carte. *Elle a préféré mourir plutôt que de vivre avec toi. Tu réalises ? La mort lui a paru préférable. Ça donne une idée de ce que tu vaux en réalité, pas vrai ?*

Cardinal se plaça devant la fenêtre pour scruter ces lignes en inclinant la carte en tous sens. Oui, un mince trait reliait les jambages des minuscules. Même défaut d'impression, donc, et par voie de conséquence, même imprimante, même expéditeur. Qui que ce soit, homme ou femme, il ne pouvait s'agir de Connor Plaskett, décédé avant Catherine. Selon l'heureuse formule de Brian Overholt, Connor Plaskett était désormais feu M. Plaskett.

Elle a préféré mourir plutôt que de vivre avec toi.

– Putain, fait chier !

Le poing qu'il venait d'abattre sur la porte du frigo envoya valser les aimants, et avec eux les bouts de papier et les photos qu'ils maintenaient. Kelly avait bondi de sa chaise. Elle le regardait avec inquiétude, les yeux écarquillés.

– Papa, ça va ?

– Mais oui.

– Je crois que c'est la première fois de ma vie que je t'entends jurer comme ça.

– Autant t'y habituer, bougonna-t-il en enfilant son blouson.

– Tu sors ?

Il prit ses clés de voiture.

– Ne m'attends pas pour dîner. Je me débrouillerai.

20

– Il me faut l'adresse de Neil Codwallader. C'est urgent.

Cardinal roulait sur la 63 en direction de la ville, plein d'une fureur qui le surprenait par sa violence. Elle précipitait les battements de son pouls, elle lui vrillait les tempes.

– Neil Codwallader vit seul en ce moment, John. Il n'a personne sur qui se défouler, déclara tranquillement Wes Beattie à l'autre bout du fil.

Beattie parlait comme un chat ronronne, d'une voix basse et placide, rassurante. On avait du mal à l'imaginer dans la peau d'un flic, et pourtant il avait servi quinze ans dans la PPO[1] avant de se réincarner en aimable contrôleur judiciaire. Un gros matou, c'est ainsi que Cardinal l'imaginait quand il l'avait au téléphone.

– Je dois le voir pour autre chose, dit-il avec un coup de klaxon rageur à l'adresse d'une Ford Focus qui déboîtait sans prévenir. Ça ne peut pas attendre.

– Vous m'avez l'air un peu surexcité, John. Si jamais Neil a commis un délit quelconque, il vaudrait mieux m'en informer d'abord. C'est fini, l'époque où les services avaient des petits secrets les uns pour les autres.

– Je vous contacterai après lui avoir parlé. Vous me donnez son adresse, oui ou non ?

– 690, Main Street Est, mais vous ne le trouverez

---

1. Police de la Province de l'Ontario.

pas chez lui à cette heure-ci. Il cumule deux boulots pour s'en sortir.

– Laissez-moi deviner. Il s'est fait embaucher par le Centre d'aide aux victimes de violences conjugales, c'est ça ?

– Non. Bien de l'eau coulera sous les ponts avant que Neil se range au côté des femmes battues, mais il travaille trois jours par semaine à Wal-Mart, et le reste du temps chez Zappers.

– La boîte de photocopies ?

– Tout juste. Écoutez, John, ce n'est pas le moment de lui casser la baraque et de compromettre ses chances de réinsertion, d'accord ? Les types qui tapent sur leurs femmes ne m'inspirent pas plus de tendresse qu'à vous, mais Neil a payé sa dette envers la société et il essaie honnêtement de...

– Qu'est-ce que vous en savez ? Bon, j'arrive à Wal-Mart. Ciao.

Interrompant là la communication, Cardinal s'engagea dans un crissement de pneus sur un parking grand comme plusieurs terrains de foot.

Il fréquentait peu cet hypermarché, trop vaste pour qu'il y trouve instantanément ce qu'il cherchait, et dont les prix ne justifiaient pas, à son sens, l'état d'énervement dans lequel il en ressortait. La plupart du temps, les allées étaient embouteillées par des couples obèses poussant des chariots monstrueusement chargés, même si aujourd'hui on y circulait mieux que d'habitude. De toute façon, par goût et par conviction, Cardinal préférait soutenir les petits commerces du centre-ville, même si la cause semblait perdue d'avance.

Le seul crédit qu'il accordait à Wal-Mart était sa politique d'emploi des seniors. La direction offrait bien sûr leur chance à quantité de jeunes gens des deux sexes sachant à merveille feindre l'incompétence, mais elle embauchait également des retraités, qui complétaient leurs pensions en orientant les consommateurs désorientés vers les indéfinissables objets de leur convoitise. Avisant une septuagénaire fragile, Cardinal lui demanda où étaient les cartes de vœux.

– Vous êtes tout près, répondit-elle. C'est juste là, le rayon d'à côté.

Il fonça droit sur l'espace dévolu aux petites attentions préimprimées. Tout y était, les fêtes, les anniversaires, les prompts rétablissements, et, oui, les condoléances.

– Bon, bon, bon, marmonna-t-il. Voyons un peu. *Unis à vous par la pensée...*

Il prit sur le présentoir une carte identique à la dernière qui lui avait été envoyée, et en repéra très vite une autre, identique à la deuxième. La première avait dû mieux se vendre que les autres. Il n'en restait apparemment plus.

– Vous avez trouvé ce que vous cherchiez ? s'enquit la petite vieille quand il repassa devant elle.

– Oui, je vous remercie. Vous ne savez pas si Neil Codwallader est de service aujourd'hui ?

– Neil ? Le grand qui travaille à l'espace photo ?

– Grand et assez costaud, avec des tatouages partout.

– Oui, je vois. Je l'ai aperçu tout à l'heure, mais il a dû rentrer maintenant. Il a fini sa journée.

Il suivit ses indications pour se rendre jusqu'au stand photo, prit à droite le long d'une allée interminable, tourna à gauche vers les caisses. La direction aurait dû mettre des chariots à moteur à la disposition des clients.

– Neil est parti il y a une heure, lui apprit le gamin qui tenait le rayon. Il a un autre job ailleurs.

Dix minutes plus tard, Cardinal se garait à l'autre bout de la ville sur un emplacement interdit de la Promenade, face au lac et à deux pas de chez Zappers.

La boutique attirait les étrangers de passage désireux de consulter leur courrier électronique, les autochtones sous-équipés qui voulaient envoyer ou recevoir des fax, les exploitants de filons plus ou moins louches qui pouvaient ouvrir là une boîte postale anonyme. Elle devait sa réputation à un parc d'ordinateurs obsolètes que l'on pouvait utiliser sur place à des tarifs défiant toute concurrence. Il n'y avait qu'une cliente, quand Cardinal y entra en trombe, une Asiatique qui tapait un texte à la vitesse de la lumière.

Derrière le comptoir, le dos tourné à la salle, Codwallader photocopiait un monceau de papiers. Cardinal n'eut pas l'impression qu'il le reconnaissait, quand il pivota pour l'accueillir.

Trente ans plus tôt, ses cheveux longs et sa moustache brou de noix lui auraient donné une allure de rocker branché. La prison n'avait pas fait fondre les muscles qui tendaient son tee-shirt à craquer. Ses bras étaient entièrement recouverts d'un cachemire de tatouages.

– Je peux vous aider ? demanda-t-il.

– À vous de voir.

Codwallader se figea, et au lieu de dévisager Cardinal, ce qui aurait été une réaction normale, dans un réflexe d'ex-taulard il darda sur lui un regard meurtrier

– Je vous connais, lâcha-t-il. C'est vous, le flic.

– Exact. Et vous, le mari qui tabassait sa femme.

– Causez toujours. C'est pas une preuve.

– Oh, des preuves... En ce qui vous concerne, il y en avait en veux-tu, en voilà, entre les dossiers de l'hôpital, les témoignages des médecins et ceux des travailleurs sociaux. Sans oublier celui de Cora, bien sûr.

– J'ai rien à vous dire. Je sais même plus comment vous vous appelez.

– Cardinal. John Cardinal. C'est moi qui ai expliqué au juge dans quel état j'avais trouvé votre femme, avec le nez et le bras cassés, les cheveux arrachés à pleines poignées. Je m'en souviens encore. Elle avait les deux yeux au beurre noir et les vêtements lacérés aux ciseaux.

– Et moi, j'ai déclaré que j'avais rien à voir avec toute cette merde.

– Ouais. Le mari violent type. Jamais coupable, jamais dans son tort.

– Si j'ai pas de bonne femme maintenant, c'est à cause de gens comme vous. Les gens qui mettent leur nez dans les affaires des autres. Là, pour le moment, je fais ce que j'ai à faire pour y arriver, petit à petit. Alors si vous n'êtes pas là pour vous servir d'un ordi ou pour des photocopies, vous n'avez qu'à débarrasser le plancher, ça sera toujours ça de gagné.

– En fait, j'aurais besoin d'imprimer un document.

– Pour les imprimantes, c'est là-bas dans le coin. (Un index outrageusement tatoué désigna trois machines disposées côte à côte.) Deux dollars pour la première page, et après, dix cents chacune. Ne vous privez pas, surtout.

Cardinal posa sa mallette sur une table, en sortit un DVD qu'il introduisit dans un ordinateur et sélectionna une lettre qu'il venait d'envoyer à sa banque. À propos d'un contrat d'assurance au nom de Catherine, dont il fallait revoir les termes.

Il se connecta successivement aux trois imprimantes et fit trois copies de sa lettre. Il décela des défauts d'impression sur chaque exemplaire, mais nulle part ce fil mince comme un cheveu tracé entre les jambages supérieurs. Évidemment, dans un commerce tel que celui-ci, on devait régulièrement changer les cartouches d'encre. En admettant que tous les messages qu'il avait reçus aient été imprimés le même jour – le lendemain ou le surlendemain de la mort de Catherine –, la cartouche utilisée par son correspondant anonyme était sûrement vide depuis longtemps.

Cardinal rangea les trois feuilles dans sa mallette et retira le disque de l'ordinateur.

– Je vous dois combien ?

– Deux soixante-quinze hors taxes. Trois dollars seize tout compris.

Cardinal posa la monnaie sur le comptoir.

– Je voulais vous demander un truc, Cardinal. Vous êtes marié ?

Cardinal leva la main gauche. Son alliance en or toute simple portait le nom de Catherine gravé à l'intérieur.

– Vous êtes le mec modèle, vous, ironisa Codwallader. Franchement, ça ne vous arrive jamais d'avoir envie de gifler votre bonne femme, même doucement ? De lui filer une petite claque ? Je ne dis pas que vous la cognez, je pose juste la question. Allez, honnêtement. Ça ne vous plairait pas de lui filer une torgnole, comme ça, en passant ?

– Non. À mon tour de vous poser une question : où étiez-vous le 7 octobre au soir, mardi dernier ?

– Mardi ? À tous les coups j'étais ici. En semaine, on reste ouvert jusqu'à vingt-deux heures. Écoutez, des fois qu'il serait arrivé quelque chose à Cora, je vous jure que je ne sais même pas où elle habite, en ce moment, ni si elle a changé de nom et tout. Si elle s'est fait tabasser mardi soir, ça peut pas être moi. J'ai rien à voir là-dedans.

– C'est vous qui le dites.

– Vous n'avez qu'à vérifier avec la vidéosurveillance, protesta Codwallader, un doigt pointé vers la minuscule caméra installée au-dessus de la porte d'entrée. Ça reste enregistré pendant au moins un mois. Demandez au patron.

– J'y compte bien. Où est-il, à propos ?

– En déplacement. Il rentre la semaine prochaine. Cora, je l'emmerde. C'est terminé avec cette salope.

21

Pensant qu'elle avait plus de chances de trouver Matt Morton chez lui si elle passait en fin de journée, Delorme attendit qu'il soit six heures pour se rendre Warren Street, une impasse dans la partie est de la ville.

Le bungalow en bois des Morton lui parut bien exigu, pour un couple nanti de deux enfants, et il souffrait mal la comparaison avec les véhicules garés dans l'allée : une Toyota Land Cruiser, une Chrysler Pacifica et une Ford Taurus plus modeste, la seule voiture de taille normale. Près du garage, deux motoneiges rouge vif étaient rangées sous un auvent.

Le plus beau, c'était le bateau, un énorme Chris-Chraft. Delorme n'aurait pas su différencier un hors-bord d'un sous-marin, mais le nom du fabricant s'étalait en lettres chromées sur un des flancs. Son œil mal exercé jugeait l'engin disgracieux – trop de masse à l'avant, un dessus aplati, une forme lourde profilée pour la vitesse au détriment de l'esthétique. Mais ce mastodonte avait peut-être belle allure, sur l'eau. Delorme aurait été bien en peine d'estimer la puissance du moteur, mais l'hélice était impressionnante.

Qui faut-il être pour posséder tant de véhicules hors normes et vivre dans une maison de poupées riquiqui ? Son travail dans la police amenait souvent Delorme à rencontrer des gens qui claquaient leur argent en dépit du bon sens, et chaque fois elle s'en étonnait. Elle connaissait des taudis équipés de téléviseurs grands comme des tableaux noirs.

La maison des Morton ne tombait toutefois pas dans la catégorie des taudis. Bien que minuscule, elle était apparemment très bien entretenue.

On ne pouvait pas en dire autant de Matt Morton. Le sportif amateur de foot évoqué par Frank Rowley avait troqué ses muscles contre une masse adipeuse informe presque exclusivement répartie au-dessus de la ceinture, comme si on l'avait essoré en commençant par les chevilles pour que toute la graisse remonte dans le torse, les épaules et la nuque. La coupe de cheveux signait le cadre moyen, mais le châtain foncé des mèches bien lissées rappelait l'auteur de la série de photos.

Delorme produisit son insigne avant même de se présenter.

– Entrez, lui proposa-t-il. Seulement, je n'ai pas trop de temps. On allait se mettre à table.

– Ce ne sera pas long, ne vous inquiétez pas.

Le séjour, à gauche de l'entrée, ne contenait rien qu'elle ait vu sur les photos. La cuisine, au bout du couloir, était trop loin pour qu'elle distingue autre chose que les placards en bois. Des bruits de voix en provenaient – des piaillements d'enfants excités et des appels au calme aux inflexions plus adultes, féminines. Un garçon et une fille, semblait-il.

– J'ai admiré vos engins à moteur, en arrivant. Notamment le bateau. Il est superbe.

– Ah, c'est ma fierté. Il y a intérêt, vu le prix qu'il m'a coûté. J'ai pas fini de le payer, d'ailleurs.

– Monsieur Morton, j'enquête sur une série de délits commis au Port du Lac et j'aurais besoin d'inspecter votre bateau. Vous n'y voyez pas d'inconvénients ?

– Quel genre de délits ?

– Des agressions physiques, entre autres.

– Des agressions ? Aucun rapport avec moi, je peux vous l'affirmer.

– Pour l'instant j'en suis encore à rechercher des témoins.

– Je n'ai jamais rien remarqué là-bas qui ressemble de près ou de loin à de la violence, et j'en ai jamais entendu parler non plus. En quoi ça concerne mon bateau ?

– En rien, peut-être, mais je dois le vérifier. Vous m'autorisez à y jeter un petit coup d'œil rapide ?

– Allez-y, si vraiment il faut.

– Merci beaucoup.

Morton enfila un coupe-vent Maple Leafs et l'accompagna jusqu'au hors-bord. Il se déplaçait à pas glissés, avec cette démarche précautionneuse et gracieuse à la fois qu'ont souvent les obèses. Delorme ne l'avait pas encore rayé de la liste des suspects. N'importe qui pouvait prendre des kilos superflus, avec l'âge.

– Vous êtes obligée de regarder l'intérieur aussi ?

– Oui, monsieur.

– Il n'y a pas eu d'agression sur ce bateau. Je ne vois pas à quoi ça va vous servir de fouiller partout.

– Ça me permettra peut-être d'éliminer deux trois suppositions, ce qui serait déjà très utile. Je peux monter dessus en grimpant sur la remorque ?

– Ce serait plus prudent de prendre une échelle.

Elle l'aida à transporter l'échelle en aluminium qu'il était allé chercher dans le garage. Ce bref exercice physique suffit à mettre l'ex-footballeur en nage. Il ahanait, le souffle court, mais il réussit sans trop de mal à enjamber le rebord du bateau. Delorme le rejoignit sur le pont.

– Il est pas sous son meilleur jour, là, remarqua Morton. C'est comme aller voir un cheval de course au box. On n'imagine pas ce qu'il donne.

– Oh, je crois que j'imagine assez bien, répondit Delorme en regardant autour d'elle. Ce doit être génial de naviguer avec.

– Plus que génial, je vous le garantis. Le vent, le

soleil et une bonne petite bière, tout ça combiné c'est le paradis. Tout le monde est content. Les gosses rigolent, ma femme est aux anges, et moi j'oublie les soucis du boulot.

— Vous travaillez dans quelle branche, monsieur Morton ?

— L'informatique. Les ordinateurs en réseau. Autrefois, on gagnait plutôt bien sa vie là-dedans. Maintenant, c'est terminé. À Algonquin Bay en tout cas. Avec ma femme, on avait pensé s'acheter une baraque plus grande, mais ce n'est plus possible.

— Si ça ne vous ennuie pas, j'aimerais qu'on retire les housses qui recouvrent les sièges.

Le bateau n'était pas celui qu'elle recherchait, elle en était déjà quasiment sûre. La roue du gouvernail était blanche, au lieu d'être en bois comme sur les photos. Il avait peut-être fallu la remplacer, mais les garnitures non plus n'étaient pas en bois et il paraissait peu probable qu'on les ait changées pour ce revêtement synthétique.

Morton enleva les housses en plastique des deux places situées à l'arrière. Des fauteuils pivotants avec une garniture en coton lisse, munis chacun d'une petite tablette. Ceux de la photo étaient placés dos à dos, et garnis de coussins rouges capitonnés. L'arrière du Chris-Chraft était complètement différent.

— Vous voulez voir dedans, aussi ? La cabine et tout ?

— Non, je vous remercie, monsieur. Vous avez été très aimable.

— Ça ne me dérange pas, vous savez. Tant qu'on y est...

— Pourquoi pas, si vous insistez.

Il lui fit faire le tour du propriétaire.

— Ma femme me tuerait si elle savait combien ça m'a coûté, déclara-t-il à deux ou trois reprises devant des aménagements dont il était particulièrement fier.

– Ce bateau, ce doit être un peu comme une maison de campagne pour vous ? lui demanda Delorme. En été, au moins.

– Vous ne pouviez pas mieux dire, approuva-t-il en levant sentencieusement un index gros comme une saucisse.

L'aspect soigné de la cabine plaisait beaucoup à Delorme, qui admira avec ravissement l'agencement rationnel des volumes miniaturisés, les angles arrondis des placards et des rangements minuscules.

– Vos enfants doivent être fous de joie ici.

– Oh, le garçon y passerait sa vie, si seulement c'était possible. La fille c'est différent. Elle a autre chose en tête maintenant qu'elle a treize ans.

Delorme aurait volontiers rencontré l'adolescente, mais là, de but en blanc, elle ne voyait pas quel prétexte plausible inventer.

– Quels sont vos rapports avec les gens du port ? Vous les fréquentez beaucoup ?

– Pas tant que ça. On est tous pareils, on vient surtout en famille et les gosses prennent tellement de temps, vous savez, qu'on n'en a plus trop pour lier des relations. À part la météo, on n'a pas trop de sujets en commun.

– C'est un petit milieu, pourtant, et votre bateau vaut son prix. Vous n'avez jamais eu à vous plaindre ?

– De la gestion du port ?

– De vos voisins, plutôt.

Morton se gratta la tête.

– En cherchant bien, il y un Italien casse-bonbons qui met toujours sa musique trop fort. Il est à l'autre bout du quai, mais sur l'eau le son porte plus qu'ailleurs. Je ne pleurerais pas sur lui si on le mettait en taule ou si on l'expulsait dans son pays.

– Cela paraît difficile. Et les gens plus près de vous ?

– Les Ferrier ? Ils sont très bien. On n'est pas

proches, proches, mais on s'entend bien. Avec André, on partage une bière de temps en temps.
– Les Ferrier ont des enfants eux aussi ?
– Deux filles, Alex et Sadie. La petite, Sadie, doit avoir dans les huit ans. Alex a l'âge de Brit, treize, et déjà on lui en donnerait vingt. Elles sont terribles, ces gamines.

Treize ans. Delorme ravala des questions qui auraient pu lui mettre la puce à l'oreille. Après tout, c'était peut-être Morton qui séduisait la fille des voisins. Changeant de sujet, elle évoqua Frank Rowley.
– Je connais Frank depuis le lycée. Je n'ai rien à lui reprocher.

Il s'interrompit soudain avant de s'exclamer en claquant les doigts :
– Oh, ça me revient ! C'est bien sur une agression que vous enquêtez ?
– Absolument.
– Alors, il y a Fred Bell. Il s'est fait tabasser un jour, et sans moi il y serait peut-être resté.
– Le Dr Frederick Bell ? fit Delorme qui connaissait le psychiatre de nom.
– Lui, oui. Un médecin, anglais d'origine. Remarquez, ça ne se passait pas dans le port exactement. C'était dans le restau de fruits de mer à côté.
– Pour quelle raison s'est-il fait agresser ?
– Je n'en sais rien. L'autre mec gueulait parce que soi-disant Bell avait mal soigné son fils. Il me semble que le gamin venait de se tuer. En tout cas, le gars avait carrément dérapé, il cognait comme un malade, alors je me suis interposé et je lui ai conseillé de se calmer. En fait, ce n'était pas une vraie agression, quand on y réfléchit. Ça remonte à un an, un an demi.
– Et le nom de cet individu ?
– J'ai oublié… Whiteside, quelque chose comme ça.
– Une dernière question, monsieur. Avez-vous jamais assisté, même de loin, à des incidents… perturbants,

disons, ou assez inquiétants pour vous laisser penser que le port n'était pas un endroit idéal pour les enfants ?

— Des problèmes de sécurité, par exemple ?

— Des problèmes de tous ordres.

Morton secoua la tête.

— Le port, vous savez, c'est comme un village. La plupart des gens se respectent, ils sont corrects. On peut toujours aller frapper chez le voisin quand on n'a plus de sel ou plus de farine, vous comprenez ? On ne se connaît pas tous très bien, mais il y a un bon état d'esprit, on a confiance dans les voisins, et ce n'est pas moi qui vous apprendrai que de nos jours c'est appréciable. Non, de mon point de vue c'est un refuge idéal — pour tout le monde et en particulier pour les gosses.

22

Cardinal épluchait des factures à la table de la cuisine pendant que Kelly regardait une rediffusion d'*Urgences* dans le salon. Elle regardait la télé comme Catherine, en piochant dans le bol de pop-corn posé sur ses genoux, en interpellant les acteurs à tout bout de champ. « Ça ne va pas, la tête ! Jamais un toubib normal ne ferait une chose pareille ! »

Il avait signé plusieurs chèques afin de couvrir les dépenses effectuées par Catherine avec ses cartes de crédit. Au dos de chacun il inscrivit ensuite : *Titulaire décédée. Merci d'annuler la carte.*

Ses pensées le ramenaient vers les deux individus qu'il venait de localiser. Le premier avait quitté ce monde avant Catherine, mais le second faisait toujours un suspect possible. Il pressentait pourtant que l'alibi de Codwallader était solide, même s'il lui restait à le vérifier. Cardinal sentait qu'il passait à côté d'un indice évident, s'engageait à l'aveuglette sur une piste qui ne le mènerait nulle part. Jusque-là, il s'était focalisé sur le mobile et sur la situation personnelle du meurtrier présumé de Catherine. Qui pouvait lui en vouloir suffisamment pour le blesser en s'en prenant à sa femme ? Qui était récemment sorti de prison ?

Au préalable, il aurait dû se poser des questions plus élémentaires. Qui connaissait son adresse ? Qui savait qu'il était marié avec Catherine ? Qui était en mesure d'exploiter ces informations avec autant de

cruauté ? Sûrement pas un ivrogne comme Connor Plaskett (même et surtout de son vivant), et peut-être pas
non plus un raté aussi imbu de lui-même que Codwallader.

Les Cardinal n'étaient pas dans l'annuaire et personne, au poste, ne se serait amusé à communiquer leur
adresse et leur numéro de téléphone. Depuis qu'il avait
travaillé aux Stups à Toronto, Cardinal se faisait une règle
de garder à l'œil tous ceux qui avaient une raison de lui
en vouloir. Rien de plus facile que de filer un flic qui
n'est pas vigilant et de se venger de lui en s'en prenant
aux siens. Si quelqu'un l'avait suivi, il s'en serait aperçu.

Il feuilleta la petite pile de papiers qu'il n'avait pas
encore triée. Des demandes de don émanant de la
société Audubon, du Sierra Club, d'Amnesty International (toutes causes soutenues par Catherine), d'autres
envoyées par l'hôpital des Enfants Malades, l'UNICEF et
l'opération Pièces Jaunes (ses bonnes œuvres à lui). Des
factures à l'en-tête de la compagnie des eaux, l'Algonquin Bay Hydro, de la compagnie de téléphone et des
pompes funèbres Desmond.

Cardinal chaussa ses lunettes de presbyte et examina un à un ces courriers à la lumière de la lampe
orientable posée sur la tablette du téléphone. Aucun ne
présentait le même défaut d'impression que les cartes
de condoléances sadiques.

Évidemment, ç'aurait été trop simple. Tous ces
envois étaient traités par ordinateur, et tant qu'il n'aurait
pas renvoyé les formulaires avec un chèque, personne
d'autre ne les aurait entre les mains. Il déplia la lettre
des pompes funèbres.

Cher Monsieur Cardinal

*Au nom des établissements Desmond, nous vous
prions d'agréer l'expression de notre plus vive sympathie pour la perte qui vous éprouve.*

Nous voulions par ailleurs vous remercier d'avoir choisi notre maison, et espérons que nos services ont facilité dans toute la mesure du possible l'épreuve douloureuse liée à cette transition.

Vous trouverez ci-joint notre facture dont nous vous remercions par avance de régler le montant dans les meilleurs délais. Sachez par ailleurs que nous nous tenons à votre disposition pour vous aider à franchir dans les meilleures conditions cette étape difficile.

Avec l'expression de nos remerciements et nos condoléances les plus sincères,

Suivait la signature de David Desmond. L'œil exercé de Cardinal ne décela pas le défaut d'impression qui caractérisait les trois messages anonymes.

– Cette fille est complètement dingue ! lança Kelly entre deux bouchées de pop-corn. Ce serait le bouquet qu'elle devienne infirmière !

La pause publicitaire la décida à quitter son fauteuil pour rejoindre Cardinal à la cuisine.

– Tu ne veux pas venir regarder avec moi, papa ?

– Si, si. Dans une seconde.

– C'est un tel pied de voir des gens plus doués que soi pour bousiller leur vie. Évidemment, tu dois en voir tous les jours, avec ton boulot.

– En effet.

– J'ai envie d'un Coca Light. Tu en veux ?

– Volontiers.

Cardinal examinait la facture jointe à la lettre des pompes funèbres. Un détail retenait son attention, sans rapport aucun avec les prix pourtant conséquents.

Cercueil – Noyer Premier Choix – 2 500 dollars.

Un mince trait apparaissait distinctement sur la partie supérieure de la ligne.

Reçu à titre d'acompte : 3 400 dollars.

Le même fil ténu, courant à partir du *R* sur le haut des lettres.

– Ça recommence ! cria Kelly du salon. J'ai pris ton Coca avec moi.

Il sortit les trois cartes de sa mallette. *Elle a préféré mourir...* Un trait tremblé prolongeait la barre supérieure du *E*. *Quel effet ça fait, connard* ? Un défaut similaire reliait le *Q* au *d* en passant par les *f* et les *t*. Il scruta les différents documents à l'aide d'une loupe. Tout concordait.

Un entrepreneur de pompes funèbres peut-il être excédé de prodiguer sa compassion respectueuse aux endeuillés qu'il voit défiler tous les jours ? Se peut-il qu'il soit poussé à bout par leurs larmes, leurs requêtes, leurs atermoiements sur les détails cérémoniels, leur insistance à affirmer que le cher disparu était un être exceptionnel, plus admirable que tous ceux et celles qu'il a précédés ou suivis dans la tombe ? Cardinal trouvait cela assez plausible, en réalité. À bien y réfléchir, il ne lui paraissait pas si incongru qu'un croque-mort se venge des vivants en leur envoyant ses non-condoléances par la poste.

Cela étant, la lettre signée du directeur ne présentait pas de défaut d'impression. Sur une impulsion, Cardinal décrocha le téléphone.

David Desmond connaissait suffisamment son métier pour ne pas s'étonner de ce coup de fil tardif.

– John, bonsoir, dit-il. Quel bon vent vous amène ?

– J'étais en train de regarder la facture que vous m'avez envoyée.

– Oh, cela n'a aucun caractère d'urgence. Vous nous avez déjà versé la moitié de la somme en arrhes et vous avez sûrement d'autres sujets de préoccupation.

– Ma question va peut-être vous surprendre, mais je me demandais si vous vous chargiez vous-même de la facturation ?

– Les montants sont établis par nos soins, selon ce

qui a été convenu avec nos clients, mais pour la facture proprement dite, nous faisons appel à un cabinet de comptabilité.

– Ce travail m'a l'air particulièrement bien fait. Je risque d'avoir des histoires d'impôts un peu compliquées, cette année, et je passerais bien par ces experts, si vous en êtes content. Vous pourriez me donner leurs coordonnées ?

– Certainement. C'est le cabinet Beckwith et Beaulne. Ne quittez pas, je dois avoir leur carte quelque part.

– Auquel des deux vous adressez-vous ? À Beckwith ou à Beaulne ?

– Ni l'un ni l'autre. Je travaille avec Roger Felt.

– Non ! Sérieusement ?

– Pourquoi ? Vous connaissez Roger ?

23

Roger Felt. Il devait bien y avoir cinq ou six ans que Cardinal n'avait plus pensé à Roger Felt, ex-agent de change, conseiller financier, analyste en placements pour la firme Fraser Grant. Felt passait alors pour un nabab local détenant des actions d'avenir.

Semblable en cela à tous les investisseurs placiers de la ville, il gagnait sa vie en alimentant des fonds communs de placement. Autrement dit, en ventilant l'épargne de ses clients, leurs pécules et leurs poires pour la soif dans les actifs plus ou moins prometteurs de sociétés d'investissement cotées. Jusqu'au jour où il s'était mis à caresser des ambitions plus élevées pour une retraite qu'il rêvait dorée. Il lisait trop la presse spécialisée pour ne pas envier la réussite fulgurante de tous ces génies de la finance qui coulaient des jours heureux entre leurs yachts, leurs chalets à la montagne et leurs villas sur la côte d'Azur. Ceux-là ne se seraient pas contentés de posséder un ranch dans les environs d'Algonquin Bay et un joli cottage avec vue sur le lac.

Il élabora donc un plan audacieux pour se hisser au niveau des plus grands, transféra la totalité de son portefeuille boursier dans les actions plus risquées d'un marché dopé à la testostérone, n'hésita plus à investir des profits non encore réalisés. La première fois, il n'eut aucun mal à reconstituer le dépôt de garantie avec ses deniers personnels.

Cet argent était bien sûr destiné à assurer, non seulement sa retraite, mais aussi celle de sa femme. Il devait servir à compléter les revenus de sa belle-mère et à payer l'éducation des trois enfants, tous promis à entrer l'un après l'autre à l'université. Pas de problèmes. D'ici peu, la tendance allait forcément s'inverser, et Felt deviendrait si riche qu'il pourrait assumer tous ces frais sans toucher à son capital

Les pertes s'enchaînèrent, les reconstitutions de dépôt de garantie aussi, et Felt finit par se retrouver dans la situation délicate de l'imprudent, qui non content d'avoir asséché ses propres comptes a également vidé ceux de ses meilleurs clients. À Algonquin Bay, ces citoyens bien nantis n'étaient pas des millionnaires mais des retraités aux pensions grassouillettes qui avaient fini de payer les traites de leur maison et disposaient d'un matelas confortable. Roger Felt avait libéralement puisé dans leurs économies pour se remettre à flot et réinvestir de plus belle, dans l'intention, ainsi qu'il l'expliqua lui-même au tribunal, de rembourser tout le monde, intérêts compris.

Le financier acculé abandonna ses rêves de châteaux en Espagne et de villas sur la Côte. Il ne rêvait plus que de s'acquitter de ses dettes, de rendre à sa famille son niveau de vie d'antan, d'échapper à la prison.

Ces rêves-là non plus ne devaient pas se réaliser.

Une de ses clientes, une certaine Gertrude M. Lowry, souhaitait confier son portefeuille à un autre courtier. Lassée des sempiternelles dérobades de Felt, elle finit par prévenir la police. L'affaire fut confiée à Cardinal, et comme il n'avait rien d'un génie de la finance, sa hiérarchie lui adjoignit Delorme. Entrée dans la police avec une maîtrise de gestion, la jeune femme traquait les criminels en col blanc depuis cinq ans.

Ils avaient arrêté Felt pour fraude, détournement de fonds et abus de confiance. Il fut reconnu coupable de ces trois chefs d'accusation. Les trésors d'éloquence déployés par son avocat, Me Leonard Scofield, n'avaient

pas suffi à fléchir le tribunal. Le contraire eût été étonnant, après le défilé de témoins qui s'étaient succédé à
la barre : vieillards respectables qui pour s'en sortir
avaient dû reprendre un travail, jeunes couples obligés
de remettre *sine die* le projet d'achat d'un logement,
pères et mères de famille expulsés du leur parce qu'ils
ne pouvaient plus rembourser l'emprunt. Condamné à
huit ans de prison ferme, Felt avait été libéré sur parole
au bout de cinq ans.

Cardinal s'arrêta devant l'adresse que lui avait indiquée Desmond. Un appartement aménagé au-dessus
d'un magasin de tissus, dans Sumner. On y accédait par
une entrée latérale donnant sur un boyau étroit où il
fallait se faufiler de biais.

La porte avait été décorée par plusieurs générations
de taggeurs plus ou moins imaginatifs, la palme de la
banalité revenant à l'auteur d'un *Je t'aime* étalé sur un
mètre de haut en grosses lettres multicolores. Cardinal
appuya sur la sonnette de l'interphone et laissa son
regard se perdre dans le passage minable jonché de
canettes écrasées, de vieux emballages de sandwich, et
même d'une basket détrempée qui avait perdu son lacet.
Quelle déchéance par rapport à la propriété en bordure
de lac où il avait procédé à l'arrestation de Felt. M. Felt
se balançait dans un hamac en sirotant un rhum-coca, à
l'époque.

Un claquement suivi d'un grésillement sortit de
l'ampli de l'interphone.

– Qui est-ce ?
– Le coursier.
– Une minute.

À l'intérieur, il y eut un bruit de pas pesants dans
l'escalier, suivi du claquement du verrou.

Son séjour derrière les barreaux n'avait pas arrangé
Roger Felt. Il était trop bas sur pattes pour avoir jamais
été élégant, mais du temps de sa splendeur ses costumes
bien coupés et la pratique régulière du squash incitaient

à lui donner du Monsieur. Là, le petit homme était rata-tiné. Des auréoles de sueur marquaient les aisselles de sa chemise froissée, il empestait le tabac froid et la descente des marches l'avait mis hors d'haleine.

– Vous êtes de chez Alma ? s'enquit-il en nommant un restaurant de Main Street. Je n'ai rien commandé, aujourd'hui.

Cardinal lui présenta son insigne :

– Vous ne me reconnaissez pas ?

– Oh, non ! gémit Felt, les yeux écarquillés derrière ses grosses lunettes de myope.

Cardinal pénétra d'autorité dans le couloir.

– Nous avons de solides raisons de penser que vous ne respectez pas les conditions de votre liberté conditionnelle, Felt. Je viens perquisitionner.

– Il faut un mandat pour ça.

– Vous êtes soupçonné d'avoir manqué à votre parole, d'avoir trahi la confiance de la justice. En conséquence, je n'ai pas besoin de mandat.

Il le bouscula pour s'engager dans l'escalier malodorant. Arrivé en haut, il poussa la porte qui ouvrait directement sur une cuisine aux allures de réduit, chichement éclairée par un tube néon. Une cigarette se consumait dans un cendrier. À côté, tassés à se toucher sur la table encombrée, il y avait une machine à calculer, une pile de dossiers, un ordinateur portable qui n'était plus de la première jeunesse, une petite imprimante.

Cardinal s'empara de la feuille qu'elle venait de cracher.

Une facture à en-tête de la société Beckwith et Beaulne, adressée à la compagnie Nautilus, Mise en cale et Réparation de Bateaux. Un trait fin comme un cheveu courait sur la hauteur de la ligne. En règle générale, Cardinal savait se dominer quand il appréhendait des criminels. Ce jour-là, la vue de Roger Felt qui arrivait dans la cuisine en soufflant comme un phoque déclencha en lui une telle bouffée de rage qu'il dut se retenir pour ne pas le frapper. Frémissant de colère, il pointa un index accusateur vers la machine à calculer, les dossiers, les colonnes de chiffres affichées sur l'écran de l'ordinateur.

— Les conditions de votre mise en liberté vous interdisent d'exercer quelque activité financière que ce soit. Il est pourtant évident que vous vous occupez de comptabilité. Je veux voir M. Beckwith.

— Il est absent.

— Et M. Beaulne ?

— Absent.

— Vous vous moquez de moi ? Allons, Felt, avouez que vous les avez inventés de toutes pièces, Beaulne et Beckwith.

— C'est juste un nom comme ça. Je trouvais qu'il sonnait bien.

— Autrement dit, vous dirigez une compagnie fictive. Dans le but, une fois de plus, de gruger des braves gens.

— J'ai besoin de clients. Le nom sonne bien, ça ne va pas plus loin. Je n'allais tout de même pas accepter un emploi au rabais dans un fast-food !

— Compte tenu de votre condamnation pour fraude et abus de confiance, le tribunal aura sûrement envie d'en savoir plus sur le faux M. Beaulne et le faux M. Beckwith.

— Non, je vous en supplie. Je ne supporterai pas de retourner en prison.

— Allez mettre des chaussures, Felt. C'est précisément là que je vous emmène.

24

Conduit séance tenante au poste, Roger Felt fut autorisé à appeler son avocat avant de finir sa journée dans une cellule de garde à vue. Cardinal se chargea de prévenir le substitut du procureur et le service du contrôle judiciaire. Il rédigea ensuite un bref compte rendu, finit de remplir les formulaires, après quoi il transporta dans la salle de réunion les cartons de matériel qu'il avait déménagés de chez Felt.

La salle de réunion était l'endroit le plus calme et le plus agréable du poste. Sa longue table en chêne et ses chaises confortables auraient honorablement pu accueillir le conseil d'administration d'une entreprise familiale prospère. Ouvrant le premier carton, Cardinal en extirpa la machine à calculer, l'ordinateur et l'imprimante. Il réitéra l'opération avec le second, dans lequel il avait entassé des dossiers et des articles de papeterie.

Le sergent-instructeur Mary Flower entra sur ces entrefaites. Mary était un dragon en jupons, une maîtresse femme qui menait son monde à la baguette. Elle ne devait pas mesurer plus d'un mètre soixante, mais sa voix perçante et sa poitrine opulente compensaient largement sa petite taille. Hyper protectrice à l'égard de sa couvée en uniforme, elle n'hésitait pas à tancer vertement les policiers de tout grade suspects de relâchement, et elle avait la rancune tenace. Cardinal jouissait d'un statut particulier, à ses yeux. Son amitié pour lui s'était transformée à la longue en béguin presque avoué, ce dont il profitait sans vergogne en lui soutirant à l'occasion des faveurs pour le corps des inspecteurs en civil. Ils se connaissaient depuis suffisamment long-temps pour s'appeler par leur prénoms et se donner du *tu* quand aucune des recrues de Mary ne traînait dans le coin.

— Salut, John, je te dérange ? Je sais, tu vas me dire que je ce n'est pas mon problème, mais...

— Ce n'est pas ton problème, Mary.

— Un peu, quand même, vu que c'est directement lié à la bonne marche de la boutique et que le fonction-nement de la boutique a un rapport avec la formation que je donne aux jeunes. Mais bon, laisse tomber, ce n'est pas pour ça que j'aborde le sujet. Je l'aborde, John, parce que je t'aime bien et que j'ai assez de respect pour toi pour te mettre en garde quand j'estime que tu as tort.

— Cela m'arrive souvent. Tu pensais à quoi, au juste ?

— Eh bien, premièrement tu ne devrais pas repren-dre du service si tôt. Tu es encore sous le choc, tu as besoin de temps pour te remettre. La boutique, mon grand, ce n'est pas un atelier de réparation des cœurs brisés.

— Elle ne m'a pas plaqué. Elle est... elle est...

... *morte*. Un mot qui refusait de franchir ses lèvres. Un mot qu'il ne pouvait pas associer à voix haute à Catherine.

— Je sais, John. Simplement, ce serait plus facile pour toi de reconnaître que tu es un être humain comme tout le monde, que tu n'es pas toujours extra-lucide et qu'il t'arrive de te tromper, surtout dans des moments pareils. Je te parle en copine, là, John. Je ne me mêle pas de ton boulot d'inspecteur.

— Ce type a été libéré à certaines conditions et il n'a pas tenu parole. Conditionnelle, ça ne veut pas dire impunité, que je sache. On ne peut pas avoir le beurre et l'argent du beurre.

– Ça ne te ressemble pas de parler comme ça. Tu es plus coulant d'habitude, tu pèses le pour et le contre au lieu de dire que c'est tout noir ou tout blanc. J'aimerais juste que tu prennes le temps de récupérer. Tel que je te vois, là, tu ne fonctionnes pas à cent pour cent.

– Ce sera tout ?

– Oui, mon grand. Mamie Mary a fini son sermon.

– Tant mieux. Parce que j'ai du boulot qui m'attend, figure-toi.

Le sort avait voulu que Wes Beattie soit également le contrôleur judiciaire de Roger Felt. Cardinal l'avait souvent eu au téléphone, ces derniers temps, mais il y avait plus d'un an qu'il ne lui avait pas parlé en face à face. Beattie s'était laissé pousser une barbe foisonnante depuis leur dernière rencontre, et son costume cravate lui donnait un drôle d'air guindé.

– Salut, Wes. Vous êtes venu en limousine, ou quoi ?

– Vous me privez d'une nuit à l'opéra, mon cher, expliqua aimablement Beattie. Ma première tentative annuelle pour me cultiver, et à cause de vous c'est fichu.

– Parce qu'il y a un opéra, maintenant, à Algonquin Bay ?

– Ce soir, oui. La Manhattan Light Opera Company donne une unique représentation au Capital Centre, et vous m'arrachez à ce spectacle.

– L'avocat de Felt ne va pas tarder à arriver. J'ai aussi prévenu le procureur.

– On peut commencer sans eux. Je viens d'avoir le procureur. Il n'a pas l'intention de poursuivre sans mon accord et, autant vous prévenir, John, je ne suis pas prêt, mais alors pas du tout, à vous suivre sur cette affaire.

– Roger Felt n'a pas respecté les conditions de sa mise en liberté, Wes. Il a ouvert une boîte de comptable sous des noms d'emprunt. Il me harcèle personnellement en m'envoyant des lettres de menace anonymes. À votre place, j'y jetterais un œil avant de m'opposer à son inculpation, voire d'inciter le procureur à le relâcher.

Beattie était un géant débonnaire d'une placidité désarmante. Planté devant Cardinal, il l'écoutait en se balançant doucement d'un pied sur l'autre, avec des petits hochements de tête compréhensifs. Pour s'acquitter au mieux de sa tâche, un officier judiciaire se doit de prêter une oreille attentive à tous ceux qui le sollicitent sans arrêt – les magistrats et les criminels, les victimes et les avocats, sans parler des flics qui se prennent pour des justiciers. Wes Beattie était un modèle du genre.

– Il n'y a pas un endroit où l'on pourrait discuter tranquillement ?

Son ton posé ramena Cardinal à la réalité.

– Si, bien sûr, bougonna-t-il en l'entraînant à sa suite vers la salle de réunion.

Le matériel qu'il avait confisqué à Felt s'étalait sur la table. Il préleva une feuille de papier à lettre à en-tête et la brandit sous le nez de Beattie.

– Vous ne contestez pas, j'imagine, que la société Beckwith et Beaulne est totalement fictive ?

– À strictement parler, John, elle n'a rien de fictif. Il s'agit d'un cabinet de comptabilité ouvert par Roger Felt, une micro-entreprise, si vous préférez. Il l'a appelé Beckwith et Beaulne, et le fait que ces noms ne désignent pas des personnes réelles ne constitue pas un délit. Merrill et Lynch sont morts et enterrés depuis longtemps.

– Merrill et Lynch existaient et ils étaient associés.

– Personne ne retiendra jamais ce motif d'inculpation, John. L'activité de Roger correspond textuellement à ce qu'il propose : un service de facturation. Ni plus, ni moins.

– Il s'occupe des déclarations de revenus de ses clients. Il fait le boulot d'un conseiller fiscal, autrement dit d'un conseiller financier, alors que les conditions de sa mise en liberté le lui interdisent.

– Je ne vois pas les choses comme vous, John, et le tribunal me suivra. Roger ne s'occupe pas de finance mais de comptabilité, des histoires toutes bêtes de bilans et d'arithmétique. Il n'a pas accès aux comptes, il n'effectue pas de placements. Il se sert de ses compétences pour faire un travail utile.

– Je ne suis pas sûr que le tribunal voie les choses du même œil.

– J'ai consulté un juge avant de donner le feu vert à Roger. Il a estimé que c'était sans problème. Le procureur est aussi de cet avis. Vous comprenez maintenant pourquoi il n'est pas là ?

– Vous l'avez dissuadé de venir ? Vous outrepassez votre rôle, Wes !

– J'essaie de vous tirer d'un mauvais pas. Croyez-moi, John, ce serait une mauvaise idée d'engager ce procès. Roger n'est plus le même homme. Les méfaits dont il s'est rendu coupable lui ont coûté tout ce qu'il avait, *tout*, vous m'entendez ? Sa fortune, et bien plus encore. Vous avez vu où il vit. Sa femme l'a quitté sitôt le verdict prononcé. Deux de ses enfants ont complètement coupé les ponts avec lui. Il a perdu ses amis, il a tout perdu.

– Et cela suffit à vous convaincre qu'il s'est racheté une conduite ?

– Je le sais de source sûre, et le juge d'application des peines aussi. Roger a retrouvé la foi en prison – il est catholique – et, bien que je n'aie pas pour habitude de croire aveuglément en ce genre de reconversion, celle de Roger semble sincère. Il est très impliqué dans la vie de la paroisse, vous savez.

Cardinal piocha dans un carton plusieurs cartes de condoléances inutilisées.

– Celles-là, je les ai trouvées à côté de son ordinateur. (Ouvrant sa mallette, il en sortit les cartes arrivées dans sa boîte.) Et celles-ci, il me les a envoyées par courrier. Regardez-les bien, Wes. Regardez-les bien, et expliquez-moi en quoi ce fumier a changé.

Beattie prit les trois cartes, présentées ouvertes sous les étuis en plastique, et les examina soigneusement l'une après l'autre, recto verso, avant de les reposer sur la table.

– Vous pensez vraiment que Felt serait l'expéditeur ?

– Impossible d'identifier son écriture, puisqu'il s'est servi d'un ordinateur, mais on retrouve partout le même défaut d'impression. Vous le verrez mieux si vous regardez à la loupe, ajouta-t-il en lui en tendant une.

Beattie étudia d'abord un des messages anonymes, puis la facture des pompes funèbres, puis les deux autres cartes de condoléances.

– C'est parfaitement odieux, John. Je comprends que vous soyez perturbé.

– Perturbé n'est pas le mot. Ma femme est... vous savez ce qui est arrivé à ma femme. Le légiste a retenu la thèse du suicide, mais je ne suis pas convaincu. Imaginez qu'elle ait été tuée et que l'assassin ait maquillé son meurtre en suicide ? Après, si ça l'amuse de m'envoyer ce genre de message, on voit mal pourquoi il se gênerait !

Je m'enfonce, songea-t-il en s'arrêtant net. Je suis en train de perdre la partie. Wes doit penser que je débloque.

– Il y a six ans, reprit-il sur un ton plus posé, j'ai arrêté Felt parce qu'il escroquait des braves gens qui lui avaient confié leurs économies. Et vous avez raison, à cause de ça il a tout perdu : sa réputation, ses amis, sa femme, ses gosses. La vie qu'il menait n'est plus qu'un souvenir, et pendant ses cinq années de prison il a eu tout le temps de réfléchir à la manière dont il se vengerait de moi, le responsable de sa chute. Il se dit sans doute que si je n'étais pas intervenu il aurait enfin touché le pactole, qu'en sus de récupérer ses billes il serait devenu assez riche pour restituer ce qu'il avait volé – ou *emprunté*, comme il dit. Il veut me faire payer, mais comment ? En me tuant ? Non, ce serait trop simple, trop direct, et en plus il veut que je souffre autant qu'il a souffert. N'oublions pas que sa femme l'a quitté. Il choisit donc de tuer *la mienne* pour me rendre la monnaie de ma pièce, et ensuite il m'écrit ces saloperies, histoire de remuer le couteau dans la plaie. C'est une ordure, Wes. La même ordure qu'avant.

Il criait, et à ses propres oreilles ce cri retentit comme le gémissement d'un animal blessé. L'atroce expression de pitié qui plissait le bon visage barbu de Beattie n'arrangea pas les choses, ni la main compatissante qui se posait sur son épaule. Il aurait voulu rentrer sous terre.

– John, je ne comprends pas que vous soyez ici. Vous n'êtes pas en état de reprendre le travail.

– Pourquoi essayez-vous de le défendre, Wes ? Scofield s'en charge, vous ne trouvez pas que ça suffit ? Il est vraiment exclu, à votre avis, qu'il soit l'auteur de ces messages ?

– Non. Je vois comme vous le même défaut d'impression sur les cartes et sur la facture, je sais que Felt travaille pour la maison Desmond. Je ne vous conteste pas ce point. Le contenu de ces notes est infâme, mais je peux admettre qu'il les a écrites. Il est assez retors pour ça, on est d'accord. Pour autant, et là-dessus je suis formel, il est absolument incapable de violence. Présumer qu'il pourrait s'en prendre physiquement à quelqu'un me paraît totalement absurde. Vous vous égarez, John. D'ailleurs vous n'avez rien qui corrobore la thèse du meurtre. Écoutez-moi. Prenez le

congé auquel vous avez droit. Un psy pourrait vous aider
à faire le travail de deuil.

   – Même si on examine son cas sous le jour le plus
favorable pour lui, on a un condamné en liberté conditionnelle qui harcèle les gens en leur envoyant des
lettres de menaces anonymes. Cela suffit à le renvoyer
derrière les barreaux.

   – Ces messages sont ignobles. Ils sont malinten-
tionnés. Ils sont mesquins et méchants. De là à affirmer
qu'il s'agit de harcèlement... je ne sais pas. Ça se discute.
« Menace », en revanche, c'est un bien grand mot. Jamais
un juge ne retiendra cette accusation. Répondez-moi
franchement, John : supposons que vous ne remettiez
pas en cause le constat de suicide, que vous écartiez la
thèse du meurtre. Vous vous soucieriez vraiment de
savoir qui est votre expéditeur anonyme, dans ce cas ?

   La porte s'ouvrit à la volée et Leonard Scofield entra
dans la pièce en coup de vent, une mallette en cuir de
veau dans une main, dans l'autre un mince dossier au
format A3. D'une élégance rare, Scofield semblait toujours sortir de chez son tailleur, de chez son bottier.
Tiré à quatre épingles malgré l'heure tardive (il était déjà
vingt-deux heures trente), il portait ce soir-là un costume sombre impeccable sur une chemise blanche et
une cravate bordeaux.

   Scofield avait surtout une voix ample et bien tim-
brée, qu'il déployait avec l'assurance d'un présentateur
météo pour donner du poids aux arguments les plus
creux. Cardinal avait réussi à mettre deux ou trois de
ses clients à l'ombre, mais pas aussi longtemps qu'ils
l'auraient mérité.

   Tout cela aurait suffi à rendre le personnage agaçant, mais il y avait plus : Scofield était quelqu'un de
bien. Comme la plupart des flics, Cardinal nourrissait
une méfiance instinctive à l'égard des avocats, mais Scofield sortait vraiment du lot. Ses qualités imposaient le
respect, y compris dans le prétoire quand il mettait

l'accusation en pièces. Avant le procès, il était toujours disposé à discuter des motifs, il se montrait coopératif, sensible aux arguments raisonnables, et malgré l'âpreté avec laquelle il défendait ses clients, il restait toujours d'une correction exemplaire. Cardinal l'aurait bien vu à la tête de la mairie. Plus encore, il regrettait que cet homme talentueux ait choisi de jouer dans l'équipe adverse.

– Eh bien, messieurs, déclara d'emblée l'avocat, j'ose espérer que l'affaire est grave pour que vous osiez convoquer une réunion à cette heure indue ?

– Défendre M. Felt n'est pas de tout repos, rétorqua Cardinal. Estimez-vous heureux de ne pas avoir été convoqué plus tard.

Scofield avait des sourcils noirs et fournis dont il se servait à tout bout de champ, au tribunal, pour exprimer à son gré toute une gamme de réactions et d'émotions nuancées, telle par exemple la préoccupation amicale qu'il manifestait en ce moment à Cardinal.

– Inspecteur, je vous présente toutes mes condo-léances. J'ai été bouleversé d'apprendre que ce drame affreux vous touchait de si près.

– Je vous remercie, dit Cardinal en se demandant si Scofield parlait sincèrement ou s'il s'entraînait pour décrocher l'Oscar du meilleur rôle masculin.

– Permettez-moi de vous donner ceci. (L'avocat leur remit à chacun une petite liasse de documents.) C'est la raison de mon retard. Avant de venir ici, j'ai fait un détour par la cathédrale où je me suis entretenu avec le père Mkembe. Vous avez là sa déclaration sous ser-ment, une précaution sans doute un peu superflue, dans la mesure où il est prêtre. Le père Mkembe affirme que Roger Felt a assisté à la soirée de charité organisée à la cathédrale le mardi 7, et qu'il y est resté de vingt heures à vingt-trois heures. Un diacre de la cathédrale et la sœur Catherine Wellesley ont également signé une déclara-tion confirmant la présence de Roger Felt dans l'intervalle de temps indiqué. D'après ce qu'ils m'ont expliqué, il comptabilisait les recettes de la vente de charité annuelle organisée par l'église. À toutes fins utiles, je précise qu'il rend ce service à titre gracieux.

Cardinal ne se prenait pas pour un saint. L'éducation catholique qu'il avait reçue avait développé chez lui un sentiment de culpabilité tenace. Il se savait capable de comportements dont il avait honte après coup, il lui était arrivé d'enfreindre la loi, il ne faisait donc pas partie de ces policiers toujours prêts à jouer les saint Georges et à pourfendre le démon qui se cache en tout un chacun. L'âge venant, il avait pris ses distances avec la religion de son enfance, et plus il s'en éloignait, plus il se défiait des gens qui se jugeaient exemplaires – truands exemplaires qui réduisaient leurs rivaux en bouillie pour des histoires de territoire ; maris exemplaires qui tabassaient leurs femmes sous prétexte qu'elles les avaient « humiliés », s'acharnaient parfois jusqu'à ce que mort s'ensuive ; flics exemplaires qui se défoulaient en douce contre ceux qui, de leur point de vue, profitaient des failles du système judiciaire. Une vie consacrée à la cause de la justice avait appris à Cardinal que la certitude d'avoir raison est à l'origine de quantité d'injustices.

Aussi fut-il atterré de se découvrir à ses propres yeux en flic sûr de lui, aveugle et sourd aux protestations d'innocence. Il s'empourpra de honte et sentit la sueur perler à son front.

Wes Beatty avait une longueur de retard.

– J'avoue ne pas comprendre, dit-il. Quel rapport y a-t-il entre le mardi 7 et l'envoi de ces lettres anonymes par Roger ?

– Mme Cardinal est décédée le 7 au soir, expliqua Scofield. Je vous renouvelle toutes mes condoléances, inspecteur. Croyez bien que je n'aurais pas abordé le sujet si les circonstances ne m'y avaient contraint.

Stupéfait, Beattie se redressa sur son fauteuil et inclina son torse massif sur la table.

– Vous voulez dire que vous avez pris la peine de vous arrêter en chemin pour obtenir trois déclarations sous serment, et ce dans le but de défendre un client qui n'est pas encore inculpé ? Jusqu'ici, personne à ma connaissance n'avait encore évoqué la possibilité d'un meurtre. Pas devant vous, du moins.

– C'est exact, monsieur Beattie. Votre coup de fil m'a alerté, et j'ai assez vite compris qu'il ne pouvait y avoir qu'une raison à ce retournement de situation déplorable. Je connais l'inspecteur Cardinal depuis longtemps, et j'ai dû trop souvent plier devant la force de ses dépositions pour ne pas respecter ce qu'il incarne. Pour s'employer si résolument à remettre en prison mon client à la réinsertion encore fragile, l'inspecteur Cardinal doit avoir des motifs plus sérieux et plus graves que ces tristes courriers. J'ai plaidé à plusieurs reprises, au palais, la semaine dernière. Les rumeurs qui circulent me confortent dans mon intuition.

– Des rumeurs ? fit Cardinal. On raconte que je pète les plombs ? Que le chagrin me rend fou et m'empêche de regarder la vérité en face ?

– Rien d'aussi dur, inspecteur, loin de là. Le bruit court que le médecin légiste était trop jeune et manquait d'expérience, que quelqu'un de plus aguerri aurait probablement demandé l'ouverture d'une enquête.

Cardinal ne s'y attendait pas. Il fut tout de même un peu réconforté par l'idée que d'autres pensaient plus ou moins comme lui et qu'il n'était pas aussi seul qu'il le croyait.

– On dit aussi, inspecteur Cardinal, que vous vous seriez lancé dans une croisade solitaire pour retrouver le ou les coupables de l'acte criminel présumé. Je le comprendrais parfaitement, compte tenu des circonstances. Et c'est pourquoi j'en ai déduit que mon client était vraisemblablement victime de... d'une erreur d'appréciation fort compréhensible, je le répète, mais qui n'en est pas moins une erreur. J'espère seulement que ces déclarations vous amèneront à reconsidérer les choses.

– Vous n'avez toujours pas vu ce qu'il m'a envoyé, dit Cardinal en poussant vers l'avocat les cartes sous plastique.

Scofield les examina, mais sans les toucher, comme s'il craignait qu'elles soient contaminées.

– J'ai rarement vu aussi immonde, commenta l'avocat.

– Les défauts d'impression visibles sur ces messages correspondent à ceux de la facture que la maison de pompes funèbres à adressée à John, intervint Beattie. Les Desmond ont confié leur service de facturation à Roger.

– Ah, c'est inouï ! s'exclama Scofield. La bêtise, décidément, est l'alliée de la méchanceté. Bêtise si flagrante, en l'occurrence, que c'est à se demander si l'auteur de ces billets ne voulait pas être démasqué. À la lumière des déclarations que je vous ai apportées, j'imagine mal mon client...

– Laissez-moi lui parler, le coupa Cardinal qui venait de se lever.

– Non, inspecteur. Je m'oppose à ce que vous l'interrogiez pour l'instant. Ou alors, devant moi.

– Je n'ai pas besoin de l'interroger, soyez tranquille. D'ailleurs vous en serez témoin. Venez.

Il les entraîna dans une petite cuisine équipée de distributeurs de boissons et de confiseries, ainsi que d'un moniteur télé relié à la caméra de la salle d'interrogatoire. Il demanda ensuite qu'on aille chercher Felt dans sa cellule et le fit asseoir à la table en face de lui, après avoir mis en route le système de vidéosurveillance.

– Je veux mon avocat, protesta Felt qui n'en menait pas large. Je ne répondrai à vos questions qu'en sa présence.

Sans répondre, Cardinal sortit une à une les cartes

glissées dans les enveloppes en plastique et les disposa devant son vis-à-vis en exposant la face sur laquelle étaient collés les messages. Puis il plaça à côté la facture des établissements Desmond.

– J'ai bien reçu vos lettres, dit-il tranquillement.

– Mon Dieu ! (Atterré, Felt regarda tour à tour les cartes, puis la facture.) Mon Dieu, répéta-t-il, et il éclata en sanglots.

Le buste penché en avant, les yeux dissimulés derrière les mains, il tenta d'abord de se cacher, mais au bout d'un laps de temps assez long il releva la tête sans même songer à essuyer les larmes qui ruisselaient sur ses joues. Il essaya de parler, mais ne réussit à produire que des borborygmes incompréhensibles.

Cardinal attendait.

Felt finit par trouver la boîte de Kleenex posée devant lui et il se sécha le visage comme il pouvait, se moucha à plusieurs reprises. Les coudes en appui sur la table, il appuya son front sur ses paumes en secouant la tête en silence. Il peinait à reprendre haleine et respirait par à-coups, et lorsqu'il tenta à nouveau de parler les pleurs reprirent aussitôt le dessus.

Cardinal patientait toujours. Quand il sentit la crise baisser d'intensité, il poussa vers Felt un gobelet en papier rempli d'eau.

– Je suis tellement désolé, si vous saviez, gémit Felt. Les mots me manquent pour dire combien je regrette.

– C'est drôle, comme la perspective d'un séjour à l'ombre pousse les gens à se répandre en excuses.

– L'idée de retourner en prison me terrifie, c'est vrai, mais ce n'est pas pour ça que j'ai tant de regrets. Maintenant que je les vois, ces mots, noir sur blanc... que je les relis comme vous avez dû les lire... et en plus avec la facture pour les obsèques de votre femme...

Sa voix s'amenuisa jusqu'à devenir un bredouillement inaudible. Il prit une autre poignée de Kleenex. Avala une autre petite gorgée d'eau.

– Je suis horrifié d'avoir fait ça, reprit-il en regardant Cardinal avec des yeux implorants. Vous avez déjà commis... un acte que vous n'osez pas vous avouer ? Quelque chose de si affreux que vous voudriez que personne, jamais, ne l'apprenne ? (Il tendit la main vers les trois cartes.) Ce que j'ai écrit là, c'est... c'est abominable. Jamais un être humain ne devrait infliger ça à un de ses semblables. Je l'ai fait, pourtant, et je suis incapable de répondre à cette question : comment un être humain peut-il infliger ça à un de ses semblables ?

Felt étouffa un sanglot et secoua la tête. Le devant de sa chemise était mouillé et lui collait à la peau.

– J'étais en prison depuis un an quand ma femme m'a quitté. Elle a pris nos deux filles avec elle. Je les dégoûte, elles me méprisent. Je croyais que j'avais accepté ma culpabilité, à la longue. Que j'avais compris et que plus jamais je ne rendrais les autres responsables de ma ruine. Mais la semaine dernière, en m'occupant de la comptabilité des Desmond, je suis tombé sur votre dossier. Pour les obsèques. Je ne sais pas ce qui m'a pris.

– On appelle ça une envie de vengeance, dans le langage courant.

– Vous avez sans doute raison.

Toujours rivés sur lui, les yeux rougis de Felt n'étaient plus implorants. Ils ne le suppliaient plus d'essayer de comprendre. Cardinal n'y lisait qu'une immense fatigue.

Lui aussi se sentait épuisé. Il voulait rentrer chez lui et dormir, oublier, quitter le poste au plus vite. Il se leva et alla ouvrir la porte, en indiquant à Felt de passer devant.

– Je retourne en cellule, j'imagine ?

– Non. Vous êtes libre, monsieur Felt.

– Vraiment ?

Il scruta la pièce d'un regard hésitant, l'air de penser qu'il s'agissait d'une blague et que d'autres, peut-être, guettaient sa déconvenue.

– Vous me relâchez ? Je passerai la nuit à la maison ?

Cardinal revit l'horrible petite pièce avec sa plaque chauffante et ses murs de guingois, son fouillis triste qui dénonçait l'absence totale d'amour. Maison était un bien grand mot, pour cette taule.

– À une condition, dit-il.

– Tout ce que vous voulez. Je vous jure. Tout ce que vous voulez.

– Ne me contactez plus jamais, ni de près, ni de loin.

25

Homme de sang-froid et de raison, le Dr Frederick Bell supportait mal les brusques sautes d'humeur qui l'assaillaient depuis quelque temps. Il en rejetait la faute sur Catherine Cardinal. Les choses auraient pu se terminer autrement, tout le monde y aurait trouvé son compte, mais non. Il avait fallu qu'elle complique tout. Levant les mains à hauteur du visage, il constata que ses doigts tremblaient. Ce n'était pas possible. Il ne pouvait pas se permettre de perdre le contrôle de lui-même.

Il appuya sur la touche *Play*, et instantanément le tremblement de ses doigts s'atténua un peu. Doté d'un disque dur de cent gigabits, son lecteur-graveur de DVD, un Arcam ultraperformant fabriqué en Grande-Bretagne, lui permettait d'ajouter des signets aux enregistrements et de convertir des cassettes vidéo en format numérique. Il était de plus extrêmement silencieux – une qualité non négligeable pour un appareil utilisé pendant les séances de psychothérapie.

Mais le fin du fin, c'était la caméra Canon à peine plus grosse qu'une balle de golf, dissimulée dans une applique de la bibliothèque. Son objectif grand angle (merveille brevetée par Carl Zeiss) filmait thérapeute et patient dans un même champ, sans distorsion d'image. Quant au micro omnidirectionnel blotti dans le lustre choisi chez un artisan d'art, il avait la taille d'une gomme d'écolier. Le logiciel de gravure corrigeait automatiquement la déperdition sonore due à la distance entre les locuteurs et le micro, et la qualité d'écoute ainsi obtenue procurait chaque fois le même plaisir au Dr Bell.

Il regarda les premières images. Au début, quand il avait commencé à enregistrer, il ne mettait le système en marche qu'après l'étape préliminaire des salutations et le petit flottement qui s'ensuivait. À présent, il filmait les séances intégralement.

Il observa Perry Dorn entrer dans le cadre et s'asseoir sur le divan, nota avec ironie les reflets que la lumière projetait sur le crâne largement dégarni. Il écouta leur échange de politesses, sensible à l'excitation qui le gagnait. Puis le patient qu'il voyait à l'écran se figea dans une immobilité et un mutisme tels qu'un instant le Dr Bell se demanda s'il n'avait pas appuyé par inadvertance sur la touche *Pause*.

Les interruptions du discours font partie de ces aléas que les thérapeutes doivent apprendre à gérer. Certains estiment qu'il n'est pas dans leur rôle d'inciter un patient hésitant à s'exprimer coûte que coûte. Cinq minutes, dix minutes, peu importe, c'est son problème, il peut même se taire toute la séance si ça lui chante. Ceux-là ont pour règle de ne rien précipiter.

D'autres préfèrent intervenir au bout d'une minute. Le patient, arguent-ils, pourrait se méprendre sur le silence que lui oppose le psy, y voir une manifestation hostile, une façon de lui signifier qu'il n'a qu'à se débrouiller seul. Leur solution consiste selon les cas à poser une petite question – rien d'inquisiteur ni de trop pressant – ou à rappeler tranquillement le point sur lequel s'était conclue la séance précédente. D'autres encore, partisans d'une interaction plus suivie, demandent au patient où il en est du « travail » qu'il devait effectuer dans l'intervalle.

Ici, c'est le jeune Perry qui se décide à rompre le silence. Pauvre garçon.

– Je n'aurais pas dû vous appeler, l'autre jour. Vous étiez occupé, je suis désolé.

– Il ne faut pas. Je vous aurais volontiers accordé un peu d'attention, si la chose avait été possible.

– Oh, je sais bien. Si les gens devaient tout lâcher pour moi chaque fois que je suis déprimé... Non, je m'en veux de vous avoir appelé. C'est juste que... je pensais que j'allais vraiment me décider, vous savez. J'ai vraiment cru que...

Comment traiter ce nouveau silence ? Va-t-il parler à la place du jeune homme ? Ou le laisser s'étourdir des pensées qui résonnent sous son crâne ? Le Dr Bell se souvient d'un film qu'il a vu enfant, un vieux péplum dans lequel on abaissait une cloche gigantesque sur un malheureux bougre avant de le torturer en frappant le métal à coups de marteau. Quand ses bourreaux avaient relevé la cloche, la victime avait les oreilles en sang. Un silence qui s'éternise peut avoir le même effet que ce supplice. *En finir, en finir, en finir* – mantra lancinant et assourdissant.

La partie allait bientôt s'achever. Le Dr Bell la suivait avec le plaisir d'un champion d'échecs qui se remémore une de ses dernières victoires. À chaque étape, lui qui gagnait avait de plus en plus d'options, de plus en plus de stratégies à sa disposition. À l'inverse, le patient en train de perdre – sans même savoir qu'il jouait, et contre plus fort que lui – se retrouvait face à un nombre de choix de plus en plus réduit, jusqu'à ce que pour finir il n'en ait plus aucun.

À l'écran, le Dr Bell laisse le silence s'amplifier.

Perry baisse la tête.

Le silence est un gaz qui se dilate jusqu'à emplir toute la pièce.

Perry lâche un sanglot.

Le Dr Bell glisse vers lui la boîte de Kleenex posée sur la table. Le déplacement du cavalier met la dame en péril.

Perry prend un Kleenex et se mouche.

– Excusez-moi.

– Vous vous sentiez déprimé. Vous vouliez en finir. (Perry acquiesce sans mot dire.) Mais vous n'êtes pas allé au bout.

– Non.

– Pourquoi ?

– Par frousse, je crois. Une frousse puissance dix.

Le mépris qu'il s'inspire arrache un reniflement à Perry. Il a aussitôt besoin d'un autre Kleenex.

Les capacités de survie de quelqu'un qui se déteste à ce point sont proprement stupéfiantes, songeait le Dr Bell en analysant cette séquence. En bonne logique, Perry Dorn aurait dû se supprimer depuis longtemps, mais non : il a continué à se vautrer dans son malheur des mois et des mois, des années.

– La frousse n'explique pas tout, affirme le psychiatre à l'écran. De quoi avez-vous si peur, après tout ?

Un haussement d'épaules.

– De la douleur. En partie, en tout cas. Je suis aussi terrifié à l'idée de pas m'y prendre correctement, de me rater et de finir en légume.

– Oh, cela arrive, j'imagine, si on bâcle les préparatifs, mais vous ne croyez pas qu'il y a aussi autre chose ? Un détail important qui vous a arrêté ?

– Je ne comprends pas.

– Non ? Que penserait Margaret, à votre avis, si elle apprenait que vous vous êtes suicidé ?

– C'est une vraie question ?

– Une vraie.

Perry prend le temps d'y réfléchir.

– Dans un premier temps, elle serait bouleversée, sûrement.

– Et ensuite ? Dans un deuxième temps ?

– Ensuite elle s'en ficherait pas mal. Elle se consolerait vite en se disant que ce n'est qu'une preuve de plus de... de mon...

– Incapacité ?

– Exactement. De mon incapacité, oui.

– Elle serait débarrassée de vous, en d'autres termes.

– C'est ça. D'une certaine façon, ça lui donnerait raison de m'avoir plaqué.

Le suicide, revanche ultime. Le Dr Bell garde toutefois cette remarque pour lui, de crainte de faire remonter à la surface des motifs encore inexprimés. Perry pourrait avoir envie de soupeser l'argument, peut-être même de le contrer. Évidemment, ç'aurait été la chose à lui dire si le but avait été de le maintenir en vie coûte que coûte.

– Or, vous voulez qu'elle prenne conscience du mal qu'elle vous a fait en saccageant votre bonheur.

– Oui ! lâche Perry dans un cri du cœur. Je n'étais pas comme ça autrefois.

Bell a de sérieuses raisons d'en douter. Perry a longtemps été sous antidépresseurs, il a beaucoup flirté avec l'idée du suicide. Coincé entre une mère irascible et une sœur plus débrouillarde que lui, il n'a jamais eu la partie facile.

– Est-ce que vous avez réfléchi, depuis la dernière fois, à une solution qui vous conviendrait mieux ? Qui rendrait la démonstration plus éclatante, si vous préférez ?

– Vous, alors ! s'exclame Perry en se laissant presque aller à sourire. (Presque. Lui qui ne sourit jamais, ou du moins pas en présence de son psy.) C'est drôle, je croyais que votre rôle était de m'amener à positiver, et vous...

– Ne vous méprenez pas. Je ne suis pas là pour vous convaincre de quoi que ce soit. Mon rôle consiste à vous aider à repérer des comportements récurrents, à analyser les émotions qu'ils provoquent en vous, à vous encourager, également, à imaginer des solutions susceptibles de mettre un terme à des situations douloureuses et répétitives.

– Vous pensez à tous mes ratages avec des femmes que j'adore ?

– Par exemple. Je ne l'aurais pas dit aussi brutalement mais c'est un bon exemple.

– Ou au fait que je m'acharne à bousiller les quelques trucs bien qui m'arrivent ? Mes chances de réussite, mes études, etc. ?

– Encore une formule à l'emporte-pièce.

– Je pense souvent à quelque chose que vous m'avez dit il y a longtemps. La première fois que je suis venu vous voir. On peut trouver le bonheur dans le travail, ou alors on peut le trouver dans l'amour, m'avez-vous dit ce jour-là. Et puis vous avez ajouté que certaines personnes, les acteurs de cinéma riches et célèbres, j'imagine, le trouvaient dans les deux.

– Je m'en souviens. Et j'ai également souligné qu'il était possible et même très courant, d'être heureux dans l'un ou l'autre de ces deux domaines. Il existe des tas de gens qui s'épanouissent dans leur travail alors qu'ils ont une vie de couple désastreuse. Et vice versa. Ils n'ont pas tout, mais ils sont plutôt satisfaits de leur sort.

– Exactement. C'est ce que vous m'avez dit presque mot pour mot. Avant de conclure que ceux qui ne trouvaient leur bonheur ni dans le travail ni dans l'amour avaient de réelles difficultés à vivre. L'autre jour j'ai compris que c'était précisément mon cas. C'est tellement évident, non ? Je ne demande qu'à continuer mes études, mais je n'envisage même pas d'aller à McGill si Margaret doit rester à Algonquin Bay. Je préfère renoncer à ma brillante carrière universitaire.

– Quitte, donc, à vous priver d'une source de bonheur possible.

– Oui. Et là-dessus, Margaret me quitte.

– Ce qui vous prive de l'autre source.

– À quoi bon continuer, dans ces conditions ? Où est la logique, je veux dire ? Je suis pas en train de pleurnicher, ni d'essayer de me rendre intéressant ni rien. Je constate que je n'ai plus aucune raison de vivre, c'est tout. Mes chances de bonheur sont égales à zéro. Je suis un trou noir, question bonheur. À partir de là, quel intérêt de rester en vie si c'est pour souffrir perpétuellement ?

– Je ne peux pas répondre à votre place, Perry. Personne ne peut répondre à votre place. Chacun doit trouver en lui les raisons qui le poussent à vivre. Oh, je pourrais vous en citer plein, bien sûr, si je supposais que vous avez envie de les entendre : vous êtes jeune, vous êtes beau, avec le temps tout s'arrange, le soleil finira par percer, le pire est derrière vous.

– Le baratin habituel. Merci bien. Pas pour moi.

– Je sais.

– Je veux la vérité, c'est tout.

– Je sais. Et je ne cherche pas à vous flatter en affirmant que vous n'êtes pas du genre à vous laisser arrêter par la « frousse ». Je suis persuadé que vous êtes capable d'aller jusqu'au bout de ce que vous avez décidé. Tout le problème est de savoir ce que vous voulez vraiment. L'autre jour, quand au dernier moment vous avez renoncé, c'est qu'à l'évidence vous ne saviez plus. Parce que vous étiez insatisfait. Margaret n'aurait pas compris que c'était à cause d'elle.

– Très juste, commenta sombrement Perry en se tassant encore un peu plus sur le divan. Rien de ce que je peux dire ou faire ne la touche. Ç'a toujours été comme ça, j'imagine, même si pendant quelque temps elle m'a mené en bateau. À ce moment-là, oui, j'ai cru que je comptais pour elle. J'ai vraiment eu l'impression d'exister.

Pendant le long silence qui suit, Perry garde les mains serrées entre les genoux comme s'il luttait contre la tentation de se coucher en position fœtale. Le visage est privé d'expression, les traits anguleux de la silhouette trahissent un désespoir insondable.

Le médecin s'arrête sur cette image. La plupart de

ses confrères psychiatres auraient estimé que l'état de Perry justifiait une hospitalisation et un traitement aux antidépresseurs. À la rubrique « motifs d'admission », ils auraient énuméré pêle-mêle les antécédents, la posture, l'idéation, la situation personnelle du jeune homme. Au nom de quoi, cependant, prolonger inutilement ses souffrances ? Le malheureux se cogne la tête contre une porte même pas fermée à clé.

Le Dr Bell remet l'appareil en mode *lecture*.

– Vous avez fait ce petit travail dont nous avions parlé ? demande-t-il à l'écran. (Et comme la réponse tarde à venir, il insiste :) Perry ?

Le jeune homme se secoue.

– J'ai essayé.

– Et qu'est-ce que ça a donné ?

Perry plonge la main dans sa poche pour en sortir un bout de papier roulé en boule. Au prix d'un effort visible, il se redresse et le pousse d'une pichenette vers son psy.

Le Dr Bell défroisse posément la feuille.

– *Chère Margaret*, lit-il à voix haute. Et c'est tout ? Vous vous en êtes tenu là ?

– Quel intérêt, de lui écrire ? Elle ne veut plus entendre parler de moi. Elle ne veut pas savoir ce que je pense. Elle ne veut pas savoir que je l'aime toujours. Elle veut que je sorte de sa vie, point. Non, je me suis dit que ce n'était pas la peine de l'embêter davantage, que je n'avais qu'à sortir de sa vie pour de bon.

– Pourtant, vous êtes toujours là.

– C'est vrai. Vous savez ce qui me retient ? J'ai peur qu'ils soient trop contents, Stanley et elle, si je me tire une balle dans la tête.

– Vous êtes sérieux ? s'étonne le Dr Bell. Vous pensez vraiment qu'ils vont sauter de joie ? Je vais vous poser la question autrement : à votre avis, comment va réagir Margaret quand elle apprendra ce qui vous est arrivé ? Et après, quand elle recevra votre lettre ? Les choses étant ce qu'elles...

— Elle aura un choc, certainement. Elle sera bouleversée, et aussi très inquiète à l'idée que ça lui retombe dessus. Mais personne ne lui reprochera rien. Au contraire, les autres essaieront tous de la réconforter... C'est toujours comme ça avec Margaret. ils lui diront que ce n'est pas sa faute. « Mais non, voyons, tu as toujours été si gentille avec lui. » « Pauvre petite Margaret, toi qui as tellement essayé de le protéger. » La chose sera vite réglée : ça ne tournait pas rond chez moi, j'avais plein de problèmes.

— Elle les croira ?

— Oh, sûrement. Margaret croit toujours ceux qui parlent de moi en négatif.

Un grand silence s'installe.

L'homme qui visionne cette séance est exactement dans le même état d'esprit que lorsqu'elle a été filmée : il voit la faille dans le plan de suicide de Perry. Le jeune homme qui rêvait d'un coup d'éclat risque de rater sa sortie. C'est aussi passionnant, vraiment, que de monter une pièce de théâtre. Il faut retoucher les dialogues, régler les scènes au détail près. À l'écran, le Dr Bell joue en stratège : il déplace son fou pour attaquer le roi, étant entendu que le cavalier (la lettre d'adieu) bloque les déplacements de la pièce maîtresse.

— Il y a autre chose..., dit-il en se carrant dans son fauteuil, la tête renversée en arrière pour contempler le plafond et, tel un philosophe qui s'interrogerait sur le sens de la vie, tester sa théorie personnelle sur les faiblesses humaines. Non, autant ne pas aborder le sujet.

— Lequel ? demande Perry en se redressant, aussi vif, soudain, qu'un chat qui entend les croquettes tomber dans son bol.

— Non, c'est anecdotique. Une idée comme ça...

— Dites-moi. Cette idée, c'est quoi ?

— Rien de bien intéressant. Je repensais à la laverie

automatique. Un endroit que vous aviez trouvé très symbolique, me semble-t-il, quand vous avez commencé à sortir avec Margaret. Vous aviez eu l'impression, disiez-vous, d'en être sorti lavé – remarque qui sur l'instant m'avait parue pleine d'esprit. Vous vous sentiez purifié, comme si vous étiez tous les deux débarrassés des germes – des germes, oui, c'est le mot que vous avez employé – des relations précédentes. Et je me demandais...

– La laverie automatique, murmure Perry. (Il se lève, jette un Kleenex en lambeaux sur la table basse.) Bien sûr. Elle fera forcément le rapport avec la laverie automatique.

Le Dr Bell éteint l'appareil d'une simple pression du pouce.

Échec et mat.

26

Depuis le temps qu'elle travaillait avec Cardinal, jamais Delorme n'avait eu le moindre doute sur la santé mentale de son collègue. Toutefois, lorsqu'elle apprit qu'il voulait remettre Roger Felt en prison parce qu'il le soupçonnait d'avoir tué Catherine – l'histoire avait instantanément fait le tour de l'équipe –, elle se demanda sérieusement si le chagrin n'était pas en train de le rendre fou.

Elle ne pouvait cependant pas se permettre de trop penser à lui pour l'instant. Cachée Dieu sait où, il y avait cette gamine de douze ou treize ans qui avait subi des violences inouïes, et qui en subirait d'autres si Delorme et la brigade des Mœurs de Toronto ne la retrouvaient pas au plus vite. D'où sa venue chez André Ferrier un dimanche, son jour de congé.

Delorme ne se targuait pas de posséder les qualités qui font les parfaites maîtresses de maison. Elle pouvait passer des jours – allez, des semaines – sans ramasser le linge qui traînait par terre, sans s'occuper de la vaisselle sale ou des moutons de poussière accumulés sous les meubles. Après tout elle vivait seule, ça ne gênait personne qu'elle ne passe pas son temps à briquer et à astiquer. Elle s'abstenait donc, en règle générale, de tout jugement catégorique sur la façon dont les autres tenaient leur intérieur.

Mais celui des Ferrier… Ah, celui des Ferrier portait la notion de désordre à des sommets insoupçonnés. Les stores vénitiens étaient tirés, et leurs lames orientées vers le haut cisaillaient la pénombre ambiante de rais de lumière projetés sur le plafond, plutôt que sur le plancher. Miroirs, photos, tableaux et bibelots s'étalaient partout à profusion, mais ce fouillis lui-même n'avait rien d'artistique. Il suffoquait par son côté hétéroclite.

L'apparence nette et soignée de Mme Ferrier offrait un contraste saisissant avec la pagaille ambiante. Pas une mèche ne s'échappait de la résille qui retenait ses cheveux bruns. Elle introduisit Delorme dans le salon et l'engagea à s'asseoir sur un fauteuil enseveli sous une avalanche de coussins.

– Oh, pardon ! s'exclama-t-elle en les prenant à brassées pour les jeter par terre.

Après quoi, elle se dégagea une petite place au milieu du canapé et se percha là, les pieds enfoncés dans une nébuleuse de coussins, de jouets et de chiens assoupis où Delorme ne reconnut aucun des détails mémorisés sur les photos. Le berger écossais marron et blanc aurait pu être mort, tant il était immobile, et le saint-bernard apparemment sourd comme un pot qui ronflait tranquillement près d'un radiateur haussa à peine un sourcil, à l'arrivée de Delorme, avant de se rendormir aussitôt. La pièce sentait fort le chien.

Delorme ne se connaissait pas d'allergies, mais une démangeaison suspecte commençait à l'incommoder.

– En quoi puis-je vous être utile ? demanda Mme Ferrier.

Son pull pastel et son jean bien repassé étaient si propres qu'ils semblaient aseptisés, à l'inverse du chaos dans lequel elle vivait. La trentaine un peu passée, mais l'allure de quelqu'un de plus vieux, jugea Delorme qui n'avait pas d'enfants et créditait ceux qui en avaient d'une maturité qu'elle n'était pas pressée d'atteindre.

Elle expliqua l'objet de sa visite : son enquête sur des agressions au port de plaisance.

– Non, je n'en reviens pas ! À notre connaissance il
n'y a jamais eu le moindre problème là-bas. Ça se serait
passé quand ?

– Nous n'avons pas la date exacte, éluda Delorme.

Elle ne pouvait tout de même pas dire que les faits
remontaient peut-être à deux ou trois ans.

Elle posa à Mme Ferrier les questions qu'elle avait
déjà posées : à propos des autres résidents, des problèmes éventuels de voisinage, de tout incident un peu
louche. Les réponses qu'elle obtint ne lui apprirent rien
de nouveau : les gens qui avaient une place au port
entretenaient des relations cordiales, sans plus ; il arrivait qu'il y ait des frictions, mais l'un dans l'autre
l'endroit était sûr et on s'y sentait en sécurité.

Delorme l'écoutait en balayant du regard les photos
qui couvraient tout un pan de mur.

– Votre mari travaille, madame Ferrier ?

– Oui, bien sûr, il est commercial chez le concessionnaire Nissan. Mais sa vraie passion, c'est ça, ajouta-
t-elle en tendant une main aux ongles impeccables vers
le mur auquel s'intéressait Delorme. André est fou de
photos.

Un soudain rugissement de télé, à l'étage, lui coupa
la parole. On entendit les sifflements suraigus d'armes
à rayons mortels entrecoupés de glapissements sur le
maniement d'un arsenal futuriste, puis un bruit de pas
pressés ébranla l'escalier et une petite fille surgit en
trombe dans le salon. Sept ou huit ans, blonde, avec
une queue de cheval si bien tirée qu'elle lui faisait les
yeux un peu bridés.

– Je peux aller chez Roberta, maman ? Tammy et
Gayle y vont.

– Je croyais que Roberta venait ici.

– S'il te plaît, maman ! S'il te plaît !

Mme Ferrier regarda sa montre.

– Bon, d'accord. Mais tu rentres pour le déjeuner,
promis ?

– Géniaaal !

La petite fille exécuta trois pas de danse et se rua vers la sortie.

– Elle est mignonne comme tout, commenta Delorme. Vous devez avoir de quoi vous occuper, avec elle.

– Dieu merci, Sadie est encore à un âge facile. Sa grande sœur, en revanche, c'est une autre paire de manches. Parfois je ne sais plus où donner de la tête. Vous avez des enfants, vous aussi ? Vous êtes si mince, c'est épatant.

– Je ne suis pas mariée.

Delorme se leva pour aller examiner les photographies de plus près. Au passage, elle jeta un coup d'œil dans la pièce d'à côté, mais derrière la porte entrebâillée il faisait trop sombre pour qu'elle distingue quoi que ce soit.

– Votre mari est très doué, en effet.

Accolées les unes aux autres, se chevauchant en partie, il y avait des images de bateau et des images de gens, des images d'arbres, de trains, d'édifices, quantité de photos toutes de bien meilleure qualité que les clichés pornographiques reçus de Toronto. Cela ne signifiait pas grand-chose, néanmoins. Sous l'emprise d'envies lubriques, les plus grands artistes abaissent le niveau de leurs exigences.

Mme Ferrier vint se placer derrière elle, annoncée par une odeur de savon fraîche et acidulée.

– Là, c'est Sadie, dit-elle, le doigt pointé vers une photo où une enfant de quatre ans se tenait à califourchon sur le saint-bernard. Elle était toute petite, encore, on venait juste de prendre Ludwig. Ce qu'elle a pu infliger à ce malheureux chien, mon Dieu ! Elle lui montait dessus comme si c'était un poney et il fallait qu'il la promène. Pas étonnant qu'il passe son temps à dormir maintenant. Pas vrai, mon gros Ludwig ?

– Vous avez une autre fille, vous disiez ?

– Alex. Mais Alex déteste qu'on la prenne en photo. Elle a d'ailleurs enlevé toutes celles où on la voyait. Les ados, vous savez... À treize ans ils sont si... si excessifs en tout.

– Elle est là aujourd'hui ?

– Non. Elle passe le week-end chez ses cousins, à Toronto. (Le claquement de la porte d'entrée l'interrompit.) Ah, tiens, voilà André. Il en saura sûrement plus que moi sur ce qui se passe au port.

Un gros soupir monta du couloir, suivi d'un bruit de chaussures qu'on enlève.

– Bon Dieu, je suis crevé ! lança une voix masculine.

– On est là ! cria Mme Ferrier.

– On ? (Le maître de maison entré sur ces entrefaites serra la main de Delorme.) André Ferrier, dit-il avant que sa femme ait pu faire les présentations.

– Lise Delorme.

– Mme Delorme travaille dans la police, s'empressa d'ajouter Mme Ferrier. Elle enquête sur des faits qui se seraient produits au port de plaisance. On parle d'agression, tu te rends compte ?

– Au port ? Quelqu'un a été agressé au port ? Qui, bon Dieu ? Enfin, si ce n'est pas un secret, évidemment.

– Pour l'instant, c'est un secret. Cela ne vous ennuie pas que je vous pose quelques questions, monsieur Ferrier ?

– Pas du tout. Pourvu que je puisse m'asseoir enfin, tout ira bien. Je viens de jouer neuf trous à Pinegrove, et j'ai un de ces mal de pieds !

– Le temps n'est pas un peu froid, pour jouer au golf dès le matin ?

– Allez expliquer ça au patron ! C'est un fanatique. Chérie, tu n'as pas un Coca Light, ou autre chose, à offrir à madame ?

– Pas pour moi, merci, déclina Delorme.

André Ferrier se creusa un nid douillet dans le

canapé encombré. De taille moyenne et assez large d'épaules, il était plus en forme que la plupart des commerciaux. Ses cheveux châtains lui couvraient le haut des oreilles et chatouillaient le col de sa chemise.

Pas impossible, songeait Delorme. Malgré la coupe sensiblement plus courte, Ferrier était peut-être l'homme qui apparaissait sur les photos. Il fallait voir son bateau, le plus tôt serait le mieux, mais d'abord prendre le temps de l'amadouer et de le mettre en confiance. Une fois de plus, donc, elle dévida ses questions. Elle les avait suffisamment répétées pour donner l'impression qu'elle enquêtait sur des violences survenues lors d'une fête de jeunes qui aurait mal tourné.

André Ferrier lui répondait nonchalamment en sirotant sa boisson. Il ne semblait pas le moins du monde inquiet.

– Vous devez tout le temps être en train de courir, non ? lui demanda-t-il à un moment. Avec le métier que vous avez, vous passez vos journées debout.

– Plus maintenant, répondit-elle. C'est un des avantages du travail en civil.

– Moi, je piétine dans le magasin du matin au soir, à discuter avec les clients. Si vous saviez comme c'est fatigant ! Ça doit être pour ça que le patron insiste pour qu'on joue au golf avec lui. Un vrai sadique !

– Heureusement, vous avez votre violon d'Ingres.

– Quoi ? Ah, oui, les photos. C'est vrai, j'adore la photo. Chacun son truc, hein ? Moi, c'est comme ça que je conçois la belle vie : m'en aller dans un coin où je n'ai encore jamais été, mes deux appareils à l'épaule, et mitrailler toute la journée.

– Sauf que ça ne t'arrive presque plus jamais, maintenant, observa sa femme. Tu devrais t'y remettre, tu sais ?

– C'est compliqué, avec les gamines. Ça ne les amuse plus, de me regarder régler la mise au point, hésiter entre les objectifs et tout. Surtout qu'elles ne comprennent pas pourquoi je prends tant de photos du même sujet. Bien obligé, pourtant. Quand on repère un truc qui vaut le coup, il ne faut pas hésiter à gâcher de la pellicule. C'est à ça qu'on reconnaît les pros.

— Vous avez deux appareils ? Numériques ou classiques ?

— Je viens juste de me mettre au numérique. D'un point de vue technique, à vrai dire, ce n'est pas encore tout à fait ça. Étant donné le résultat que je recherche, il faudrait que je paye une fortune – plusieurs milliers de dollars – pour un appareil qui sera très certainement dépassé dans deux ans. J'ai un petit automatique en numérique, mais ce n'est pas à lui que je pensais en parlant des deux boîtiers. Si vous voulez faire de la photo sérieusement, il faut toujours en avoir deux pour ne pas être sans arrêt obligé de changer d'objectif. Je monte un grand angle sur l'un, et un télé sur l'autre. Une astuce toute bête que m'a apprise un prof génial.

— Pourquoi ne pas utiliser un zoom, tout simplement ?

— Lourd et pas pratique. Il y a trop de lentilles dedans, expliqua Ferrier avec une grimace.

— Vous développez vous-même vos photos ?

— Évidemment. Il faut bien, si on veut maîtriser le processus jusqu'au bout.

— Monsieur Ferrier, cela nous simplifierait beaucoup la tâche si, pour les besoins de l'enquête, vous m'autorisiez à visiter votre bateau.

— Quoi ? Vous croyez que quelqu'un s'est fait tabasser sur mon bateau ? Excusez-moi, mais ça ne tient pas debout. Personne ne monte à bord, à part nous.

— Et quand vous n'êtes pas là ?

— Même. Je peux compter sur les gens qui sont là-bas. Quand Matt Morton ou Frank Rowley savent que je suis absent, vous pouvez être sûre qu'ils surveillent le bateau pour qu'il n'y ait pas de grabuge.

– Peut-être, mais ce n'est pas comme si c'était une maison. Eux non plus ne sont pas là tout le temps.

– Exact. Seulement il y a tout un tas de dispositifs de sécurité là-bas. Bien obligé. On a eu plusieurs cambriolages, il y a quelques années, alors maintenant ils ont installé des caméras.

– Je comprends. Vous avez parfaitement le droit d'exiger un mandat de perquisition, dit Delorme en se levant. Madame, merci pour tout.

– Je crois sincèrement qu'André ne voit pas d'inconvénients à vous montrer le bateau. N'est-ce pas, chéri ?

– Non. Enfin... si vraiment il faut, oui, mais bon. Ça ne servira à rien, c'est tout.

– Si cette visite permettait de déterminer qu'il ne s'est rien passé dessus, ce serait toujours ça de gagné, dit Delorme. Pour ne rien vous cacher, le fait que la plupart des bateaux soient déjà remisés ne simplifie pas les choses. Où mettez-vous le vôtre, en hiver ?

– Au port de Four Mile, de l'autre côté du lac. Ils ont beaucoup d'emplacements vacants et leurs tarifs sont attractifs.

– Je crois que je vois. On y va par Island Road ?

– Dans Island Road, prenez l'impasse Royal à droite. Cinq cents mètres après, il y a un grand panneau. Vous ne pouvez pas le rater. Je vais les prévenir que vous arrivez.

La route qu'elle devait suivre commençait à huit kilomètres de la ville, au nord de la 63, et son itinéraire passait par Madonna Road. Après avoir longé le lac des Truites par l'ouest sur plusieurs centaines de mètres, cette rue résidentielle revenait vers la grand-route. La maison de Cardinal dessinait un parallélépipède sombre couvert d'un édredon coloré de feuilles mortes. Delorme se demanda si sa fille était toujours avec lui ou si elle était repartie à New York.

Ce n'était pas pareil de travailler sans lui. Delorme préférait déployer l'enquête tous azimuts et couvrir toutes ses bases avant d'éplucher les compléments d'information. Cardinal, pour sa part, s'employait dès le départ à réduire le champ d'investigation, et la suite lui donnait presque toujours raison. Ensuite seulement il allait sur le terrain et couvrait ses bases, comme Delorme.

« Si vous vous mettez en équipe, leur avait dit Chouinard, à vous deux vous arriverez sans doute à faire le boulot qu'on attend d'un bon inspecteur. »

Les deux agents du service d'identification vivaient dans un monde à eux. Szelagy était une vraie pipelette ; travailler dans la même pièce que lui vous donnait l'impression d'avoir la radio branchée en permanence. Quant à McLeod, tous les prétextes lui étaient bons pour étaler des opinions que personne n'avait sollicitées, tant elles étaient insupportables. Une fois par jour au moins, Delorme se surprenait à espérer que ses remarques sexistes, racistes ou inciviques n'étaient que de simples provocations. Cardinal était une des rares personnes à savoir contenir ces débordements ; elle s'en rendait compte maintenant qu'il était absent.

Elle s'engagea dans Island Road en pensant à lui avec une sollicitude inquiète. Célibataire endurcie, elle ne savait pas ce que c'était que de perdre son conjoint, mais elle n'avait pas oublié comme elle avait souffert à la mort de sa mère, douze ans auparavant. À l'époque, elle était étudiante à Carleton University à Ottawa, et pendant des semaines, des mois, jour après jour, elle avait dû vivre avec ce sentiment de perte irréparable. Elle souhaitait de tout cœur à Cardinal de trouver au plus vite un peu de répit.

De fil en aiguille, elle dériva dans une songerie éveillée. Elle se vit dîner avec Cardinal dans un grand restaurant. À Montréal, pour quelque raison obscure. Ensuite, ils allaient se promener dans le parc du Mont-Royal et

découvraient la ville étalée en contrebas. Répondant à la pression qu'elle exerçait sur son épaule pour le réconforter, il la prenait dans ses bras et elle se laissait envahir par un sentiment bien plus troublant que l'amitié.

– Ça ne va pas, non ? s'écria-t-elle avant de freiner brutalement.

Elle venait de rater l'embranchement avec l'impasse Royal. La marche arrière qu'elle engagea aussitôt fut saluée par les coups de klaxon indignés de la Jeep qui débouchait derrière elle. Elle braqua le volant à droite pour prendre la route non goudronnée.

PORT DE PLAISANCE DE FOUR MILE
ENTRETIEN ET MISE EN CALE – VENTE ET LOCATION

Le panneau surgit plus vite qu'elle ne s'y attendait, au début d'une voie d'accès dont la largeur était calculée pour le passage des remorques transportant les bateaux.

Un jeune homme en pantalon cargo et baskets d'un modèle compliqué la guida jusqu'au hangar, une structure en métal qui ressemblait à un espace de rangement gigantesque, avec deux séries de compartiments superposés fermés par des volets roulants. Delorme apprit avec soulagement que le bateau des Ferrier se trouvait au niveau inférieur.

– Je vous laisse, je retourne au bureau, dit le jeune homme. Si vous avez besoin de quelque chose, criez un bon coup. Je vous entendrai.

– Pas de problèmes. Merci.

L'endroit était désert. La pluie qui s'était mise à tomber crépitait sur les tôles rouillées, exaltait les odeurs de pin et de feuilles en décomposition. Delorme déverrouilla le cadenas. Elle ouvrit le volet métallique et appuya sur l'interrupteur placé à sa droite.

Le bateau juché sur sa remorque lui parut énorme. La coque en fibre de verre aveuglante de blancheur mesurait près de deux mètres de haut. Plusieurs antennes, des phares et des feux de position, une parabole de satellite couronnaient la cabine surélevée.

Delorme se hissa sur la remorque, puis sur la petite échelle chromée fixée à la poupe. Elle s'arrêta sur un barreau intermédiaire pour examiner le pont, par-delà le bastingage. Hormis pour les plats-bords, il était entièrement protégé par une bâche en plastique opaque maintenue à l'aide de cordes jaunes qui passaient dans les œillets disposés sur tout le pourtour.

Delorme dut batailler un bon quart d'heure avant d'arriver à défaire les nœuds, puis de dégager la bâche sur une largeur suffisante pour enfin poser le pied sur le pont.

Elle se redressa, balaya du regard les lames étroites du plancher, les aménagements en bois verni. Dans la cabine, elle examina longuement le volant du gouvernail en bois et les instruments en cuivre disposés tout autour. Les deux banquettes arrière étaient placées dos à dos et garnies de coussins rouges capitonnés. Ce bateau était sans conteste celui qui figurait dans le dossier envoyé par Toronto.

Elle redescendit à reculons sur le pont pour s'immobiliser sur la dernière marche. L'homme aussi s'était posté là pour prendre les photos. La gosse, qui à l'époque ne devait pas avoir plus de dix ou onze ans, se tenait sur le siège passager, face à la proue, et le Cessna de Frank Rowley était amarré un peu plus loin sur la droite, côté sud. Delorme cadra la scène à l'aide de ses doigts, comme un réalisateur de cinéma. C'était cela, oui : l'arrière du fuselage apparaissait au bord de l'image, presque hors champ. En dépit de toutes ses précautions pour rester anonyme, le photographe était trop obnubilé par son scénario porno pour s'apercevoir qu'il fixait sur la pellicule le numéro d'immatriculation inscrit sur la queue de l'appareil.

Delorme avait découvert, sinon le lieu du crime, au moins l'un des décors de ce crime perpétré pendant des années. L'avance du pédophile s'était un peu réduite, mais la priorité était de retrouver la victime au plus vite.

27

Le Dr Bell sortit de la salle de bains du rez-de-chaussée où il venait de se laver les mains. Il n'avait pas besoin de les désinfecter chaque fois, il n'était tout de même pas chirurgien, mais c'était une vieille habitude contractée pendant son internat. Avant de recevoir un patient, il se lavait systématiquement les mains. Il utilisait le plus doux des savons : un pain Caswell-Massey à la glycérine, très légèrement parfumé au lait d'amande.

Ce rituel qui l'aidait à rester maître de la situation lui était plus précieux que jamais, ces temps-ci. Le Dr Bell ne se reconnaissait plus. Il avait de plus en plus de mal à garder sa sérénité, des idées incongrues lui passaient par la tête et troublaient sa concentration. Il serrait les poings de rage ; à plusieurs reprises il avait dû se retenir pour ne pas frapper les patients qui lui résistaient.

Il appela Dorothy, puis se souvint qu'elle passait l'après-midi dehors. Où ? Elle le lui avait dit mais il ne s'en souvenait plus. Il devenait gâteux.

Il poussa la porte donnant sur l'espace aménagé en salle d'attente, au fond du hall d'entrée. Melanie était là, à la même place que d'habitude mais pas dans la pose pathétique qui la caractérisait. Elle lisait un numéro de *Toronto Life* qu'elle avait vraisemblablement apporté. Le Dr Bell prit sur la table un exemplaire du *New Yorker*.

Absorbée dans la lecture de son article, la jeune fille ne releva même pas la tête. Bell la soupçonna d'être de relativement bonne humeur. Cet intérêt inhabituel pour ce qui se passait dans le monde correspondait probablement à un recul de la dépression.

– Bonjour, Melanie.

– Oh, vous êtes là ! Bonjour.

Elle fourra aussitôt le magazine dans son sac à dos et entra dans le cabinet sur les pas du médecin.

– Ça ne fait rien si je m'assieds là, pour changer ? demanda-t-elle en désignant un fauteuil placé près du divan.

– Non, non. Je vous en prie.

Elle se laissa tomber sur le siège.

– C'est que la vue de ce divan me démoralise complètement, alors aujourd'hui je me suis dit, pourquoi ne pas te mettre ailleurs ? Comme tu aurais envie de te mettre si tu tout allait bien ?

– Je vois.

– J'en ai tellement marre de moi, à la fin. Marre de m'entendre tout le temps gémir. Il me semble que c'est en partie dû à la façon dont je me perçois : une pauvre fille pitoyable, un cas désespéré qui pleurniche sur le divan de son psy. Alors voilà. J'ai pensé que je pouvais au moins essayer de changer ça.

– Vous vous placez dans une autre perspective, en quelque sorte ?

– C'est cela, oui. Je me sens en forme aujourd'hui. Nettement mieux, en tout cas.

– Bien, bien. C'est pour cette raison que vous m'avez demandé une séance supplémentaire ?

– Hmm. J'ai des choses importantes à vous dire, mais pas tout de suite. Je préfère commencer par mon petit blabla habituel.

– Certainement. Expliquez-moi ce qui vous arrive.

Cet état d'esprit positif transformait son comportement. Les grands comédiens savent d'instinct reproduire la physiognomonie des émotions les plus complexes. Bell, lui, les déchiffrait au premier coup d'œil, grâce à un don d'observation naturel qu'il s'était appliqué à cultiver. En ce moment, la petite Melanie exprimait jusqu'à la caricature, non pas le bonheur – le mot était trop fort –, mais un curieux mélange de soulagement et d'excitation. Il transparaissait dans les jeux d'expression qui animaient le visage d'ordinaire figé : les sourcils s'arquaient au-dessus des lunettes au lieu de creuser un V soucieux à la naissance du nez. Il transparaissait aussi dans l'étonnante amplitude des gestes : pendant qu'elle lui racontait sa semaine, les mains fluettes s'écartaient du buste, ensemble ou l'une après l'autre. Il transparaissait enfin dans la posture décontractée, jambes croisées, une cheville posée sur la cuisse. Le genou tressautait au rythme des phrases qui s'enchaînaient. Le Dr Bell s'appliqua à mater la contrariété qui montait en lui.

– J'ai même réussi à lire un roman entier en deux jours, hier et avant-hier, continuait Melanie. J'ai un sacré retard en cours d'anglais, comme vous le savez, mais tout à coup j'ai eu envie de m'y mettre. On a ce bouquin de Forster, au programme, et dès que je suis entrée dedans j'ai eu envie qu'il ne finisse jamais. J'ai adoré les personnages, j'ai adoré les descriptions, et ça m'a fait un bien fou de ne plus penser à moi, pour une fois.

– Vous vous intéressiez à autre chose qu'à vous-même.

– Exactement. Et c'était génial.

Elle se pencha en avant et ramena ses longs cheveux d'un côté. Le Dr Bell nota qu'elle les avait récemment lavés. Le visage impatient qu'elle levait vers lui recouvrait la triste face de rat noyé aussi efficacement qu'une œuvre nouvelle peinte sur une composition plus ancienne par un artiste en mal de toiles.

– Le plus fort, avec ce livre dont je repoussais sans arrêt la lecture à plus tard tellement j'avais peur d'être complètement larguée et encore plus déprimée si je ne comprenais rien, le plus fort c'est qu'en définitive plonger dedans était plus facile que de lire deux trois pages et de laisser tomber. Vous comprenez ce que je veux dire ? Ça me mettait dans un tel état de culpabilité et de déprime de savoir que je prenais du retard, que si ça continuait j'allais rater mon année. Il a fallu que je me force, mais franchement ça valait le coup.

— Je vous félicite, Melanie. Vous avez une idée de ce qui a pu provoquer ce revirement ?

— C'est là que ça devient intéressant. Il m'est arrivé quelque chose qui aurait dû me déstabiliser comme jamais, et puis non. Ou plutôt, si : ça m'a vraiment déstabilisée, mais pas en mal, au contraire. Je n'en ai parlé à personne... (Bell attendit sans intervenir. Melanie courba ses épaules frêles et lâcha un profond soupir.) Ma mère n'est pas au courant. Rachel non plus...

Rachel avec qui elle partageait son appartement était sa meilleure amie par défaut. Melanie avait déjà confié à son psy plus d'un secret qu'elle taisait à Rachel et à sa mère, et celui-là aussi elle allait le partager avec lui.

— J'ai vu Le Monstre, déclara-t-elle.

— Vraiment ? Vous avez revu votre beau-père ?

— *Ex*-beau-père. De toute façon je refuse de l'appeler comme ça. Je continuerai à l'appeler Le Monstre, parce que c'est exactement ce qu'il est.

— C'est votre droit. Je croyais qu'il avait déménagé.

— Oui, mais pas très loin. À Sudbury.

— Où est-ce que vous l'avez rencontré ?

— Au centre commercial. Devant RadioShack. Je sortais de la pharmacie et lui de ce magasin. J'ai eu un sacré choc en le voyant.

— Vous disiez que cela vous avait rendue heureuse.

— J'ai dit ça ? s'étonna-t-elle en posant sur lui un regard déconcerté. Peut-être, après tout.

— Cet homme a abusé de vous durant des années. Il s'est servi de vous comme d'un jouet pour satisfaire ses envies sexuelles. Vous pourriez préciser pourquoi vous avez été heureuse de le revoir ?

– Je me suis mal exprimée. En réalité, sur l'instant, ça m'a fait l'effet d'un coup de poing dans le ventre. J'étais presque pliée en deux, je vous jure. Mais après, je l'ai suivi. Il ne me regardait pas, et de toute façon il ne m'aurait sans doute pas reconnue. Je l'ai suivi jusqu'au parking, jusqu'à ce qu'il monte dans sa voiture. Il n'y avait personne d'autre. J'ai noté son numéro d'immatriculation.

– Dans quel but ?

Une des mains s'immobilisa en l'air.

– Je ne sais pas. Je n'ai pas réfléchi. Ça m'est venu comme ça. J'ai pris mon stylo et j'ai recopié le numéro dans le creux de ma main. C'est bizarre, non ?

– Bizarre, vous trouvez ?

– Enfin non, peut-être pas bizarre, mais impulsif, en tout cas. Et pendant tout ce temps, j'avais le cœur qui battait, qui battait. (Ramenant le bras vers la poitrine, elle se frappa le sternum de son poing menu.) *Boum, boum, boum.* Je n'entendais plus que ça. J'étais venue en voiture et, quand il a démarré, je l'ai suivi. Dingue, non ?

– Continuez.

– Je l'ai suivi chez lui. Il a une maison dans une banlieue chic, avec un super-grand garage et tout. Il s'est garé dans l'allée. Je me suis arrêtée un tout petit peu plus loin en faisant, vous savez, comme si je cherchais une adresse, le nom d'une rue, et je l'ai vu entrer dans la maison. Maintenant au moins je sais où il habite. J'ai failli appeler maman pour tout lui raconter, et puis j'ai pensé que ce n'était pas une bonne idée. Ça n'aurait servi qu'à l'affoler. Elle ne veut plus entendre parler de lui. Au lieu de l'appeler, je suis rentrée à l'appartement et j'ai écouté le nouveau disque de Radiohead. Je me suis assise sur mon lit et je l'ai écouté entièrement, du début à la fin.

– À quoi pensiez-vous, alors ?

– À rien. Je crois vraiment que je ne pensais à rien du tout.

– Et vous vous sentiez comment ?

– Bien. Beaucoup mieux. C'est difficile à expliquer, mais si vous voulez, j'avais l'impression qu'on m'avait enlevé cette grosse bande élastique qui m'oppressait et qui m'empêchait de vivre, dit-elle en scrutant le visage de son psy avec insistance. Je pouvais enfin respirer. C'est extraordinaire, non ?

– En même temps, il y avait chez lui des côtés que vous aimiez bien.

– Oh, sans doute.

– Il était très séduisant. Il a su s'attirer votre affection, votre confiance. Il vous a emmenée dans des endroits de rêve.

– C'est vrai. C'est avec lui que je suis allée à WonderWorld.

– Ou voir le spectacle équestre de la police montée. Des choses merveilleuses, pour une petite fille.

– Pourtant ce n'est pas pour ça que je me suis sentie revivre.

– Pour quelle raison, alors ? Essayez de me le dire.

Ce n'était pas très compliqué à démêler. Revoir son beau-père avait apparemment eu un double effet sur Melanie. Cela lui avait d'abord permis de le ramener à ses justes proportions. Cet homme ne serait plus jamais le géant monstrueux qui hantait ses cauchemars, c'était un être humain ordinaire, un homme qui achetait des piles à RadioShack et qui se garait sur le parking comme tout le monde. Cet aspect-là ne présentait pas de difficultés pour Bell. Au pire, il entraînerait un léger contretemps. Il y avait cependant autre chose, que Melanie avait toutes les peines du monde à formuler.

– Est-ce que votre beau-père vous a vue ? reprit-il. Pas sur le parking, mais après, quand vous l'avez suivi en voiture ?

– Non.

Un « non » plein d'assurance, qui ne trahissait aucun doute.

– Donc vous l'avez vu et lui pas. Qu'est-ce que vous avez éprouvé, en l'observant ainsi à son insu ?

– Il me semblait que j'avais un avantage. (Il opina pour l'encourager à poursuivre.) Un peu comme si j'observais un oiseau, ou une bête. J'avais peur, oui, mon cœur battait fort, mais à côté de la peur, au fond de moi il y avait aussi autre chose, et c'était agréable.

– S'il était un oiseau, vous qui le regardiez, vous étiez...

– Un chat.

– Un chasseur.

– Exactement. Pour une fois, ce n'était pas moi la proie.

Contente d'elle, satisfaite et détendue, elle se laissa aller contre le dossier du fauteuil, les mains ouvertes sur les genoux. Oh, elle pouvait toujours jouir de son petit triomphe. Avait-elle été jusqu'à prévoir un plan d'attaque ? Idée saugrenue, la connaissant, mais sait-on jamais ! Quoi qu'il en soit, ça ne changerait rien au résultat final. L'art de la thérapie consistait à guider les patients dans le tri de leurs choix pour les aider à faire le bon.

Par conséquent, Bell allait l'attirer en douceur vers le précipice, jusqu'au point où elle pourrait aisément constater qu'il lui suffisait de sauter le pas pour se libérer à jamais de la souffrance. Il fallait toutefois qu'il reste absolument impassible, alors qu'une fois de plus les substances biochimiques de la colère accéléraient les battements de son pouls et le rythme de sa respiration. Il se vit soudain bondir de son siège et gifler Melanie, il vit l'empreinte écarlate de sa main sur la joue. Fermant les yeux, il inhala profondément afin d'écarter cette image.

– Vous pensez pouvoir inverser les rôles et partir en chasse contre votre beau-père ?

– Là, à force d'en parler avec vous, je lui en veux terriblement. J'aimerais bien qu'il s'excuse, oui. Qu'il reconnaisse au moins le mal qu'il m'a fait.

Pas bien méchant, sachant que ce type risquait plusieurs années de prison sur la base de ce que Melanie avait déjà rapporté à son psy. Si elle décidait de l'attaquer en justice, elle aurait droit à plus que des excuses et pourrait savourer sa vengeance. Fâcheux, car cela aurait pour effet d'alléger sa culpabilité et de la sortir en partie de la dépression. Elle passerait son temps à se plaindre de l'injustice du sort, elle deviendrait un fardeau pour tout le monde. Pour l'instant, mieux valait la laisser divaguer sur les courriers qu'elle envisageait d'écrire, les coups de fil qu'elle imaginait passer. Il faudrait revenir plus tard sur le trauma initial.

– Nous allons bientôt devoir arrêter la séance, dit-il quand le débit de la jeune fille se fut enfin ralenti.

– Je sais. Je commence toujours à me sentir moins bien à la fin de l'heure.

– Je voudrais que vous réfléchissiez sur deux trois points, pour la prochaine fois. D'abord, je constate que vous avez manqué à votre promesse d'écrire ce mot.

– La lettre d'adieu ? J'avais complètement oublié. Je n'y ai plus du tout pensé, vous comprenez, après avoir revu mon beau-père.

– À la place, vous avez pensé à ce que vous voudriez lui dire.

– J'y pense toujours.

– Nous pourrons en reparler, mais j'insiste pour que vous rédigiez cette lettre. Pour surmonter la dépression, il est essentiel d'arriver à énoncer ces choses. De mettre un nom sur l'horreur, si vous préférez.

– Je vais l'écrire. C'est promis.

– En ce qui concerne votre beau-père, ensuite, pour l'instant vous vous sentez en position de supériorité et vous vous persuadez que vous pourriez lui soutirer des excuses. Ce qui vous ferait probablement du bien, d'ailleurs. Je peux vous citer une dizaine de livres au moins qui diraient exactement la même chose. Ne précipitez rien, cependant.

– Pourquoi ? Vous ne trouvez pas qu'il me doit des excuses ? Il n'y a qu'à me voir. J'ai dix-huit ans et je me traîne comme une loque, j'ai du mal à me lever le matin. La moitié du temps je rêve d'être morte.

– Si j'étais chirurgien et que je devais vous opérer, vous voudriez que je me dépêche ?

– Non.

– Si vous aviez un cancer, vous voudriez que j'arrête la chimiothérapie ? Même si ce traitement vous donnait la nausée ?

– Non, mais il me semble que ce n'est pas exactement pareil...

– En tout état de cause, la décision vous revient, Melanie. C'est vous qui êtes le chirurgien ici, pas moi. Je ne suis là que pour vous aider de mes conseils, et à mon avis tout se passera mieux si nous examinons ensemble et en détail ce que votre beau-père vous a infligé. Sans rien omettre.

– Vous voulez que je vous raconte tout en détail ? Oh, mon Dieu ! Là, oui, j'ai la nausée.

– Tant que vous n'aurez pas réussi à énoncer clairement ce qui s'est passé, vous resterez sous l'emprise de ces événements. J'ajoute que vous avez tout intérêt à déterminer précisément de quoi, au juste, il doit s'excuser, de quoi il s'est rendu coupable envers vous. Je préférerais vous savoir enfin au clair sur cette question.

– Vous avez raison, sûrement. Tout cela est parfaitement logique, mais...

– Mais ?

– J'étais si en forme quand je suis arrivée, et maintenant je me sens découragée.

– Apprendre à être lucide sur soi-même n'est pas toujours encourageant, loin de là. Je sais cependant que vous êtes forte.

– Je ne crois pas, non. Je suis en dessous de tout.
J'ai toujours été en dessous de tout.

– Bien, déclara le Dr Bell en se levant. Nous aurons
des tas de choses à voir ensemble la semaine prochaine.
Nous aurons votre lettre d'adieu, et nous récapitulerons
le plus précisément possible ce qui s'est passé entre
votre beau-père et vous. Cela aussi vous pouvez l'écrire,
si vous voulez. Ce sera peut-être plus facile que de me
le raconter en face à face, même si, bien sûr, il faudra
que nous en parlions.

– Jamais je ne pourrai arriver à dire tout ce qu'il
m'a fait.

– Il n'y a pas d'urgence, Melanie. Je suis prêt à aller
à votre rythme, sans précipiter quoi que ce soit.

Elle ramassa le sac à dos posé à ses pieds et s'arracha au fauteuil. Sa belle énergie l'avait abandonnée. Elle
avait à nouveau sa face de rat noyé.

– D'accord, dit-elle. À la semaine prochaine, alors.

– Au revoir, Melanie.

28

Le Dr Bell ne cherchait qu'à l'aider, évidemment. C'était un médecin merveilleux, y compris avec tous ces drôles de petits tics qu'il avait – cette façon de remuer sans arrêt les épaules et de secouer la tête. Elle s'attendait presque, certaines fois, à l'entendre aboyer comme un gros toutou. Il avait plein de trucs chouettes, dont ce moteur miniature très ancien qu'il gardait sur son bureau. Un jour, il lui avait même montré comment il marchait. Il lui avait indiqué le nom des différentes pièces et avait actionné les leviers pour elle, comme un père avec son enfant, comme le père qu'elle n'avait jamais eu.

Il essayait sincèrement de la tirer d'affaire, mais elle regrettait tout de même qu'il lui ait donné ce travail à rendre pour la prochaine fois. Comment formuler cette lettre d'adieu, maintenant qu'elle n'avait plus l'intention de se tuer ? Trois semaines ou un mois plus tôt, elle y serait arrivée sans problèmes. C'est uniquement par manque d'énergie qu'elle n'avait pas mis fin à ses jours, alors.

Elle s'arrêta dans le couloir pour tendre l'oreille aux éclats de rire de Rachel et de Laryssa, ses deux colocataires. Son amitié avec Rachel remontait à leurs années de collège, mais depuis quelques années Rachel avait pris ses distances. Elle en avait sûrement assez de sa déprime perpétuelle. Et elle avait plus de points communs avec Laryssa. Contrairement à Melanie, les deux filles ne s'enfermaient pas dans leur chambre. Elles avaient des copains, elles sortaient en ville, elles allaient à des fêtes.

Melanie, qui s'était inscrite en littérature anglaise au début de l'année, décida de concevoir sa lettre d'adieu comme un exercice littéraire, plutôt que thérapeutique. À l'époque où elle songeait sérieusement à se supprimer, elle avait composé – dans sa tête – plusieurs lettres de ce genre. Selon son humeur, elle les adressait soit à sa mère, soit à son beau-père, soit au vrai père qu'elle n'avait pas connu, ou encore à tout le monde en général et personne en particulier. Jamais toutefois elle ne s'était attelée pour de vrai à la tâche.

Ce genre de texte ne s'enseignait pas à l'université, malgré des précédents littéraires remarquables. Melanie avait lu *Ariel*, le dernier recueil de poèmes de Sylvia Plath – selon elle, ni plus ni moins qu'un long adieu au monde –, elle connaissait celui où Lady Lazarus affirmait sa volonté de retourner au plus vite de l'autre côté de la vie. La colère incandescente et le suicide au bout.

Il y avait Diane Arbus, aussi. Melanie avait été très impressionnée par ses portraits de phénomènes de foire – le dresseur de puces, le travesti, le géant juif. Il lui semblait évident que la photographe se voyait elle-même comme un phénomène, et dans le fond elle se sentait beaucoup plus proche d'elle que de Plath. Elle se disait parfois qu'elles se seraient bien entendues, toutes les deux.

De toute façon, je ne suis pas poète, se dit Melanie. Même si je le voulais je ne saurais jamais écrire comme Sylvia Plath. Quant à Diane Arbus, avant de prendre une overdose et de se trancher les veines, elle s'était contentée de coucher à la va-vite quelques mots sur le papier. *La dernière cène...* Elle ne devait pas avoir envie de barber les vivants avec des explications tirées par les cheveux. La dernière cène...

Melanie, qui venait d'avaler un sandwich au jambon

tartiné de beurre de cacahouète, n'allait sûrement pas se lancer dans la rédaction de *Mon dernier en-cas* à l'intention du Dr Bell. Son intuition lui soufflait qu'il la trouvait déjà trop insignifiante. Quitte à lui obéir, autant essayer de l'impressionner.

Je ne peux plus continuer. C'est trop dur..., commença-t-elle. À qui s'adressait-elle, cette formule générale ? À tout le monde ? Tu parles que tout le monde s'en fiche ! On ne pouvait guère imaginer plus inintéressant et plus plat, même si c'était aussi très vrai. Pourquoi perdre son temps à énoncer de telles banalités ? C'était peut-être pour cela que tant d'artistes se suicidaient. Rien de moins verbeux et de plus éloquent que se donner la mort. Devant cet acte, les paroles sont de trop.

Ma chère Maman,

Je sais que tu vas avoir beaucoup de peine, alors je tiens à te l'écrire noir sur blanc, pour que tu n'aies aucun doute : TU N'Y ES POUR RIEN. J'ignore qui était mon père, mais il a très mal agi en te laissant seule avec un bébé, et quand j'y repense je trouve que tu t'es vraiment bien débrouillée. Beaucoup mieux que moi, à ta place. Oui, tu as commis une erreur en épousant Le Monstre, comme nous l'appelons entre nous, mais je réalise maintenant que tu étais très jeune, à l'époque, une jeune mère célibataire obligée d'élever seule son enfant. Tu devais t'ennuyer et tu devais avoir peur, tu n'avais pas de plaisir à vivre, et quand il a débarqué en t'offrant de t'aimer, de te protéger, de t'apporter un peu de gaieté, tu t'es évidemment dit qu'il ne fallait pas laisser passer cette chance. Sache que jamais je ne lui pardonnerai de t'avoir aussi affreusement blessée...

Inutile de raconter ce que Le Monstre lui avait fait subir, à elle. Pas dans une lettre d'adieu.

> *Je regrette du fond du cœur de si mal te récompenser, par cet acte horrible, de tous tes soins, de toute ta tendresse et du bonheur que tu m'as apporté. C'est simplement que je souffre d'une tristesse incurable, comme d'autres d'un cancer incurable. Ma qualité de vie est égale à zéro. Je n'ai plus envie de rien – ni de bons petits plats, ni du soleil, ni même de dormir, et chaque matin je me réveille accablée, la peur au ventre. J'ai beau voir régulièrement un thérapeute merveilleux, je sais maintenant que mon cas est sans espoir et que je ne guérirai jamais.*

Il faisait presque nuit à présent, et le calme régnait dans la maison. Rachel et Laryssa devaient être sorties, ou bien elles travaillaient en silence. Immobile dans l'obscurité qui s'épaississait, le stylo levé au-dessus de la page, Melanie bascula dans un trou du temps. Cela lui arrivait parfois, de rester ainsi figée à fixer le vide, l'esprit enseveli dans une ouate cotonneuse. Son absence pouvait se prolonger une heure, voire deux. Cette fois, elle ne dura qu'une demi-heure.

Quand elle revint à elle, elle fila directement à la salle de bains. De minuscules débris marrons, noirs et bleus piquetaient le lavabo d'une éruption multicolore. Sûrement Laryssa qui avait essayé de nouveaux produits de maquillage. Elle n'arrêtait pas, Laryssa, de s'arranger, de corriger ses traits. Melanie l'enviait. Elle en aurait volontiers fait autant si elle avait pu supporter de se regarder suffisamment longtemps dans le miroir.

De retour dans sa chambre, elle attrapa son téléphone portable.

– Maman ?

– Bonsoir, Mel. Tu viens dîner à la maison ? J'ai des côtelettes d'agneau.

– Non, pas ce soir. En fait, je t'appelais pour te demander si tu pouvais me prêter la voiture ?

– Bien sûr. Je n'en ai pas besoin avant demain matin, mais n'oublie pas de me la ramener, surtout. Il me la faut pour aller au travail.

– Ouais, je ne la prendrai pas longtemps. Je voudrais juste emmener des copines au Chinook. Avec le bus c'est la barbe, il faut l'attendre des heures.

– Tu sais, chouchou, si tu habitais ici tu serais bien plus libre de tes allées et venues.

– Je n'ai plus l'âge de vivre chez ma mère.

Elle enfila une veste et parcourut à pied le court trajet jusqu'à la maison, ainsi qu'elle continuait d'appeler la maison de son enfance. L'appartement, ce n'était pas la même chose. Malgré la gentillesse de Mme Kemper, la logeuse, Melanie s'y sentait de passage. À la maison, donc, sa mère la bombarda de questions sur ses cours et ses colocs et ne la laissa repartir qu'une fois sa curiosité satisfaite.

Enfin arrivée à destination, Melanie se rangea le long du trottoir, pas trop loin, et attendit... Quoi, elle ne le savait pas au juste. La voiture du Monstre était garée dans l'allée, de la lumière brillait derrière les fenêtres. Il ne devait pas vivre seul dans cette baraque. Elle était bien trop grande, trop chic et trop bien entretenue.

S'il sortait, elle l'accosterait. Sors, espèce de salaud, que je te crache à la figure ce que je pense de toi. Je vais te dire ce que ça m'a coûté, tout ce que tu m'as fait subir. À quel point ça me rend encore malade, à quel point j'ai honte et je me sens coupable. Encore maintenant, Melanie ne pouvait pas embrasser un garçon sans revoir le visage du Monstre, son pénis, ses mains énormes. Les mains qui la broyaient, la fouillaient, la pliaient. Les mains qui tenaient l'appareil photo.

Elle ne pouvait pas se brancher sur Internet sans se demander si ses photos n'étaient pas quelque part sur un site. Autrement, pourquoi en aurait-il pris autant ? Elle brûlait de honte rien que d'y penser. La honte, c'était cette sensation cuisante qui en ce moment même lui embrasait le dos, les épaules et le cou, lui chauffait les oreilles.

Elle crut qu'elle allait vomir, mais la vague de nausée se transforma en vague de chagrin étouffante qui lui mettait les larmes aux yeux. Pleurer, non, il n'en était pas question. Elle refusait de pleurer. Pour se maîtriser, elle fixa la maison en brique avec son grand jardin, son grand garage, en pensant espèce de salaud, s'il y a une autre femme qui vit avec toi là-dedans, compte sur moi, je vais tout lui raconter. Je vais lui décrire en détail comment tu m'as traitée et elle te quittera, peut-être même qu'elle ira te dénoncer à la police comme j'aurais dû le faire depuis des années.

J'espère, oui, que tu as une autre femme. J'espère qu'elle est jeune et belle et j'espère que tu l'adores, parce qu'une fois que j'aurai vidé mon sac elle te laissera tomber, et si brutalement que tu seras à ramasser à la petite cuiller.

– Cambre-toi, chérie. Allons, Mel, tiens-toi droite et sors les fesses. Oui, c'est bien. Oh, que tu es belle comme ça !

Le flash crépite – *clic, clic, clic, clic* – tandis qu'il s'approche, de plus en plus près, parfois presque à la toucher, en continuant à lui donner des instructions.

– Okay. Maintenant, couche-toi sur le ventre et fais semblant de dormir.

Odeur d'apprêt des draps d'hôtel aux plis cassants, moins souples et rassurants qu'à la maison. Le soleil qui se déverse par la fenêtre apporte avec lui des flots de musique exubérante : orgue de barbarie, rythmes discos et carillons, et les braillements des enfants qui glissent sur les toboggans de la piscine, les cris des jeunes mères embarquées sur le Cyclone, dans la Catapulte ou sur le Grand Huit.

– Papa, on va sur le Grand Huit ?

– Bientôt, mon bébé. Pour le moment, ne bouge pas, ferme les yeux.

Clic, clic, clic.

Les yeux sagement fermés :

– Et maintenant papa ? On y va sur le Grand Huit ? S'il te plaît !

– Bientôt, Mel. Là, très bien. Descends le drap un peu plus bas.

Clic, clic, clic.

– Papa, tu avais promis.

– Oui, mon cœur. Oh, que tu es belle, comme ça, que tu es belle ! Je pourrais te manger toute crue.

Clic, clic, clic.

Il la touche. Rien de bien méchant – des baisers mouillés sur la nuque, des chatouilles sous les côtes jusqu'à ce qu'elle s'en étrangle de rire. Comme c'est drôle. Puis il s'écarte et la laisse, hors d'haleine et tout excitée.

Elle saute à bas du lit, va chercher son short et le reste de ses vêtements.

– Qu'est-ce que tu fais, Mel ?

– Je m'habille. On va sur le Grand Huit, hein papa ?

– On va y aller, je t'ai promis qu'on irait, mais pour l'instant je veux que tu te recouches. Allez, au lit.

Il l'attrape par-derrière et la soulève sous les aisselles, l'installe dans la pose qu'il préfère, à genoux, la tête en bas. Il est tout nu, lui aussi, à présent, et elle sait ce qui va suivre. Elle le savait depuis le début mais elle ne voulait pas y penser. Ce voyage, elle en rêvait. Il l'emmenait à WonderWorld !

– Non, je ne veux pas rester au lit. Je veux aller sur les manèges. Tu as promis !

– On a passé un marché, tous les deux, Mel. Oui,
on ira sur les manèges, mais ça dépend de toi. C'est toi
qui décides sur lesquels tu vas monter. Chaque fois que
tu es gentille avec papa, tu gagnes un tour sur celui que
tu veux. La première fois, tu gagnes un tour sur le
Cyclone. La deuxième fois, un tour sur l'Aquaplouf. Et
si tu es vraiment très, très obéissante je t'achète un ticket
pour le Grand Huit. On va d'abord faire un gros câlin,
tu vas voir.

Il la presse fort contre lui, ses bras s'enroulent
autour de son buste dans une étreinte de boa constric-
tor.

– Tu te rappelles ce que je t'ai dit, hein, chérie ?
C'est notre secret, tu n'en parles à personne.

– Non, je sais.

– Tu n'en parles même pas à maman, à personne.
Tu t'en rappelles ?

– Oui.

– Jamais, jamais. D'accord ?

– Jamais, jamais.

– Parce que sinon, il t'arriverait quoi ?

– Les gendarmes viendraient me chercher et je serais
enfermée dans une sorte de prison pour les méchantes
petites filles.

– Exactement. Et ce serait affreux. Voilà, tu es gentille. On va être de grands amis tous les deux. De grands,
grands amis.

Plus de dix ans se sont écoulés depuis, et dans la
voiture de sa mère Melanie observe la maison du Monstre en souhaitant de toutes ses forces qu'il en sorte. Elle
farfouille à tâtons dans son sac à dos à la recherche d'un
Kleenex, tombe sur un vieux paquet tout froissé. Elle se
mouche, s'essuie les yeux. Elle ne pleurait pas, autrefois,
quand il abusait d'elle. Jamais elle n'a versé une larme,
sauf exceptionnellement, quand il lui faisait trop mal en

la forçant avec ce membre d'adulte surdimensionné par rapport à son corps enfantin.

La plupart du temps, cependant, c'était sans douleurs, physiques en tout cas. WonderWorld. Comme elle l'avait attendue, cette visite ! Toutes ses amies y avaient été, et elles en gardaient des souvenirs extasiés. Ce fut le cadeau surprise de son huitième anniversaire : deux jours à WonderWorld avec lui, sans sa mère puisqu'il s'était débrouillé pour qu'elle ne soit pas du voyage. La joie la rendait insouciante, elle n'avait pas envie de gâcher la fête en s'inquiétant à l'avance. Elle attendait WonderWorld comme on attend Noël.

Mais sitôt qu'ils eurent posé les bagages dans leur chambre, elle se sentit drôle, toute molle de l'intérieur et toute tremblante à l'extérieur. Elle n'avait pas de mot, à l'époque, pour nommer cette sensation partie du ventre qui la liquéfiait totalement. L'effroi. La peur, plus l'aiguillon de l'excitation. Perturbée, troublée, elle nageait en pleine confusion, car lorsqu'il lui faisait ces choses qu'elle n'aimait pas il était aussi très *doux*. Attentif. Gentil. Amusant. Pourvu qu'elle se montre obéissante, il accédait à tous ses désirs – il dorlotait ses poupées, jouait à la dînette et l'aidait à préparer des goûters pour de rire.

Il y avait les sorties de pêche, aussi. Dans la barque à fond plat qu'il prenait pour l'emmener sur des étangs. Il lui expliquait comment attacher les hameçons et les leurres. Il lui apprenait patiemment à lancer la ligne de la canne à pêche pour enfants qu'il lui avait achetée. Après, il lui montrait comment nettoyer les poissons qu'ils avaient attrapés, combien de temps il fallait les laisser dans la poêle pour que, cuits à point, ils soient délicieux.

Évidemment, c'était donnant-donnant. Le soir, sous la tente, sa sollicitude, ses leçons, sa bonne humeur devaient être payées de retour. Sous la tente, il fallait qu'elle pose, qu'elle joue sans rechigner le rôle qu'il lui assignait. Sous la tente, c'était à elle de travailler et son travail consistait à lui donner du plaisir. Il inventait toujours de nouveaux trucs pour avoir du plaisir.

Elle avait eu un choc terrible le jour où, plusieurs années après, son amie Rachel avait ouvert devant elle un fichier d'images trouvé dans l'ordinateur qu'elle partageait avec son frère aîné. Rachel passait de l'une à l'autre avec des fous rires nerveux, les yeux écarquillés, partagée entre l'épouvante et la fascination. Melanie et elle avaient douze ans, à l'époque.

— Quelle horreur ! s'exclamait Rachel.

— Quelle horreur ! répétait Melanie après elle en s'appliquant à prendre le même ton alors qu'elle découvrait que son amie ne voyait pas ces images comme elle.

Le dégoût ébahi de Rachel indiquait à l'évidence qu'elle était restée innocente, contrairement à Melanie.

— Il y a des gens qui font ça pour de vrai, tu crois ? C'est dégueulasse.

— Des vrais tarés.

— Je te jure, je n'ai jamais rien vu de si répugnant. Ça me donne envie de vomir.

Non, Rachel n'avait jamais rien vu de pareil, auparavant. Melanie, si. Elle avait vu, et elle avait fait. Elle avait sept ans au début de son apprentissage.

De temps à autre, une ombre ondoyait derrière les rideaux, dans le cadre dessiné par la fenêtre. L'ombre d'une silhouette masculine.

— Sors, pestait Melanie, toujours dans la voiture. Sors, espèce de salaud, que je te dise un peu ce que je pense de toi.

Les images de l'ordinateur avaient créé une distance entre Melanie et sa meilleure amie. Le dégoût exprimé par Rachel ce jour-là l'avait obligée à se poser la question. Que penserait-elle de moi, si elle savait ? Elle serait horrifiée, écœurée. Elle partirait en courant, elle ne voudrait plus jamais me parler.

Cette certitude s'accompagnait d'une autre peur. Toutes ces images récupérées à l'aide d'un ordinateur étaient des photos d'inconnus anonymes, dont certains étaient encore mineurs. Pour la première fois, Melanie s'était dit que des centaines de photos d'elle circulaient peut-être sur le Net, qu'à tout moment un camarade de classe pouvait tomber dessus. Depuis, elle vivait en permanence dans la crainte d'être reconnue.

Il y en avait tant, de ces photos. Une quantité innombrable. Car Le Monstre ne se contentait pas des virées occasionnelles. À la maison aussi, dès que sa mère s'absentait deux trois heures, il venait la chercher. Lorsque ses cajoleries et ses attentions n'avaient plus suffi à la décider, il s'était mis à lui proposer de l'argent. Tu ne serais pas contente que je te donne un billet pour t'acheter ce nouveau CD ? Tu n'aurais pas envie de t'offrir un jean Guess ? Ça devrait pouvoir s'arranger, tu sais... Quelques jours plus tard, sa mère s'était étonnée de la voir dans ce jean neuf.

– Ça vaut une fortune, cette marque. Où est-ce que tu as trouvé l'argent ?

– Mel m'a aidé à ranger la cave, avait menti Le Monstre. Je lui ai donné de quoi se payer une petite folie.

Il y avait aussi eu la nuit sur le bateau, une vedette grand luxe qu'on avait prêtée au Monstre. Ils étaient partis explorer le lac des Truites un week-end, le soir ils couchaient tous les trois dans la cabine. Sa mère et Le Monstre d'un côté, Melanie de l'autre. Elle devait avoir onze ans, à peu près. Une nuit, elle s'était réveillée en sursaut. Il la touchait. Il était venu la trouver sur sa couchette et il glissait la main sous son pyjama alors que sa mère dormait à moins de deux mètres. Il devait avoir mis quelque chose dans son vin, pour qu'elle dorme comme ça. Cette nuit-là, Melanie avait gagné une paire de Nike.

Enfin il sortait de la maison, ce sale pervers. Il n'avait pas tellement changé, en cinq ans. Elle ne lui connaissait pas ce blouson, un coupe-vent léger en nylon bleu clair, et il portait une casquette de base-ball. Il n'en mettait pas, autrefois. La tête penchée en arrière, il fit quelques pas dans l'allée, histoire sans doute de respirer l'air nocturne. Puis il s'arrêta, les mains dans les poches, attendit un instant, se baissa pour ramasser un caillou sur la pelouse.

Comme un type parfaitement normal, songeait Melanie. Comme si tu n'avais rien à te reprocher, salaud.

Elle inhala à fond, la main sur la poignée de la portière. Elle allait lui dire ses quatre vérités, elle les lui cracherait au visage, ses quatre vérités. Ce qui se passa alors coupa net son élan.

Une femme sortie de la maison par une porte latérale rejoignait son ex-beau-père dans le jardin. Une jolie femme. La quarantaine, des cheveux bruns bouclés lui arrivant aux épaules, habillée d'une veste en jean et d'un pantalon kaki qui mettaient en valeur sa silhouette restée mince. Elle est mieux que maman, se dit Melanie, que ce constat attrista.

Je vais tout raconter à sa nouvelle chérie, absolument tout. Et même s'il nie, même s'il me traite de cinglée elle saura, elle, que je n'ai rien inventé. Le choc va décomposer son joli visage. Ce n'est plus le bonheur, qu'on lira dans ses yeux, mais la suspicion, la colère, le mépris.

Melanie ouvrit la portière. Il n'y avait pas un chat, dans la rue, ni voitures ni promeneurs. L'heureux couple se retourna vers la maison, l'air d'attendre Dieu sait quoi. Sûrement pas ce qui allait lui tomber dessus, en tout cas.

Elle se trouvait à une vingtaine de mètres, de l'autre côté de la rue qu'elle traversait en diagonale, le cœur battant à tout rompre. Elle lui ordonna de se calmer. Surtout, ne pas passer pour une folle. Ne t'énerve pas et parle posément si tu veux que cette femme te croie. Elle adopta l'allure décidée d'une jeune cadre sup en route pour une réunion tardive.

La porte latérale se rouvrit sur une petite fille qui se glissa dehors, une balle en mousse dans une main et une raquette dans l'autre.

– Où vous allez ? demanda-t-elle d'une voix flûtée.

– On se promène, ma puce, répondit la femme. Il fait bien trop noir pour que tu voies ta balle dehors, tu sais.

– Si, je la vois.

– D'accord, ma puce. Seulement tu as oublié de fermer la porte.

La petite pivota vers la maison mais elle n'alla pas plus loin.

– Vas-y, poucette. Va la fermer.

Résignée, l'enfant rebroussa chemin à petits pas hésitants.

– Attends. Je m'en charge, lança Le Monstre en s'élançant au pas de course.

Un coup de klaxon strident fit sursauter Melanie. Une fraction de seconde durant, ses pieds ne touchèrent littéralement plus terre. Elle se retourna à l'instant où le capot s'immobilisait à moins d'un mètre de ses jambes.

– Excusez-moi, réussit-elle à bafouiller en repartant en direction de sa voiture. Je suis désolée, excusez-moi...

L'automobiliste lui adressa un hochement de tête éloquent avant de redémarrer.

Elle se glissa derrière le volant en tremblant, dut s'y reprendre à plusieurs reprises avant d'arriver à introduire la clé dans le contact. Les trois membres de cette famille pitoyable la fixaient, médusés. Elle réussit enfin à lancer le moteur, et au moment où elle passait devant la maison elle détourna le visage comme si elle voulait régler la radio.

Assourdie par les battements de son cœur, elle rata l'embranchement pour Algonquin. Une centaine de mètres plus loin, elle s'arrêta sur le parking d'une supérette et, laissant le moteur tourner au ralenti, s'efforça de respirer normalement. Le Monstre s'était trouvé une autre enfant d'adoption, un bout de chou d'environ sept ans. Le Monstre vivait sous le même toit qu'une autre petite fille.

29

Kelly referma le tiroir dans lequel elle venait de ranger les clichés.

– À mon avis, ce sont ses derniers tirages, du moins pour ceux qu'elle conservait ici. Il doit y en avoir des quantités d'autres à l'institut. Ainsi que des négatifs, sûrement.

– Tu as raison, dit Cardinal. Elle avait deux autres meubles classeurs, dans son bureau là-bas.

Malgré les instances de sa fille qui lui avait demandé de la laisser seule, il était resté avec elle dans la chambre noire, assis dans un coin sur un coffre. Il n'avait pas pu se résoudre à partir ; la compagnie de Kelly lui était trop précieuse, surtout lorsqu'elle s'occupait des affaires de sa mère.

– Tu devrais vérifier avec les gens de la fac. Il y en a peut-être qui étaient au courant de son dernier projet. Et ils comprennent sans doute mieux son travail que moi.

– Comment peux-tu dire ça ? Tu es une artiste, tu es sa fille. Qui pourrait la comprendre mieux que toi ?

– Un de ses collègues photographes. Quelqu'un qui travaillait régulièrement avec elle. Tu devrais tout de même t'en assurer, papa. Si après il te semble que je suis toujours la mieux placée pour organiser l'exposition, j'accepterai avec joie. En fait, je serais ravie de m'en charger.

– Catherine a toujours travaillé seule. Elle n'aimait

pas qu'on l'accompagne quand elle photographiait. Ni quand elle développait ses négatifs ici.

– Vérifie, papa, c'est tout ce que je te demande. L'important, c'est de rendre justice à son œuvre.

– D'accord, puisque tu y tiens. Je te dirai ce que ça a donné.

– Tu sais ce qui m'étonne le plus ? demanda Kelly en effleurant du bout du doigt le tiroir blanc qu'elle venait de refermer. C'est de découvrir que maman était en réalité une femme très organisée.

– Oui. Elle aimait l'ordre et elle détestait prendre du retard. Malgré ses problèmes, elle était tout sauf tête-en-l'air.

– Toutes ses planches contact sont ici, classées, datées, avec les négatifs correspondants. Elle indiquait le numéro des négatifs au dos de chaque tirage.

– Ça la mettait hors d'elle de ne pas retrouver tout de suite les photos qu'elle cherchait. Elle répétait sans cesse à ses étudiants qu'il fallait avoir de la méthode. Elle ne supportait pas le laisser-aller.

Kelly laissa son index courir le long d'un classeur, geste infime qui une fois de plus rappela Catherine à Cardinal.

– Même les trucs les plus récents sont rangés. Les images numériques. Elle les a enregistrées sur des disques, en inscrivant les numéros de classement à l'intérieur de la jaquette. J'aimerais être aussi organisée qu'elle.

– C'est drôle. Elle, elle aurait aimé pratiquer la peinture, comme toi. « Se coltiner avec la matière », comme elle disait parfois. Dans ces moments-là, elle trouvait que la photographie avait un côté trop technique, trop clinique, elle râlait contre son matériel de précision.

Kelly ouvrit le placard d'angle tout en hauteur. Entre les étagères sur lesquelles s'alignaient les objectifs et les filtres, les espaces vides munis de crochets auraient dû accueillir les appareils que Catherine avait pris pour réaliser le dernier en date de ses projets. Son ultime projet.

En fin de journée, Kelly déposa sa valise de cabine dans le coffre et Cardinal l'emmena à l'aéroport. Elle était venue tout de suite, elle s'était occupée avec lui des obsèques, elle était restée quinze jours pour ne pas le laisser seul. Que pouvait-il exiger de plus ? Il essaya d'entretenir la conversation, mais les pensées de Kelly voyageaient déjà vers New York. New York. Pas le bout du monde, géographiquement parlant, mais affectivement l'effet de distance n'aurait pas été différent si elle était partie pour Shanghaï.

Ils attendirent ensemble dans le hall jusqu'à ce qu'il soit temps pour Kelly de passer dans la salle d'embarquement. Elle le serra fort contre elle.

– Je t'appelle très vite, papa.

– Prends bien soi de toi, ma grande.

– Ne t'inquiète pas.

Il refit lentement le trajet en sens inverse, bien qu'encore trop vite à son goût. Il n'avait pas envie de rentrer chez lui, pas envie d'affronter le silence de la maison vide. Au lieu de tourner à gauche sur la 11, il continua tout droit en direction de la ville.

Il s'engagea dans Main Street et poursuivit jusqu'au bord du lac. Sous la lune rognée par les nuages, les mordus du jogging trottinaient le long du rivage et les promeneurs de chiens bavardaient en petits groupes. Cardinal repartit vers l'ouest, roula longtemps au pas dans des rues à l'écart. Je suis complètement pathétique, songeait-il. Je n'ose même pas rentrer chez moi, c'est ridicule.

Sans l'avoir prémédité, il passa devant le pavillon minuscule que Lise Delorme habitait, à l'angle d'une voie privée et de Rayne Street. Les fenêtres étaient éclairées et il se demanda ce qu'elle faisait. S'il avait cédé à son impulsion, il se serait engagé dans l'allée, il aurait frappé à la porte. Pour dire quoi ? Il ne voulait pas se montrer devant Delorme sous ce jour pitoyable.

Qu'était-elle en train de faire ? Elle lisait ? Elle regardait la télé ? Ils avaient assez souvent travaillé ensemble pour qu'il la connaisse bien, sur certains plans. Ils s'appréciaient, ils aimaient rire ensemble, il existait entre eux une sorte de connivence, mais malgré tout il n'avait pas la moindre idée de ce qui intéressait Delorme, en dehors du travail. Il ne savait même pas si elle sortait avec quelqu'un, en ce moment. Peut-être cc Shane Cosgrove avec qui elle était tout sucre, l'autre jour ?

Cela l'aurait néanmoins détendu de passer un moment avec elle. Surtout ce soir et à cette heure – moins un instant précis en un lieu précis qu'un espace-temps particulier, un interrègne entre deux phases existentielles, celle qu'il avait partagée avec Catherine et celle qui l'attendait désormais.

Il s'arrêta au feu qui venait de passer au rouge.

– Pitoyable, pesta-t-il à voix haute. Même pas cinq minutes que tu es seul, et regarde.

Il resta plusieurs minutes sans bouger, et c'est avec un sérieux temps de retard qu'il réalisa que le feu était vert.

Jamais encore il n'avait été en butte à ce silence tombé sur la maison. L'absence de sons était si absolue qu'il la percevait par tout le corps, et non seulement autour de lui, mais en lui, dans la coquille vide de son être. Hormis le volume occupé par sa personne, le monde entier semblait englouti.

Étrangeté de cette disparition totale des bruits associés à Catherine. Aucun bruit de pas nulle part. Ni pantoufles ni pieds nus, ni clic-clac de talons hauts ni crissements d'après-ski sur le parquet de l'entrée. Rien non plus en provenance de la chambre noire, au sous-sol. Disparus, les accords de musique de Fleetwood Mac ou d'Aimee Mann, le cliquetis des cuves de développement, le gémissement du sèche-cheveux. Et la voix qui le hélait soudain.

« John ! Tu viens voir ? »

Il essaya de lire et s'aperçut qu'il en était incapable. Il alluma la télévision. Une équipe des *Experts* s'employait activement à détruire les indices sur une scène de crime. Il resta un moment à fixer l'écran d'un regard absent, l'esprit complètement ailleurs.

– Fais un effort, bon sang. Conduis-toi normalement.

Facile à dire, quand rien n'est plus normal.

Il prit la photo de Catherine sur l'étagère où Kelly l'avait posée. Celle où elle portait son anorak, et deux appareils en bandoulière sur les épaules.

Tu t'es tuée ? Tu as sauté dans le vide, toute seule ?

Elle se répandait en injures chaque fois qu'il l'emmenait à l'hôpital, elle le maudissait d'intervenir pendant ses phases maniaques, elle se rebiffait lorsqu'il vérifiait si elle prenait correctement ses médicaments. Tant d'accès de fureur et de crises de larmes, répétés au fil des décennies... Était-ce à cela que se résumait la vraie Catherine ? Il ne pouvait pas se résoudre à admettre que la femme qu'il avait aimée si longtemps ait décidé pour finir de lui jeter cet amour à la figure. Qu'elle ait décrété, non, ton amour ne me suffit pas, *tu* ne me suffis pas, plutôt mourir que de passer une minute de plus à ton côté. Roger Felt ne disait pas autre chose, dans ses cartes. Cardinal ne pouvait simplement pas y croire.

Reste qu'il n'avait pas l'ombre d'une preuve à opposer à cette thèse. Roger Felt, son suspect numéro un, n'était qu'un pauvre type animé par un désir de vengeance. Quant à Codwallader, son patron avait confirmé qu'il était à son poste, le soir de la mort de Catherine. Les images de la vidéosurveillance appuieraient ce témoignage.

C'est toi qui as écrit ce mot, d'accord. Mais de là à te tuer... Vraiment ?

Catherine avait-elle des ennemis ? Cardinal avait suffisamment enquêté sur des décès soudains pour savoir qu'on n'était jamais au bout de ses surprises, en la matière.

On apprenait par exemple que tel petit dealer était de son vivant la coqueluche du quartier, qu'il n'y avait pas de jeune gars plus gentil, plus serviable, et qu'en définitive il n'avait pas succombé aux coups d'un rival mais à une banale erreur de dosage.

À l'inverse, il y avait le modèle de la sainte entièrement dévouée aux bonnes œuvres, jamais en peine d'arracher à ses amis et connaissances une signature « pour la carte de Shirley », de visiter les malades à l'hôpital, de lever des fonds pour le camp d'été des enfants. Et il s'avérait que ce parangon de vertu couchait avec le mari d'une autre – ou dérobait de l'argent, pratiquait le chantage, cultivait des penchants inavouables –, et qu'il était somme toute logique qu'elle ait été victime, ou coupable, d'un meurtre.

Mais Catherine ? À l'institut, il lui arrivait, c'est vrai, de se bagarrer pour des questions de territoire, d'engager des batailles qu'elle perdait d'ailleurs chaque fois. Sous le coup de la colère, elle était capable de sortir des remarques blessantes et il n'était pas impossible, après tout, que certains des collègues avec qui elle était en rivalité lui en aient gardé rancune. En outre, son travail de photographe lui avait valu plusieurs récompenses, dont un prix national, et elle exposait souvent ; régulièrement à Algonquin Bay et tous les deux ans à Toronto. Cette reconnaissance suscitait peut-être des jalousies. L'être humain est ainsi fait qu'il se sent souvent lésé par les succès d'autrui.

Cardinal alla se servir à boire dans la cuisine. Le silence donnait un relief absurde au tintement du glaçon, au glouglou du whisky. Il alluma la radio, l'éteignit dès les premiers accords de musique country. La nuit, les programmes de radio étaient à désespérer.

Il s'assit à la table de la cuisine. Dans sa vie d'avant, quand il ne trouvait pas le sommeil, il se tapait un verre de lait et grignotait quelques biscuits. Sa femme dormait à côté, et la pièce, alors, n'avait rien de sinistre. Il ouvrit le dossier consacré à Catherine. Un dossier d'une minceur ahurissante, comparé aux affaires sur lesquelles il travaillait d'habitude. Par définition, quand on suit une affaire, on a des notes et quelques pistes, des points de repère. Ce dossier-là ne contenait que du vent.

Il se composait en tout et pour tout de fausses cartes de condoléances désormais inutiles ; de considérations sans suite sur Codwallader et Felt qui toutes menaient à l'impasse ; et de la page arrachée au carnet de Catherine. L'encre bleu clair de ces stylos dont elle avait toute une provision. Son écriture, reconnaissable aux *j* sans fioritures et au délié des *t*.

Quand tu liras ces mots...

Il possédait deux versions de cette page : l'original, en bleu, et la copie faite par Tommy Hunn à l'institut de criminologie, avec le message en blanc sur un fond anthracite et les empreintes qu'on ne distinguait pas sur la feuille provenant du carnet. Celle du pouce de Catherine, nettement visible sur le bord, avec la fine ligne blanche de la cicatrice à l'endroit où elle s'était coupée, des années auparavant. D'autres aussi, plus petites, et qui devaient également lui appartenir. Il fallait vérifier, ce ne serait pas compliqué.

Et puis l'empreinte de ce pouce qui s'étalait en bas, trop grosse pour avoir été laissée par Catherine. En plus, Catherine était droitière. Pour arracher la page, elle l'avait forcément attrapée par le bord droit avant de tirer.

À qui était-il, ce pouce imprimé au milieu du bord inférieur ? À supposer qu'il ne s'agisse ni du médecin légiste,
ni de Delorme, ni d'aucune des personnes présentes sur
place le soir du drame, qui avait tenu dans sa main la
lettre d'adieu de Catherine ?

30

La Mère morte et l'Enfant. Frederick Bell avait une prédilection pour ce tableau de Munch, et il savait précisément pourquoi. La forme immobile de la mère, très pâle, presque transparente, couchée sur son lit de mort, veillée par quelques familiers qui ne prêtent aucune attention à l'enfant projetée au premier plan, la petite fille qui agite les mains autour de sa tête comme pour se couvrir les yeux, peut-être les oreilles, et éluder la tragique réalité. Munch était encore très jeune lorsqu'il avait perdu sa mère, emportée par la phtisie, et cette disparition l'avait marqué toute sa vie. Elle avait fait de lui un artiste, mais un artiste à jamais malheureux.

La phtisie. Que de chemin la médecine avait parcouru en un siècle. Grâce aux antibiotiques, la tuberculose, ex-phtisie ou consomption, avait pratiquement disparu de la planète. La dépression, en revanche, se portait comme un charme.

Le petit Edward Munch avait donc eu droit à sa veillée funèbre. Bell en avait connu deux.

Il n'avait que huit ans quand son père était mort. Il devait se tenir à son chevet tous les matins avant de partir à l'école, en attendant que sa mère rentre de l'hôpital où elle était infirmière.

Son père était un homme sombre : une grosse moustache, des sourcils épais qui se rejoignaient au-dessus du nez, des cheveux bruns bouclés. Sa mère l'appelait « mon farouche Irlandais », et à cause de cela le petit Frederick le soupçonnait d'avoir été mêlé aux troubles qui déchiraient l'Irlande. Il apprit plus tard que son père n'avait jamais mis les pieds dans ce pays. C'est fou le nombre de choses qu'il avait apprises, plus tard.

En ce temps-là, cependant, à l'époque où il allait bientôt connaître sa première veillée funèbre, la beauté ténébreuse de son père était encore rehaussée par les bandages blancs qui lui emmaillotaient la tête et lui dissimulaient un œil. Il avait l'air héroïque d'un soldat blessé sur le champ de bataille où il combattait avec ses frères d'armes, et frappé de mutisme par les horreurs dont il avait été témoin.

Un accident, lui avait expliqué sa mère. Un terrible accident survenu pendant qu'il nettoyait son pistolet – un Luger arraché en 1945 à la main raidie du cadavre d'un Boche.

La porte du bureau de son père restait maintenant entrebâillée alors qu'elle était toujours fermée, d'habitude. Le bureau de son père – une pièce défendue où l'on n'entrait que sur convocation. Frederick n'y avait été convié qu'à titre exceptionnel, une fois parce que sa place de premier de la classe lui avait valu les félicitations paternelles, le reste du temps pour recevoir une punition.

Il le terrifiait, ce père qui voyait toujours tout en noir, qui à la moindre contrariété piquait des crises épouvantables, mais qui savait aussi se montrer attentionné. La chasse aux papillons avec son fils par un bel après-midi d'été, la soirée qu'ils avaient ensuite passée à classer les spécimens comptaient parmi les plus beaux souvenirs d'enfance du Dr Bell. Son père enseignait les sciences naturelles dans un lycée voisin, et de fait il n'avait jamais l'air plus heureux que lorsqu'il partageait son savoir.

Il changeait du tout au tout quand il se mettait en tête d'instruire son fils. Il déployait des trésors de patience et de bonne humeur pour l'initier à quantité de sujets qu'il maîtrisait sur le bout des doigts : l'histoire de l'aviation, le principe du moteur à combustion interne, les subtilités de la reproduction cellulaire ou de la gamme diatonique. Dans ces moments-là, il pouvait passer des heures au côté de l'enfant à expliquer, situer, décortiquer, suggérer plutôt qu'ordonner ce qu'il valait la peine de recopier ou de dessiner pour que la leçon porte ses fruits. De temps en temps, il tapotait l'épaule de son fils : « Ne te tiens pas le dos rond comme ça, mon grand. C'est une vilaine habitude. »

Bell possédait toujours le modèle réduit de moteur à vapeur hérité de son père, qui lui-même le tenait de son propre père. Un jouet d'une élégante simplicité, composé d'une chaudière miniature en cuivre reposant sur un support de même métal qui était vissé sur un socle en chêne. Pour la remplir, on dévissait le petit bouchon en cuivre qui la fermait hermétiquement et on versait de l'eau dans l'ouverture étroite à l'aide d'une petite mesure. Un piston, un arbre de transmission, un volant. La mécanique à l'état pur. On plaçait une minuscule lampe remplie d'alcool méthylique sur la base en bois. L'eau qui bouillait dans la chaudière actionnait le piston, qui actionnait l'arbre de transmission, qui actionnait le volant. Le plus beau, c'était la valve fixée à un bout de la chaudière. Quand on l'ouvrait en appuyant sur le levier prévu à cet effet, elle émettait un sifflement à la tonalité gutturale surprenante.

Ces après-midi et ces soirées pédagogiques se distinguaient par leur rareté. La dépression chronique dont souffrait M. Bell père l'amenait à se cloîtrer dans son bureau des jours et des jours d'affilée, et dans ce cas-là il valait mieux ne pas le déranger. Pour rien au monde on n'aurait osé frapper à sa porte, même quand on crevait d'ennui, seul comme un rat parce que tous les camarades étaient partis en vacances. Frederick venait parfois s'asseoir sur la chaise du couloir, près de la porte de la

pièce défendue, et, les pieds ballants, il restait à rêvasser
en attendant que son père se décide à sortir.

Il lui arrivait d'entendre des bruits effrayants derrière la cloison. Des bruits de sanglots, de papiers
déchirés, de livres jetés par terre, alors qu'il n'y avait
personne d'autre que son père, dans le bureau. Les sanglots, surtout, impressionnaient Frederick. Parfois, sa
mère tapait des coups légers contre la porte. Derrière,
le calme revenait, elle entrait, et Frederick aux aguets
l'écoutait poser des questions inquiètes, apaiser, sup-
plier, pendant que son père marmonnait des bribes de
réponse laconiques et inintelligibles.

Personne à l'époque ne savait comment qualifier ça,
du moins pas dans le cercle de ses proches. Les gens
avaient leurs humeurs, bonnes ou mauvaises, et certains
avaient l'humeur plus sombre que la moyenne. Ils
vivaient en Angleterre, ils avaient connu la guerre, que
pouvait-il y avoir de pire ? La consigne, c'était de garder
la tête haute, de rester stoïque, de ne pas se plaindre,
de ne confier à quiconque, sous aucun prétexte, ses
tourments intérieurs. Le mot « dépression » ne faisait pas
partie du vocabulaire courant.

Aussi Frederick avait-il accepté les explications de
sa mère à propos du terrible accident. Il était déconcerté, pourtant. À l'occasion d'un de leurs après-midi
éminemment instructifs, son père lui avait détaillé les
précautions à observer lorsqu'on manie une arme à
feu. Leçon virile entre toutes, mémorisée dans les
odeurs viriles de la graisse et du métal. N'oublie pas
qu'il ne faut jamais, ni laisser un pistolet chargé, ni le
ranger au même endroit que les balles. Plus important,
ne t'avise jamais de le pointer sur qui que ce soit, toi
compris, même pour rire, même une seule seconde. Tu
dois le tenir comme ça, le canon dirigé vers le sol et de
préférence vers un coin de la pièce, pendant que tu
enlèves une à une toutes ces pièces qui s'emboîtent à

la perfection, que tu les déposes sur un linge avant de les graisser.

Bien des années plus tard, Frederick Bell – qui entre-temps était devenu médecin – soupçonna que la balle avait dû pénétrer du côté du rhinopharynx et qu'elle avait crevé le palais, avant, très probablement, de fracturer l'orbite et de ressortir par la partie antérieure du crâne. Les services d'urgence n'étaient pas aussi performants qu'ils le deviendraient par la suite, s'agissant des blessures par balle. De nos jours, un blessé dans l'état de son père rentrerait chez lui sur ses deux jambes, quoique avec des difficultés pour bien voir et parler. Dans les années cinquante, les mêmes dégâts tuaient, mais pas tout de suite.

Son père y avait mis le temps. On lui avait installé un lit médicalisé dans le salon. Une infirmière passait tous les deux jours vérifier l'évolution de son état et changer ses pansements. Quand elle s'occupait de lui, Frederick devait quitter la pièce. De temps à autre, son père se mettait à marmonner des mots sans suite, des fragments de phrases décousues. « La fourche moulée », par exemple. Ou bien « Sur le fil, sur le fil ».

Ravagée par le chagrin, sa mère n'était pas d'un grand secours au petit Frederick. C'est plutôt lui qui essayait de la réconforter et de la distraire en lui apportant le thé et les sandwichs préparés par telle ou telle de ses tantes. Elle le remerciait d'un vague sourire vite dissipé par les larmes. Il traversa cette période avec le sentiment d'être invisible. Ses tantes bavardaient devant lui comme s'il n'était pas là, et il avait entendu l'une d'elles – tante May, en l'occurrence – répéter machinalement « s'est tiré une balle », sur un ton qui même pour ses oreilles d'enfant sous-entendait que la malchance n'y était pas pour grand-chose.

Assis sur la dernière marche de l'escalier dans la pénombre du palier, l'enfant invisible écoutait. Dès qu'une grande personne montait aux toilettes, il filait

dans sa chambre et faisait semblant de lire. Attentif, il enregistrait les commentaires des uns et des autres, les gémissements récurrents de sa mère :
– Pourquoi a-t-il fait ça ? Pourquoi ?
– Il devait souffrir atrocement, répondait tante May.
– Il n'était plus lui-même, disait tante Josephine.
Le petit Frederick finit ainsi par comprendre, avec une angoisse qui lui tordait le ventre, que son père avait délibérément attenté à ses jours. Il dut supporter seul le poids de cette découverte. Se confier à un prêtre ou à une religieuse n'aurait pas servi à grand-chose, et de toute façon cela ne lui serait pas venu à l'esprit ; il n'avait pas été élevé dans la religion. En parler avec sa mère était tout aussi impossible puisqu'elle continuait à soutenir qu'il s'agissait d'un accident. Aussi désorienté et abandonné à lui-même que la petite fille du tableau de Munch, Frederick n'avait personne vers qui se tourner.
Peu à peu, son angoisse persistante prit une forme plus radicale. En classe, la voix de l'instituteur lui parvenait de très loin, comme du bord d'un puits au fond duquel il serait tombé, sans éprouver le besoin d'en sortir absolument. Ses camarades l'ennuyaient ; il les trouvait bêtes, eux et leurs jeux stupides. À la récréation, il allait s'asseoir sous un arbre, il comptait les cailloux et les brins d'herbe ou se plongeait dans la biographie d'un grand scientifique.
Son père sombrait toujours plus dans l'inconscience. L'état du malade s'aggravait, selon l'infirmière. Un premier médecin se déplaça – ils faisaient encore des visites à domicile, en ce temps-là –, puis un second. L'un et l'autre déclarèrent que la médecine n'y pouvait rien : le père de Frederick finirait peut-être par se réveiller, ou bien pas. Il fallait attendre.
On n'y peut rien.
Le Dr Bell se disait souvent que si Munch s'était représenté petit garçon au chevet de sa mère mourante, il aurait choisi ce titre pour son tableau : *On n'y peut*

rien. On ne peut que pleurer et se laisser dévorer par toutes ces émotions que les bonnes familles britanniques des années cinquante se gardaient d'évoquer. En psychiatre averti, le Dr Bell savait qu'il avait alors dû en vouloir de toutes ses forces à ce père qui l'abandonnait de manière abominable, qui infligeait ce supplice à sa mère. Il n'avait cependant jamais éprouvé cette rage consciemment, ni à l'époque, ni maintenant.

Le mourant rendit l'âme un vendredi soir du mois de mars 1952. Son fils n'était pas auprès de lui. Mme Bell non plus. Seule tante May était là. À l'en croire – l'enfant constamment à l'affût avait surpris ce qu'elle disait tout bas au téléphone –, la fin avait été terrifiante. M. Bell qui ne bougeait quasiment plus depuis trois semaines s'était soudain redressé dans son lit, en fixant un point droit devant lui, de son œil non bandé. Tante May était clouée par la peur sur sa chaise. Pendant un instant, une minute, peut-être moins, son frère était resté dans cette position, droit comme un *i*, à fixer le vide.

– Et puis il a parlé, avait murmuré la tante. Vraiment, on aurait dit qu'il venait de recevoir une nouvelle épouvantable. Il a crié : *Oh, mon Dieu...* Non, pas comme une prière, non. Je ne crois pas qu'il venait d'avoir une révélation ou quoi que ce soit de ce genre. Un cri d'horreur, plutôt, de saisissement et d'épouvante, comme tu crierais si on t'annonçait qu'un incendie a détruit une école. *Oh, mon Dieu !* et il est retombé sur le dos. Je me suis précipitée, je lui ai parlé, mais il n'a rien dit d'autre. Il a eu un grand hoquet, et c'est tout. C'était fini. Jane est anéantie, bien sûr.

Jane était sa mère. Ils ne restaient plus qu'eux deux maintenant. Une fois le plus dur passé, elle s'était décidée à rendre le bureau de son père à sa fonction originelle de petit salon, mais ni elle ni Frederick n'y mettaient jamais les pieds. Peu de temps après, leurs moyens désormais plus restreints les avaient contraints à déménager dans un logement plus étriqué, un appartement froid et mal éclairé où ils avaient vécu les dix années suivantes. En rentrant un soir de son boulot à mi-temps dans la pharmacie du quartier, il avait trouvé un mot punaisé sur la porte. L'écriture de sa mère.

Frederick, n'entre pas. S'il te plaît, va chez tante May et demande-lui d'appeler le docteur.

Seconde veillée funèbre. Relativement brève, celle-ci. Sa mère avait avalé un flacon de somnifères mais elle avait vomi. Au lieu d'expédier la chose en une heure ou deux, comme elle y comptait sans doute, elle mit trois jours à mourir. À la fin, les fonctions cérébrales étaient tellement touchées que les autres organes avaient déclaré forfait.

Frederick dut quitter l'appartement pour s'installer chez tante Josephine dans une pièce en sous-sol. Un jour qu'il rangeait les papiers de sa mère, il trouva une vieille enveloppe sur laquelle son père, longtemps auparavant, avait griffonné un seul mot – *Jane*. Elle contenait ce qui suit :

Ma chère Jane,

Pour en finir avec cette farce j'ai décidé de me supprimer. Je suis désolé du spectacle que je vais offrir. Je ne peux plus prendre sur moi, c'est ainsi.

Pas de signature, pas une once de tendresse, pas une allusion à leur fils. Frederick Bell avait dix-huit ans. Assis dans la chambre de sa mère au milieu des sacs et des cartons pleins à craquer, il resta un long, très long moment à contempler ces lignes tracées par son père.

Par chance, c'était un garçon intelligent, déterminé à réussir sa vie. Les bourses que lui valaient ses mérites, complétées par ce qu'il gagnait en travaillant à côté, lui permirent de mener ses études jusqu'au bout. Grâce à tante Josephine, aussi longtemps qu'il fréquenta Sussex University, ses dépenses se maintinrent à un niveau très modeste.

Sous ses dehors calmes et bon enfant, il poursuivait en secret une croisade personnelle. Son objectif, tel qu'il le formulait, consistait à guérir le corps médical d'une cécité qui le rendait aveugle au problème du suicide. Il avait perdu ses deux parents, suivis tous les deux par des médecins de famille mais jamais traités, ni l'un ni l'autre, pour les tendances dépressives qui les avaient conduits au suicide.

Ambitionnant de mettre au point ce traitement, il se passionnait autant pour les promesses des avancées pharmacologiques que pour les diverses formes de psychothérapie. Hormis quelques séances d'aviron sur la rivière voisine, ce projet l'absorbait entièrement. Entré en fac de médecine certain jour de septembre, Frederick en ressortit avec son diplôme en poche au terme d'un parcours que rien n'était venu perturber. Il quitta alors le Sussex pour Londres, et, quatre ans plus tard, il fut admis au rang des psychiatres. Sa bataille contre L'Entité pouvait enfin commencer.

L'empathie particulière que le jeune médecin manifestait aux grands déprimés lui valut des appréciations élogieuses dans tous les établissements où il poursuivait son internat. Au terme de ce dernier, il se vit tout de suite proposer d'intégrer le service de psychiatrie de la Kensington Clinic. Dévoué, sensible, il se tenait également informé des recherches en cours sur les nouveaux produits. Ses résultats parlaient pour lui.

La première année, tout réussit à ce travailleur acharné. Il trouva même le temps de faire la cour à Dorothy Miller, infirmière dans le même service que lui. Il l'amusait et il l'attendrissait, avec ses tics, cette manie de remuer les épaules et la tête quand il parlait. Elle l'admirait. Lui, plutôt séduit, aimait bien qu'elle lui force la main pour qu'il l'invite de temps en temps au cinéma ou au restaurant, avec l'argument qu'il était un homme, pas un pur esprit, et qu'il devait profiter de la vie.

Il connut ses premières difficultés dès sa deuxième année d'exercice en tant que psychiatre confirmé. À trente ans de distance, il se souvenait encore de la manière dont le changement s'était amorcé. Il avait de plus en plus de mal à écouter ses patients. Il s'apercevait avec saisissement que sa distraction les obligeait à réitérer des questions qu'il n'avait tout simplement pas entendues. Ou qu'il avait omis de relever un élément important de leur discours. Il s'en rendait compte au silence qui s'instaurait brusquement et ne savait comment répondre à leurs regards pleins d'attente.

Jusqu'au jour où ce bonhomme ni vieux ni jeune, marié depuis douze ans et père de trois enfants, lui avait raconté qu'il avait vraiment l'impression de toucher le fond, que tous les matins il s'éveillait déprimé à l'idée de devoir encore affronter une nouvelle journée. Bell gardait un souvenir physique de la rage qui l'avait alors envahi, cette bouffée de colère irrationnelle qui résistait à toutes les tentatives d'explication. Tout allait bien pour lui, il adorait son travail, ce malheureux patient n'avait rien dit qui puisse le mettre hors de lui, mais la colère le prenait aux tripes, éclatait dans sa poitrine. Il était si furieux qu'un bref instant il se vit bondir de son siège, attraper l'homme par les revers de sa veste et le secouer. De toutes ses forces.

Il parvint assez vite à maîtriser cette impulsion étrange, mais par la suite elle se manifesta avec une fréquence récurrente. Pas seulement avec ce pauvre bougre, en plus, mais avec tous ses malades, ou en tout cas avec les plus déprimés d'entre eux. Il aurait dû parler à ses confrères de cette évolution alarmante qui compromettait ses efforts, mais elle l'effrayait trop pour qu'il ose aborder le sujet.

Les tête-à-tête avec ses patients devenaient de plus

en plus éprouvants. Il ne supportait plus de les entendre ressasser le dégoût et la haine qu'ils s'inspiraient ; de les entendre résumer leur vie en se fustigeant avec une autodérision glaçante ; de les entendre répéter qu'ils ne se voyaient pas d'avenir, qu'ils étaient fatigués de tout et d'eux-mêmes en particulier. Surtout d'eux-mêmes. Chaque séance était une torture.

Sa frustration rageuse finit par avoir le dessus.

Elle prit d'abord pour cible un dessinateur publicitaire de trente-six ans, Edgar Vail, hospitalisé après une tentative de noyade ratée qui lui avait permis de se découvrir des talents de nageur remarquables. L'homme avait un passé familial lourd, avec plusieurs cas de suicide, et un présent plombé par la solitude. En sus de son divorce récent et d'une série de déboires professionnels qui pouvaient compter parmi les éléments déclenchants, tout un faisceau de raisons variées justifiait son mal de vivre.

Vail aurait voulu se consacrer corps et âme à l'Art avec un grand A. En réalité, il consacrait beaucoup de temps à sa peinture mais n'arrivait pas à trouver un galeriste prêt à promouvoir son œuvre, et personne ne lui achetait un tableau en dehors du cercle restreint de ses amis. Il revenait inlassablement là-dessus, les yeux baissés, en hochant la tête comme un vieillard, en marmonnant encore et encore qu'il ne comprenait pas pourquoi il se donnait la peine de peindre, qu'il aurait mieux fait de jeter ses pinceaux et de renoncer une bonne fois pour toutes. À l'en croire, ces efforts éperdus, ce combat incessant qui ne trouvait jamais aucun écho nulle part reflétaient parfaitement la vacuité de sa vie.

— Pourquoi ne pas vous tuer ? explosa Bell le jour de l'incident. Qu'est-ce qui vous retient de vous tuer et d'aller jusqu'au bout, cette fois ?

Vail releva vivement la tête. Le choc qu'il lut dans son regard d'ordinaire plein de hantise effraya Bell. Il tenta de se récupérer tant bien que mal.

– Non, non, remettez-vous, je n'ai pas voulu vous blesser. J'ai parlé brutalement, je sais, mais réfléchissez, rappelez-vous. Ce soir-là... Enfin, expliquez-moi. Vous aviez un flacon plein de Seconal, chez vous, et vous avez choisi de vous jeter à l'eau alors que vous savez nager. C'est sur ce point que je veux attirer votre attention : vous auriez pu mettre un terme à toute cette souffrance, à ce mal de vivre qui vous pèse tant en avalant quelques cachets, mais vous avez écarté cette solution. J'aimerais que vous vous concentriez sur les motifs profonds qui vous y ont poussé.

Le choc s'était atténué dans les yeux de Vail.

– Une seconde, j'ai cru que vous alliez m'agresser.

– Grands dieux, non ! C'est la dernière chose qui me viendrait à l'esprit. Essayons d'explorer cette piste, si vous voulez bien.

Le démenti produisit son effet. Vail se laissa à nouveau aller sur le divan, bercé par la certitude rassurante que son analyste était là pour l'aider.

Au cours des mois suivants, Bell se fixa pour tâche d'apprendre à contenir sa colère. Avant chaque séance, il s'astreignait à évoquer des moments heureux, pour la plupart liés à ses succès professionnels, mais cette méthode ne donna pas de grands résultats. Le spectacle affligeant de ses patients chassait vite ces souvenirs agréables. Il s'obligea à reprendre de l'exercice physique, se remit à l'aviron. Il n'y gagna que des courbatures, et il avait tellement mal partout qu'au lieu de le détendre cela le rendit encore plus irritable – avec tout le monde, pas uniquement avec ses patients.

Il finit cependant par arriver à se maîtriser en s'entraînant à supprimer les manifestations physiques de la colère. Pour y parvenir, il suffisait tout bonnement d'imiter le comportement de ses confrères. Le déclic se produisit un soir où il s'apprêtait à sortir en barque. Les rames à la main, il s'immobilisa et se laissa lourdement tomber sur un banc, au bord de l'eau.

Le soleil bas sur l'horizon semait des langues de feu sur les vaguelettes gris argent de la Tamise. Il écoutait leur clapotis, le frémissement des feuilles agitées par la brise, et son ouïe devenue hypersensible identifiait des millions de bruits individuels dans la rumeur sourde de la circulation. Un instant, il eut l'impression de saisir une conversation qui se déroulait dans la rue plusieurs centaines de mètres plus loin. Quiconque l'aurait vu à ce moment-là aurait pensé qu'il était en proie à la plus extrême confusion, alors qu'il vivait au contraire une expérience de clarté absolue, intransigeante.

Lors de cette révélation, il comprit qu'à l'instar d'un scalpel de chirurgien, les outils de la psychothérapie se prêtaient à d'autres usages que ceux auxquels ils étaient destinés. Il pouvait continuer à poser les mêmes questions, à hausser les sourcils, à puiser dans la palette d'expressions et d'interventions qui manifestent l'empathie, l'attention, la considération. Il lui suffisait de dévier très légèrement l'angle d'approche, de prendre un biais imperceptible pour orienter le patient dans une direction radicalement différente.

Lorsque Edgar Vail quitta son bureau, la fois suivante, avec en poche une ordonnance de calmants plus puissants, le Dr Bell resté dans la pièce tapissée de bibliothèques s'exclama haut et fort : « Tue-toi et débarrasse le plancher une bonne fois pour toutes, espèce d'épave. »

L'écho de ces mots qui ricochaient sur les murs l'étourdissait. Il se mit à rire tout seul. Un jeu d'enfants ! Et dire qu'il avait mis si longtemps à s'en rendre compte ! La surprise, l'émotion, la reconnaissance avaient toutes leur part dans son énorme éclat de rire, de même que l'hilarité propre au soulagement.

C'était d'une simplicité déconcertante, en effet. Il n'y avait qu'à jeter son dévolu sur un patient désespérément malheureux, consacrer quelques séances à le mettre en confiance, et lui prescrire ensuite un mois de somnifères. En ce temps-là, on utilisait des barbituriques. Mortels à tous les coups, pour qui savait s'y prendre.

Dans certains cas, par exemple celui d'Edgar Vail, lorsque le mépris qu'il s'inspirait n'empêchait pas le malade de s'acquitter de ses obligations quotidiennes, le plus délicat était de l'amener à respecter la dose indiquée. Qu'il ait la main trop lourde, et comme la mère de Bell quelques années plus tôt, il risquait de vomir, voire d'en réchapper. Qu'à l'inverse la pusillanimité le retienne, et il s'en tirerait au mieux avec une migraine carabinée.

Dans d'autres cas, devant un patient accablé par cette souffrance indicible qui avait pourri la vie de son père, Bell devait ruser un peu plus. Il s'arrangeait pour le recevoir le lundi ou le mardi, et il le renvoyait chez lui avec une ordonnance d'antidépresseurs tricycliques. Ces psychotropes puissants agissaient rapidement, et le week-end venu le pauvre diable trouvait l'énergie de charger son fusil, de grimper sur le toit, d'accrocher la corde à une poutre maîtresse. Le système fonctionnait. Sur les vingt personnes mortes de leur plein gré au cours de leur traitement avec lui, près de la moitié avaient fini de la sorte. Un quart des autres, dont Edgar Vail, avait préféré les sédatifs. Les vingt-cinq pour cent restants se sentaient tellement acculés qu'ils se seraient tués de toute façon. Bell ne s'attribuait pas le mérite de ces décès-là.

L'approche pharmaceutique posait néanmoins problème. En premier lieu, à cause de son excessive simplicité. Les médicaments faisaient tout le boulot, franchement. N'importe quel psychiatre aurait pu s'en servir aussi bien. Par ailleurs, elle avait aussi le défaut d'être beaucoup trop risquée. La prescription de barbituriques à un patient suicidaire n'est jamais très bien vue, compte tenu de la dangerosité connue de ces substances. Il y avait d'ailleurs eu un petit accrochage à ce sujet, dans le service, à Swindon. Plus tard, à Manchester, le bruit avait couru qu'on allait enquêter sur sa pratique, mais c'était à cause du taux de mortalité de sa clientèle, pas des prescriptions. Quoi qu'il en soit, Bell avait jugé prudent d'émigrer au Canada. Plus confiant en ses qualités de psychothérapeute, il s'appuyait presque exclusivement sur elles, désormais, et ne recourait aux médicaments qu'à titre exceptionnel.

31

Melanie Greene n'avait plus que quelques semaines à vivre, selon l'estimation clinique du Dr Bell. Elle avait fait ses devoirs, cette fois, et lui apportait trois – trois ! – lettres d'adieu. Au demeurant parfaitement inutiles, en ce qui le concernait. S'il ne pouvait pas persuader cette misérable petite de se supprimer, il n'avait plus qu'à changer de métier. Pas question de la laisser se fourvoyer, aujourd'hui.

Elle lui raconta sa virée en voiture jusque chez son beau-père, expliqua qu'elle était résolue à informer sa nouvelle compagne de ses penchants sexuels mais qu'à la vue de la fillette elle y avait renoncé. Ce manque de cran caractéristique de Melanie constituait un obstacle sur le chemin d'une sortie de scène qu'il aurait préférée digne. Un tout petit obstacle.

– Qu'est-ce qui vous a retenue ? demanda Bell. Quitte à tout dire à sa nouvelle compagne, pourquoi ne pas informer aussi cette fillette de ce dont il est capable ?

– Ce n'est qu'une enfant. Elle doit avoir six ans, sept au maximum.

– Il ne faut pas parler de ces choses-là devant une enfant de six ans, à votre avis ?

– Non. Bien sûr que non.

– Vous n'étiez cependant guère plus âgée quand vous avez subi ces choses. Sept ans, c'est ça ?

– Il me semble que des gosses aussi jeunes ne devraient rien savoir de tout ça. Pas savoir que ça existe et surtout pas le faire. Vous pensez vraiment que la fellation est un sujet dont il faut discuter avec une gamine de six ans ?

— C'est votre réaction qui m'importe, Melanie.

— Eh bien, telle que vous me voyez, je ne vais sûrement pas parler de choses aussi dégueulasses avec une petite fille. Pour être honnête, cependant, c'est parce que j'étais sous le choc que je me suis arrêtée net. Déjà, je trouvais assez moche que Le Monstre vive avec une autre femme, je suis sûre qu'elle aussi il va la traiter comme un chien, mais qu'en plus il vive avec une autre enfant... J'étais sidérée, je vous jure. J'ai failli me faire renverser par une voiture. Elle va connaître tout ce que j'ai connu – les sorties de pêche, le bateau, Wonder-World...

Le Dr Bell sentit que la situation lui échappait. Il avait les mains moites, il s'imaginait en train de l'étrangler, de la secouer, de lui crier en plein visage : « Mais vous êtes aveugle, à la fin, ou quoi ? Votre place n'est pas parmi les vivants. Rendez-nous un service à tous, tuez-vous et qu'on n'en parle plus ! » Il dut lutter pour calmer le martèlement fou de son cœur, sous les côtes. Le mieux, décida-t-il, était d'arracher Melanie au présent et de la ramener à ses traumas.

— Qu'est-ce qui était le plus dur, pour vous ? À l'époque, quand vous étiez petite ? Essayez de préciser ce qui était le plus dur. La douleur physique ?

Elle secoua la tête.

D'ici une minute, elle va se ronger les poings, ricana-t-il intérieurement.

Comme s'il avait formulé cette pensée à voix haute, Melanie porta la main gauche à sa bouche et la tint en suspens devant ses lèvres, prête, aurait-on dit, à mordiller ses phalanges.

— C'était sans douleur, la plupart du temps. Ce n'est arrivé qu'une fois ou deux quand il... quand il... Vous savez bien ! Quand il me le faisait par-derrière !

– Vous parlez de rapports anaux ?

– Euh... oui.

– Vous saigniez ?

Les yeux rivés par terre, elle balança à nouveau la tête de droite à gauche. Au frisson qui la secouait, Bell devina que L'Entité venait d'entrer dans la pièce. Il vit la silhouette glaçante et mortifère déployer sa cape pour la jeter sur la jeune fille.

– Il faisait très attention, dans ces cas-là, reprit Melanie. Mais la plupart du temps il voulait que je le prenne dans ma bouche. De toute façon je ne sentais rien, j'étais comme anesthésiée. Sauf quand j'avais trop mal entre les jambes. Des fois, quand je n'arrivais pas à dormir, ma mère me demandait ce que j'avais et je me mordais les lèvres pour ne pas parler. J'aurais tellement, tellement voulu tout lui dire.

– Vous vous l'interdisiez.

– Oui.

– Parce que...

– Parce que j'avais trop peur. Il m'avait prévenue : si jamais quelqu'un l'apprenait, l'Aide sociale à l'enfance viendrait me chercher. On me mettrait dans un foyer et lui, il irait en prison.

– Ce n'était donc pas la douleur physique, le plus dur. Quoi d'autre ? La peur ?

Elle acquiesça d'un signe, les mains agrippées aux épaules, l'air frigorifié alors que le soleil qui se déversait par les fenêtres surchauffait la pièce.

– J'avais tout le temps peur. J'étais terrifiée à l'idée que quelqu'un nous surprenne.

– À cause des conséquences que vous venez d'évoquer ?

– Oui, et en plus – mais ça c'était après, je devais avoir treize ans – j'avais une peur bleue que maman nous découvre. Je savais que ce serait terrible pour elle. Je savais que je lui prenais quelque chose. C'était ma mère, et j'agissais mal envers elle.

– Vous couchiez avec son mari.

Ça y est, les vannes vont s'ouvrir, songea Bell en la voyant ravaler sa salive.

– Je lui volais son homme, c'est vrai. Je...

Les larmes jaillirent, intarissables, accompagnées de hoquets pitoyables. La pauvre fille était ravagée.

Le Dr Bell poussa la boîte de Kleenex vers elle et attendit que ça se passe. Ah, le prodigieux pouvoir de la culpabilité. Bien administrée, la culpabilité rivalisait haut la main avec la pharmacopée moderne.

Il ne se décida à intervenir que lorsque les sanglots de Melanie commencèrent à s'espacer.

– Pour récapituler, non seulement vous viviez la peur au ventre, mais en outre vous vous sentiez coupable de voler son homme à votre mère. C'est beaucoup, pour une enfant. J'aimerais toutefois revenir sur l'épisode de WonderWorld. Vos allusions de l'autre jour me laissent penser que ce fut sans doute là que vous avez vécu le plus dur, mais si je puis me permettre vous êtes allégrement passée sur les détails.

Melanie opina. Ses yeux rougis étaient barbouillés de mascara. L'Entité l'avait transformée en poupée de chiffon.

Il est généralement de règle, en psychothérapie, de ne pas bousculer les patients, car cela risque de contrarier les effets de la cure pour deux raisons : ou bien le patient, incapable d'absorber toutes ses productions psychiques, s'enfermera plus encore dans la dénégation, ou bien le torrent d'émotions libéré par sa parole le plongera dans le désarroi. Dans un cas comme dans l'autre, on s'expose à des passages à l'acte dont la nature est déterminée par le type de névrose – fuite irrémédiable, explosion de violence, suicide, au pire.

Le Dr Bell savait donc ce qu'il faisait en pressant Melanie de lui livrer ces précisions. Avec la véhémence de la jeunesse, elle souhaitait par-dessus tout extirper d'elle les causes de sa souffrance. C'est bien là-dessus qu'il tablait.

– Je peux vous aider un peu en reprenant ce sur quoi nous en étions restés. Vous rêviez de monter sur les fabuleux manèges de WonderWorld, comme il vous l'avait promis. Il vous avait emmenée là-bas, mais il vous a enfermée dans cette chambre d'hôtel et, avant de tenir pleinement sa promesse, il a exigé une contrepartie. Vous iriez sur les manèges si vous lui donniez du plaisir sexuel.

– C'est ça.

– Vous l'avez évoqué à demi-mots, me semble-t-il, en racontant lors d'une séance que quelques jours plus tôt il vous avait demandé de classer les manèges par ordre de préférence. Un peu comme on écrit au père Noël, en quelque sorte. Vous avez mentionné le Cyclone, si je me souviens bien.

– C'est vrai. Il avait promis de m'offrir un tour sur le Cyclone si... euh, si...

– Prenez votre temps, Melanie.

Toutes les tactiques lui étaient bonnes pour éluder – elle contempla ses pieds, examina ses ongles, soupira à fendre l'âme, regarda par la fenêtre, scruta la pendule. Pour finir, quand il ne lui resta plus d'autre option que la catatonie, elle se résigna à murmurer – d'un filet de voix si ténu que Bell dut se pencher en avant pour saisir :

– Si je voulais monter sur le Cyclone il fallait que je le suce avant.

Elle leva la main droite comme on agite un éventail et se cacha le visage derrière.

– En somme, il s'agissait d'un contrat. D'une négociation, si vous préférez.

– Sûrement pas. Il n'y avait rien à négocier. C'est lui qui décidait, moi je devais obéir. J'avais sept ans, pour l'amour de Dieu ! Je n'osais pas poser de questions. C'était mon père. En tout cas, je le considérais

comme mon père. Il y avait bien deux ans, déjà, qu'il
vivait avec nous.
– Il a obtenu ce qu'il voulait ?
– Oui.
– Et vous avez eu droit à un tour sur le Cyclone ?
– Oui.
Bell la laissa pleurer un petit moment, attentif à la
grimace du visage plissé, au nez qui coulait, aux vilains
vagissements qui lui sortaient de la bouche. Le répit fut
bref, toutefois ; il fallait profiter de l'élan.
– Et le toboggan de la piscine, l'Aquaplouf ? Si je
ne me trompe, il figurait aussi sur votre liste.
– Je ne me sens pas très bien, docteur. Vous croyez
que je pourrais...
– Vous voulez vous étendre ? Je comprends. Il est
très éprouvant, parfois, de revenir sur un passé doulou-
reux.
– Euh... ce serait peut-être plus facile. (Elle se leva
en titubant.) Cela paraît tellement gros, non ? Se coucher sur le divan du psy, avec toutes les blagues qui
circulent là-dessus... Mais j'ai vraiment la tête qui
tourne.
– Allongez-vous, dans ce cas. Et rassurez-vous, je
n'ai aucune intention de blaguer.
Elle obtempéra docilement, en prenant soin de
dévier ses pieds sur le bord, par correction. Gênée par
un des coussins, elle le prit pour le poser par terre, puis,
se ravisant, le plaqua sur son bas-ventre. Les patients
peuvent être si éloquents, à leur insu. Un rayon de soleil
brillait dans ses cheveux.
– Nous en étions au toboggan.
– L'Aquaplouf. Je mourais d'envie de l'essayer. Ça
reste un des meilleurs moments de mon enfance, je
crois, un des plus excitants. L'impression de glisser
comme si je volais. En haut, on a un peu le vertige, mais
en même temps on sait qu'on ne risque rien.
– En échange, qu'est-ce qu'il vous proposait ?

— Proposer ? Mais rien du tout ! Il posait ses conditions, c'était à prendre ou à laisser.

— Il vous avait pourtant expliqué que si vous vouliez monter sur tel manège, il vous demanderait telle chose. Si vous vouliez aller sur tel autre, telle ou telle autre chose. Ne peut-on pas penser qu'il vous ouvrait ainsi toute une gamme de choix ?

— Vu comme ça...

— Et vous avez choisi l'Aquaplouf ?

— Oui.

— C'était un choix de votre part. Vous n'étiez pas obligée d'y aller.

— Non, sans doute pas. Oh, mon Dieu !

— Qu'est-ce que ça vous a coûté ? Ce jour d'été qui vous a tant marquée, à combien se montait la glissade sur le toboggan ?

— Je devais... je devais... coucher avec lui.

— Vous parlez d'un coït, c'est cela ? Avec pénétration vaginale ?

— Oui.

— Et vous avez accepté ?

Il dut attendre longtemps qu'elle cesse de pleurer.

— Et enfin il y avait le Grand Huit. Le plus beau des manèges, à vos yeux. Vous auriez tout donné pour aller dessus. Quel était le prix du Grand Huit ?

— Coït anal, répondit-elle d'une voix sans timbre. Si je me laissais sodomiser, il m'emmènerait sur le Grand Huit.

— C'est ce qui s'est passé ?

— Oui. Il a fait de moi sa petite putain. Je n'avais pas huit ans et j'étais déjà une traînée.

— Melanie, chez nous, dans ce pays, la majorité sexuelle est fixée à quatorze ans. Vous aviez près de deux fois moins, à l'époque. Ne l'oubliez pas.

Il lui en coûtait de prononcer ces mots qui eurent sur Melanie l'effet visible d'un baume apaisant : sa lèvre inférieure cessa presque aussitôt de trembler. Il lui en coûtait, mais les remarques moins lénifiantes qui se pressaient sous son crâne auraient pu la braquer, provoquer chez elle cette agressivité larvée et cette résistance qu'il s'employait justement à supprimer. Tant pis si un peu de douceur et de compréhension prolongeait la partie, une semaine, deux au plus. La crédibilité professionnelle aussi avait un prix.

– En réalité, poursuivit-il, beaucoup de Canadiens estiment que l'âge de la majorité sexuelle devrait être repoussé de plusieurs années. C'est largement le cas ailleurs. Au Royaume-Uni, par exemple, on considère que les jeunes de moins de seize ans ne peuvent pas consentir en connaissance de cause aux avances de personnes adultes. Vous aviez sept ans, Melanie. Vous alliez fêter vos huit ans.

– Oui, mais je n'étais pas innocente, je savais ce qu'il me voulait. Il m'avait déjà initiée à tout ça, avant de m'emmener à WonderWorld.

– Peu importe. Il s'agit ni plus ni moins de viol.

– C'est sûr.

Il détestait leur passer comme ça de la pommade. Il avait l'impression de reculer au lieu d'avancer et cela le heurtait au plus profond de lui-même. C'était pourtant inévitable. Il devait les persuader qu'il était de leur côté, qu'il s'évertuait à les sauver envers et contre tout.

– Eh bien, Melanie, qu'en pensez-vous ? Est-ce que cette fois nous avons enfin abordé le plus dur ? Il a fait de vous la rivale de votre mère. Une petite putain, pour vous citer. À cause de lui, le monde féerique de WonderWorld reste associé à vos pires souvenirs. Il a transformé ce royaume magique en chambre des horreurs.

Elle se redressa brusquement en se tenant aux bords du divan.

– WonderWorld n'a pas été le plus dur, déclarat-elle. Malgré tout ce qui s'est passé là-bas ce jour-là, ce n'est pas ça, non, qui a été le plus horrible. Et de loin.

– Excusez-moi, mais j'ai du mal à vous suivre. Il y a donc eu d'autres moments, d'autres lieux où votre beau-père a abusé de vous de façon plus cruelle encore ?

– Non, ce n'est pas ça. Bien sûr que ç'a été terrible à WonderWorld, physiquement, mais ce qu'il m'a fait ce jour-là il me le faisait aussi ailleurs. Même à la maison, si vous voulez vraiment tout savoir. Même dans le lit de ma mère, des fois. Vous vous rendez compte ? Ce salaud ! Dans le lit de ma mère. Et pourtant, il y a eu plus dur encore. Plus dur, oui. (Elle se laissa aller en arrière et resta quelques secondes sans parler, en respirant laborieusement.) Le plus dur, c'était sur le bateau.

– Lors de ces parties de pêche dont vous m'avez parlé ? Quand vous alliez camper tous les deux ?

Elle secoua la tête.

– Non. Sur un autre bateau. Beaucoup plus beau. Une vedette de luxe. Je ne sais pas si on la lui avait prêtée ou s'il était juste chargé de l'entretenir. J'avais onze ans, à l'époque, et je me souviens d'y être allée deux fois. La première, ma mère était là, avec nous, mais la deuxième il n'y avait que nous deux, lui et moi. C'était vers la fin de ce cauchemar. Il a pris des tas de photos.

– Dans des poses équivoques, comme avant ?

– Il y en a quelques-unes de normales. Celles-là, il pouvait les montrer à maman, après, en lui racontant des histoires « Ici, on est toujours à quai. Là, on approchait de l'île »… vous voyez le genre. Mais toutes les autres, et il y en a des tonnes, sont complètement porno. J'espère simplement qu'il ne les a pas mises sur Internet. Ça me terrifie, l'idée que quelqu'un que je connais tombe dessus par hasard.

– Ce serait possible, vous croyez ?

– Je thu n'en sais rien. Il passait des heures et des heures devant son ordinateur. Tout est possible. En tout cas, ça arrive tout le temps avec les fichiers de pédophiles.

– Revenons à ce bateau. Quels sont les souvenirs qui vous reviennent en premier, quand vous y pensez ?

– Je suis dans mon lit, il fait nuit. Vous connaissez le lac des Truites ? C'est tellement calme là-bas. Tout est silencieux, la nuit est très noire. Le bateau bouge un peu, mais si doucement que j'ai l'impression d'être bercée, bien au chaud. Je me sens comme dans un cocon, je suis si bien qu'il me semble qu'il ne peut rien m'arriver. Et pourtant...

Il lui autorisa cette hésitation. La dynamique de la révélation était en marche. Encore un peu de patience, et elle allait passer à la vitesse supérieure.

– Et pourtant... Oh, ces souvenirs me rendent malade.

– Vous êtes en sécurité ici, Melanie. Vraiment en sécurité. Pas comme sur le bateau.

– Vous savez ce que je pense de toutes ces horreurs, n'est-ce pas ? demanda-t-elle, tournée vers lui. J'ai conscience que c'était mal, vous le savez. Mal et dégueulasse, pervers, illégal, tout ce que vous voulez.

– Oui, je sais que vous le pensez sincèrement. Cela étant, nos pensées et nos convictions ne sont pas nécessairement des vérités.

Melanie ne releva pas, mais le contraire l'eût étonné. Ainsi qu'il l'avait prévu, ce commentaire lui était complètement passé à côté. La pauvre fille était si absorbée en elle-même qu'elle n'aurait pas réagi s'il lui avait annoncé qu'on allait la canoniser.

– Voilà. D'un côté il y avait la sensation merveilleuse d'être allongée dans le noir. D'écouter les vagues battre contre la coque. D'entendre les petits drapeaux accrochés à l'arrière claquer dans le vent. Ç'aurait pu être une soirée de rêve, la plus douce, la plus reposante du monde. Sauf que je n'arrivais pas à dormir. Il était sur sa couchette et moi en face, sur la mienne. À cause de la chaleur, je n'avais mis que mon pantalon de pyjama. Lui, il dormait toujours tout nu, avec son machin qui pendait. Tout était calme et paisible dans le bateau, dehors, et moi j'étais tellement tendue que je n'arrivais pas à fermer l'œil.

Et ce n'est pas la peur qui te tenait éveillée, faillit s'exclamer Bell tant la tentation de la brusquer était forte. Ce n'est pas parce que tu avais peur de lui ou parce que ta mère te manquait. À onze ou douze ans, tu avais passé l'âge. Ce n'est pas non plus parce que tu le haïssais. Je vois très bien ce qui t'empêchait de dormir, ma petite, mais toute la question est de savoir si tu es capable de le confesser. On touchait là au cœur de la psychothérapie, dont la visée essentielle est d'amener le patient à révéler le pire aspect de lui-même et à l'accepter sans le juger. Sans ces moments cruciaux, il n'y a pas de thérapie, pas de progrès, pas d'espoir de guérison. Uniquement du bavardage. Des heures et des heures de bavardage.

Il prit une voix très douce, presque suave, assez claire néanmoins pour qu'elle comprenne :

– Vous pouvez m'expliquer pourquoi, Melanie ? Pourquoi n'arriviez-vous pas à dormir ? Essayez de mettre un nom sur les sentiments qui vous agitaient.

– C'est que... je savais ce qui allait se passer, forcément. C'était toujours pareil quand il était seul avec moi. Surtout la nuit...

– Vous n'étiez qu'une enfant.

– J'avais onze ans, tout de même ! Douze, peut-être. J'aurais dû avoir compris depuis longtemps !

– Pourquoi ? Par quel miracle ? Personne, à ma connaissance, ne vous avait expliqué en dix leçons *Comment raconter à maman que son mari me viole*. Est-ce qu'il vous est déjà arrivé d'observer des petites filles de douze ans dans la rue ? Au cinéma, n'importe où ?...

– Oui, bien sûr...

– De quoi ont-elles l'air, ces petites filles ?

– De sottes, pour la plupart. De pimbêches finies.

– De vraies gamines, autrement dit.

– Exactement.

– Bon. Vous, donc, à onze ans, peut-être douze, vous êtes là-bas, couchée dans le noir dans ce lieu secret aussi rassurant qu'un cocon en compagnie d'un homme qui déclare vous aimer. Qui vous aime peut-être, à sa façon. Pas un chat alentour, vous êtes seuls tous les deux. Que ressent-elle, la petite fille que vous êtes ?

– Je crois que je vais vomir.

– En ce moment ? Vous avez la nausée ? (Un hochement de tête imperceptible, un frisson de tout le corps. Très pâle, Melanie se contracta sur le divan.) Ce sont les mots que vous devez vomir. Les secrets. Dites-moi cette chose qui vous angoisse et vous vous sentirez tout de suite mieux, vous verrez.

– Non. Je vais rendre, c'est sûr.

– Vous êtes couchée dans le noir. Vous avez onze ou douze ans et il y a un homme avec vous, un adulte. Il va venir vous trouver dans votre lit, vous le savez, et vous savez pourquoi. Qu'est-ce que vous éprouvez, alors ? Dites-le-moi, Melanie, et la nausée va disparaître. Quels sont les sentiments qui vous agitent en attendant qu'il se lève dans le noir pour venir vous rejoindre dans votre lit ?

– Il n'est pas venu ! Vous ne comprenez pas ? Il n'est pas venu, c'est tout !

– Que s'est-il passé, alors ? Expliquez-vous.

– Je ne peux pas, je ne peux pas ! Je ne veux pas.

– Mais si, vous pouvez. Vous ne seriez pas là, sinon.

– Je vous en prie. Je ne peux pas.

– Il n'est pas venu dans votre lit. Très bien. Il n'est pas venu vous trouver… et pourtant… ?

– Non !

– Il n'est pas venu vous trouver…

– Oh, Dieu !

– Il n'est pas venu, et donc…

– C'est moi qui y suis allée !

Les larmes qui jaillirent de ses yeux éclipsèrent toutes celles qu'elle avait répandues avant. Jamais, au cours de sa carrière de psychiatre, le Dr Bell n'avait vu quelqu'un en verser autant.

– Je le voulais ! Je suis malade, malade ! Je voulais qu'il me le fasse, qu'il me le fasse, oui, et moi je le lui ai fait. Cette fois-là, c'est moi qui le lui ai fait, vous comprenez ? Quelle horreur, mon Dieu, quelle horreur ! Je ne mérite pas de vivre. Je ne suis qu'une sale pute. (Curieux, Bell la regardait pleurer à torrents en attendant en silence que la source se tarisse.) Je suis malade, répétait-elle à bout de forces. Non, vraiment, je ne sais pas ce qui me retient de mourir.

Elle semblait plus petite, à présent, comme si la culpabilité rapetissait encore sa silhouette chétive.

– Nous arrivons au bout de cette séance, Melanie.

– Déjà ?

– Je ne vous chasse pas. Prenez quelques minutes, si vous le souhaitez.

– Non, non. Ça ira. Je m'en vais.

Elle se lissa les cheveux en arrière et se leva, un peu chancelante. Elle rassembla ses affaires sans cesser de renifler et se dirigea vers la porte. Au moment de l'ouvrir, elle se retourna :

– Ça va être dur, vous savez, d'attendre jusqu'à la semaine prochaine. Je ne suis pas sûre d'y arriver.

– Oh, à propos ! Je suis désolé, j'aurais dû vous en parler au début. Ça m'était sorti de la tête.

– De quoi ?

– Je ne peux pas vous recevoir, la semaine prochaine.

32

Son déjeuner avalé, Cardinal se rendit au poste de police avec la photocopie sur laquelle apparaissaient les empreintes. Il voulait en parler avec Paul Arsenault, mais il ne se sentait pas encore prêt à reprendre le travail. Pas officiellement. Pour l'instant, une autre tâche le retenait et il lui aurait été difficile, voire impossible, de poursuivre cette enquête à caractère privé tout en s'occupant des nombreuses affaires qu'on ne manquerait pas de lui confier.

Arsenault porta à ses lèvres la grande tasse de café marquée à son prénom, inscrit en gras sous le drapeau acadien.

– Tu voudrais que je vérifie ça pour toi en douce ?

– Ce n'est pas très orthodoxe, je sais. Il n'y a pas de dossier.

– Exact, John. Il n'y a rien du tout.

C'était mauvais signe qu'il l'appelle par son prénom. Cela signifiait qu'il le plaignait, voire pire. Arsenault avait sûrement entendu parler de l'arrestation de Roger Felt. Il posa sa tasse patriotique et se leva pour aller fermer la porte de communication entre le service d'identification et les autres locaux.

– John, écoute. Tu débarques ici avec ce papier, la lettre d'adieu de ta femme, et tu voudrais que je vérifie les empreintes. Je ne demande qu'à t'aider, franchement. D'ailleurs je suis prêt à le faire si vraiment tu y tiens, mais il y a un hic, tu ne crois pas ? Le coroner a

examiné ce document. Delorme aussi. Le légiste aussi.
Même nous, dans le service. Rien ne permet de penser
que sa mort aurait pu être provoquée.

– Aide-moi, Paul. Même si c'est par pitié, je m'en
fiche. Au moins je saurai à quoi m'en tenir, c'est tout ce
qui m'intéresse. J'ai besoin de savoir qui a touché cette
feuille, en dehors de Catherine.

– Ce n'est pas un faux, John. Tu l'as dit toi-même.

– Raison de plus pour trouver curieux qu'il y ait
d'autres empreintes que celles de Catherine.

– Suppose qu'on s'aperçoive pour finir que ce
pouce, en bas, est celui du coroner ? Où est-ce que ça
te mènera ?

– Si le coroner ou un fonctionnaire quelconque a
commis une bourde de débutant, très bien. On tire un
trait et on n'en parle plus. Tout le monde peut se tromper, moi le premier.

Pensif, Arsenault contemplait le fond de sa tasse de
café.

– Tu crois vraiment qu'on l'a tuée, John ?

– Je crois simplement que quelqu'un d'autre a touché cette lettre. Je veux savoir de qui il s'agit.

– Bien, les enfants. Dix minutes de pause.

Eleanor Cathcart descendit de scène en essuyant la
sueur purement imaginaire qui perlait à son front et prit
place à côté de Cardinal, au premier rang des fauteuils
d'orchestre. Il connaissait bien cette salle pour y être
maintes fois venu, gamin, du temps où le Capital était
le plus grand cinéma de la ville.

– Seigneur ! souffla Eleanor. La première a lieu
demain et notre petit Torvald n'a toujours pas coupé le
cordon avec le souffleur ! Qu'est-ce qui me vaut le plaisir, inspecteur ? C'est tellement triste, ce qui est arrivé
à Catherine. Elle va vraiment nous manquer, si vous
saviez.

– J'avais envie de parler un peu avec vous. Après

tout, vous êtes la dernière personne à avoir vu Catherine vivante.

Autant qu'on sache, se retint-il d'ajouter.

– C'est vrai, et je ne peux pas m'empêcher de penser que c'est ma faute. Si seulement je n'avais pas tant déliré sur la vue magnifique qu'on a de mon appartement ! Si seulement je ne lui avais pas ouvert ! Si seulement j'étais restée avec elle !

– Ce doit être très pénible, pour vous.

– Oh, je fais avec, vous savez ce que c'est, mais ma *joie de vivre** en a pris un coup. Récemment, et je ne sais pourquoi, j'ai perdu toute ma gaieté, pour parler comme ce pauvre Hamlet, même si en réalité je sais parfaitement pourquoi. Catherine nous a quittés, nous ne la verrons plus. Bien entendu, j'ai déjà raconté tout ce que je savais à votre collègue en jupons, si j'ose dire.

– Ma démarche est plus personnelle. J'ai besoin de clarifier quelques points troublants.

– Oui, c'est tout naturel, mon pauvre, dit-elle en lui posant une main compatissante sur le poignet. Je sais trop bien ce que vous ressentez.

Il lui posa les questions que Delorme, il n'en doutait pas, lui avait déjà posées. Les explications qu'elle lui fournit s'enchaînaient très simplement : Catherine avait exprimé le souhait de photographier le paysage qu'on découvrait du haut de l'immeuble ; elles avaient pris rendez-vous ; à l'heure convenue, Mme Cathcart lui avait ouvert la porte avant de repartir très vite pour une répétition avec la troupe d'Algonquin Bay.

– Vous vous voyiez beaucoup, Catherine et vous ? Dans le cadre de votre travail, à la fac ?

– Non, pas tant que ça. Je la croisais de temps en temps. On se disait bonjour, mais on n'était pas copines, copines. Nos rapports étaient cordiaux. Ce que je peux dire, je crois, c'est que je l'admirais de loin. Catherine avait une façon d'être indépendante que je trouvais magnifique.

Quand elle allait bien, oui, elle était comme ça, se dit Cardinal.

— En somme, vous ne savez pas qui elle fréquentait, à l'institut.

— Non. Mon royaume à moi, c'est le département théâtre. Il n'empiète quasiment pas sur le territoire des photographes.

— Vous ne l'avez jamais vue avec une personne inconnue ? Quelqu'un dont la présence vous aurait paru curieuse, à l'université ?

— Non. Quand je la rencontrais elle était seule, la plupart du temps, ou entourée d'étudiants.

— Il lui arrivait de s'emporter contre les gens ? Ou, à l'inverse, de les braquer contre elle ?

— Jamais. Évidemment, tout le monde s'inquiétait un peu pour elle, vous vous en doutez bien. Et parfois, c'est vrai, ses collègues enseignants devaient assurer des cours à sa place, mais je suis sûre qu'aucun d'entre eux n'a jamais pensé que ces absences étaient des caprices de sa part. (Mme Cathcart se toucha le front du bout des doigts avec beaucoup d'élégance.) La seule chose, peut-être, serait ce *contretemps** qui l'a opposée à Meredith Moore.

— Ah, oui, j'ai un peu oublié les détails ! mentit Cardinal à qui Catherine avait maintes fois exposé sa version des faits.

— Une banale histoire de petite cuisine interne, comme il y en a souvent dans nos milieux. Dès qu'il y a un poste de direction à prendre, tout le monde sort les couteaux. Sincèrement, les universitaires n'ont rien à envier aux Borgia. Quand Sophie Klein a annoncé qu'elle partait parce qu'elle était recrutée par York, Catherine et Meredith se sont portées candidates pour diriger l'institut. Elles étaient sans doute aussi qualifiées l'une que l'autre. Catherine avait reçu plus de distinctions pour son œuvre artistique, Meredith connaissait mieux les arcanes administratives. Les choses se sont envenimées parce que Meredith considérait comme un affront personnel le fait que Catherine sollicite le poste. C'était ridicule. Elle devait être persuadée que cette couronne était de toute éternité destinée à sa tête auguste. Il est possible, en effet, que pour disqualifier Catherine elle soit allée jusqu'à évoquer en haut lieu ses, euh... sa versatilité psychologique. Le bruit a même couru que le doyen avait reçu, sous pli anonyme, une copie du dossier médical de Catherine. Autant vous le dire tout de suite, pour moi cette rumeur sent la fariboie. La suite, vous la connaissez.

– Meredith a été nommée.

– Oui, et j'ai toujours admiré la manière dont Catherine s'est alors comportée. Elle n'a jamais eu un mot contre Meredith, elle n'a jamais manifesté le moindre ressentiment. Meredith, en revanche...

– Continuez.

Un sourire coupant apparut sur les lèvres de Mme Cathcart.

– Vous savez comment c'est. Les gens ne vous pardonnent pas le mal qu'ils vous ont fait. Pour moi, il est très clair que Meredith aurait été ravie que Catherine soit mutée ailleurs. Après cette histoire, elle s'est mise à la snober quand elles se trouvaient dans la même pièce, elle n'arrêtait pas de la dénigrer par-derrière. La vieille pimbêche.

Meredith Moore se montra pourtant débordante d'amabilité, lorsqu'il alla la voir. Elle prit la main qu'il lui tendait entre ses deux petites paumes sèches, et, le regardant droit dans les yeux, déclara :

– Quelle tristesse, ce qui est arrivé à Catherine. Une tragédie, il n'y a pas d'autre mot.

– Vous avez trouvé quelqu'un pour la remplacer à son poste ?

– Au milieu du semestre ? Pensez-vous ! Les cours qu'elle assurait ont été confiés à un autre enseignant, mais ce n'est pas comme s'il avait préparé le programme.

– Il paraît cependant que vous n'étiez pas très contente d'elle. Que vous cherchiez même, à ce qu'on m'a dit, une personne susceptible de la remplacer.

Cassante – tel était le qualificatif que Cardinal aurait spontanément employé pour décrire Meredith Moore. Des cheveux secs comme des brindilles, une peau papier crêpon. Il lui sembla presque entendre crépiter les lèvres minces, étirées en pli contrarié.

– Ceux qui font courir ce bruit ne savent pas de quoi ils parlent, répliqua-t-elle. Catherine avait des évaluations excellentes, elle était très respectée pour ses photographies.

– Vous ne songiez donc pas à la remplacer ?

– Absolument pas.

– Comment décririez-vous les rapports que vous aviez avec elle ? Vous vous entendiez comment, toutes les deux ?

– Bien. Sans être des amies proches, nous avions de bonnes relations de travail. Monsieur Cardinal, je sais que vous êtes policier et je veux bien admettre que votre attitude relève de la déformation professionnelle, mais cet entretien ressemble par trop à un interrogatoire.

– Vous m'avez dit que ses étudiants appréciaient beaucoup Catherine. Il n'y en avait pas au moins quelques-uns, à votre connaissance, avec qui les choses se passaient moins bien ? Qui auraient pu lui en vouloir d'une mauvaise note, par exemple ?

– Pas que je sache, non. Ce serait d'ailleurs étonnant. Votre épouse était sans doute une enseignante remarquable, mais elle notait généreusement ses étudiants. Certains d'entre nous sont trop sévères, d'autres trop indulgents. Pour ma part, j'essaie de trouver un juste milieu. Catherine faisait partie des indulgents. Elle aurait sûrement été la première à le reconnaître.

En effet, se dit Cardinal. Catherine détestait sanctionner comme ils l'auraient mérité les résultats insuffisants ou médiocres, et ça la plongeait dans les affres d'y être parfois obligée.

– Donc personne, jamais, n'est venu vous trouver pour contester son évaluation d'un mémoire ?

– Jamais. De toute façon, le semestre n'est pas suffisamment avancé pour que ces jeunes gens s'inquiètent à l'idée d'être recalés.

– Catherine avait posé sa candidature pour le poste de directrice des études.

– Absolument. Son dossier était des plus solides, d'ailleurs.

– Cela a tout de même dû affecter quelque peu vos « bonnes relations de travail », non ?

– C'est ce qu'elle pensait ?

– Je vous pose la question.

– Il serait ridicule de le nier. Oui, nos rapports ont été un peu plus tendus, à cette époque. Cela peut se comprendre, n'est-ce pas ? J'imagine que ces situations de concurrence professionnelle existent jusque dans les services de police.

– Pour autant, les gens ne se jettent pas du haut des toits.

Mme Moore le dévisagea, médusée.

– Vous croyez qu'elle s'est tuée parce qu'elle n'a pas obtenu le poste ?

– Non, non.

– Je préfère ça. Autant que j'ai pu en juger, elle n'en semblait pas outre mesure affectée. Pourtant, c'était assurément quelqu'un de… une personne hypersensible, n'est-ce pas ?

– Hmm. Vous l'avez vue, le jour de sa mort ?

– Je l'ai aperçue dans le couloir, vers midi. Elle s'apprêtait à donner son dernier cours de la matinée.

– Et le soir ?

– Elle n'a pas cours le mardi après-midi.

– Ce n'est pas ce que je vous demande.

Mme Moore s'empourpra, mais le pli qui lui barrait la bouche dénotait la colère, non l'embarras.

– La réponse est non.

– Vous étiez à l'institut ce soir-là ?

– J'étais chez moi, devant la télévision. J'ai regardé l'émission sur les trésors du patrimoine. Écoutez, je ne sais pas comment vous le dire. Je suis navrée de ce qui est arrivé à Catherine. Sincèrement navrée, mais bien que je compatisse à votre malheur, je trouve intolérable d'être interrogée comme une criminelle.

– Je le comprends, répondit Cardinal en se dirigeant vers la porte. Les criminels non plus n'apprécient pas.

33

Dorothy Bell s'apprêtait à lier ensemble les journaux qu'elle destinait au recyclage quand un titre à la une attira son attention. Elle déplia le quotidien sur la table de la cuisine et, penchée dessus pour compenser sa vue basse, lut de bout en bout l'article consacré aux obsèques de Perry Dorn. Plus de deux cents personnes y avaient assisté. Perry Dorn, un des meilleurs éléments de Northern University, était apprécié de ses camarades et estimé par ses professeurs. Le journaliste avait recueilli les commentaires de plusieurs d'entre eux.

« Perry avait un cœur immense. Il partageait tout ce qu'il avait sans hésiter. Même quand il était fauché. »

« Il ne laissait jamais tomber personne. »

« C'était un garçon brillant, d'une intelligence hors du commun, affirmait un professeur. Il nous aurait tous distancés très vite. »

Perry Dorn s'était fait sauter la cervelle dans une laverie automatique de la ville, et sa mort tragique avait suffisamment frappé les esprits pour que l'*Algonquin Lode* lui consacre plusieurs colonnes.

Le journaliste glissait quelques allusions au tempérament dépressif du jeune homme.

« Il semblait pourtant aller mieux, depuis quelque temps, s'étonnait un de ses condisciples. Il lui tardait de partir à Montréal pour y poursuivre ses études. Il était fou de joie à l'idée d'entrer à McGill. »

Sous le sous-titre « Revers amoureux », un ancien

camarade de chambre expliquait que Perry Dorn s'épre-
nait passionnément de femmes inaccessibles. « C'est
vraiment dommage, parce qu'il n'avait que l'embarras
du choix. Il était brillant, très bien élevé, des tas de filles
auraient voulu sortir avec lui, mais Perry ne s'intéressait
qu'à celles qui ne voulaient pas de lui. Ces échecs le
déprimaient profondément. Il s'enfermait en lui-même
et restait des jours sans manger, sans dormir, sans prononcer un mot. C'était vraiment angoissant, de le voir
comme ça. »

Le nom de Perry Dorn ne disait rien à Dorothy Bell,
mais elle l'avait tout de suite reconnu sur la photo de
remise des diplômes qui illustrait l'article. Le chapeau
carré dissimulait la calvitie précoce, mais pas le cou de
poulet étique, la pomme d'Adam proéminente, les yeux
creusés et infiniment mélancoliques du jeune homme
qu'elle avait vu maintes fois dans la salle d'attente,
devant le bureau de son mari.

Dès qu'elle eut associé ce visage et ce nom, son
cœur se mit à battre la chamade. Un garçon sur le point
d'entrer dans une université prestigieuse y avait renoncé
en mettant fin à ses jours – et de manière spectaculaire,
en plus. Il avait pourtant des raisons d'être optimiste et
confiant dans l'avenir, ce garçon qui était suivi par son
mari.

Quand Dorothy avait rencontré Frederick, bien des
années auparavant, c'est son intelligence, surtout, qui
l'avait impressionnée. Elle-même était loin d'être sotte,
elle obtenait des résultats plus qu'honorables, à l'école
d'infirmières, mais Frederick avait une acuité et une vivacité d'esprit qu'elle était loin de posséder. C'était un
beau jeune homme ténébreux – sans barbe ni lunettes,
à l'époque –, bourré de tics attendrissants. Il n'avait pas
trente ans, mais il avait déjà une réputation flatteuse
dans cet hôpital londonien où ils travaillaient tous les
deux.

Le jour où il l'avait pour la première fois invitée à

dîner au restaurant, elle en était d'abord restée sans voix. Elle avait même jeté un coup d'œil par-dessus son épaule, histoire de vérifier qu'elle n'était pas la cible d'une de ces plaisanteries chères aux jeunes internes. Mais non. Il n'y avait personne, dans le couloir.

Ils tiraient le diable par la queue. Frederick l'avait emmenée dans un self américain de King's Road, avec des juke-boxes et des flacons de ketchup Heinz sur les tables. En ce temps-là, un hamburger paraissait encore follement exotique. Longtemps après leur mariage, il lui avait avoué que ce repas lui avait coûté bien plus cher qu'il ne s'y attendait. Il avait juste de quoi régler l'addition et n'avait pas pu laisser de pourboire. Il adorait cette anecdote qu'il racontait volontiers et dont la chute ne variait jamais : «Je n'ai jamais osé remettre les pieds là-bas. J'avais bien trop honte.»

Dorothy avait d'emblée été séduite par son intelligence et son sens de l'humour. Pour sa part, il appréciait sa délicatesse et le talent qu'elle avait pour transformer un appartement sinistre en foyer accueillant. Ils se suffisaient si bien l'un à l'autre qu'il leur aurait semblé incongru de se compliquer la vie avec des enfants. C'est ainsi, du moins, que Frederick formulait les choses. Moins catégorique, Dorothy était assez perspicace pour deviner qu'il n'était pas homme à s'épanouir dans la paternité.

Elle conservait un souvenir nostalgique des premiers temps de leur vie commune, de ces week-ends passés à explorer la campagne anglaise le nez au vent.

Assez vite, toutefois, cette idylle avait été gâchée par ce qu'il fallait bien appeler l'instabilité professionnelle de Frederick. Son intégration dans le service psychiatrique de la Kensington Clinic l'avait rendu euphorique, il se félicitait de travailler dans cet établissement prestigieux où chacun reconnaissait ses qualités professionnelles, et voilà qu'au bout d'un an et demi seulement il lui avait annoncé tout à trac qu'ils allaient emménager à Swindon où on lui offrait un poste intéressant. L'hôpital psychiatrique de Swindon n'était pas pire qu'un autre, Dorothy était bien acceptée par ses collègues infirmières, mais la « mutation » de son époux constituait à ses yeux une sorte de déchéance. Pour ne pas le blesser, elle gardait cette opinion pour elle.

Ils étaient installés à Swindon lorsque Frederick fit l'objet d'une enquête pour prescription abusive de médicaments. Selon les explications qu'il lui avait alors données, en réalité il s'était contenté de prescrire un antidépresseur tricyclique à un adolescent atteint de dépression chronique. N'importe quel médecin un peu au courant aurait agi de même, à sa place, mais sitôt rentré chez lui son jeune patient avait avalé un flacon de somnifères qui figuraient également sur l'ordonnance. La famille avait accusé le Dr Bell d'être resté sourd aux appels au secours de ce garçon, qui de toute évidence aurait dû être hospitalisé. L'enquête n'ayant révélé qu'un certain laxisme dans le suivi médical, elle avait simplement donné lieu à un blâme. Ce verdict plutôt clément avait révolté Frederick.

« Bande d'idiots, rageait-il. Espèce de demeurés ! Ignares ! Cela arrive tous les jours que les grands dépressifs se suicident. Qui sait si ce gosse ne serait pas mort depuis des mois s'il n'avait pas été en traitement chez moi ? Le suicide est l'aboutissement logique de la dépression, c'est comme ça. Et les gens qui souffrent de dépression n'annoncent pas leurs intentions *urbi et orbi*. Ils prennent soin de les cacher, au contraire. Si on m'accuse de n'avoir pas su lire dans ses pensées, alors d'accord, je plaide coupable. »

À ce moment-là déjà, Dorothy trouvait que l'on était justement en droit d'attendre d'un psychiatre qu'il déchiffre les pensées de ses patients, mais Frederick était son mari et elle l'avait soutenu sans plus se poser de questions. Il lui en avait été si reconnaissant qu'en réalité ce premier revers les avait rapprochés.

Frederick avait su rebondir. Peu de temps après, il

décrochait un poste plus gratifiant au Centre de Santé mentale de Manchester. Ils avaient noué de nouvelles relations là-bas ; ils participaient à la vie locale et donnaient des dîners très réussis. Dorothy commençait à oublier leurs déboires, à se dire qu'enfin ils étaient installés et que l'avenir leur souriait, quand le Centre les informa qu'il comptait demander une enquête sur les pratiques de Frederick. Le taux de suicides dans sa clientèle préoccupait la direction.

L'affaire, toutefois, ne traîna pas en longueur et contribua largement à disculper Frederick. Il s'avéra en effet qu'il usait des traitements chimiques avec plus de prudence que la plupart de ses confrères.

« Les médecins font un usage excessif de la prescription de médicaments, déclara-t-il devant la commission. Je considère pour ma part que le traitement le plus efficace de la dépression réside dans une association raisonnée de la psychothérapie et de la pharmacopée. Aucune de ces deux méthodes ne se suffit à elle-même, surtout dans les cas graves, mais le recours aux psychotropes est nettement plus risqué, car l'action de ces substances étant plus rapide que la capacité de récupération psychique du patient, elle peut compromettre les chances de guérison à long terme. »

Le Dr Bell avait en l'occurrence une longueur d'avance sur son temps. Son approche des causes et du traitement de la dépression faisait désormais autorité au Royaume-Uni. Devenu un des meilleurs spécialistes de cette maladie, il suivait un nombre de patients phénoménal. La commission chargée de statuer sur son cas considéra que la conjonction de ces deux éléments l'exposait à enregistrer un taux de suicides plus élevé que la moyenne.

Frederick ne s'en sentit pas moins outragé par cette nouvelle procédure.

« Quel affront, quelle ingratitude, répétait-il à tout bout de champ. Ah, la stupidité confondante de ces

gens ! Il a fallu qu'ils nomment une commission
d'enquête pour découvrir cette vérité évidente : les gens
désespérés finissent par se tuer. »

Le couple avait émigré peu après. Cette fois, malgré
la disculpation officielle, Dorothy doutait de son mari.
Elle connaissait suffisamment le système hospitalier
pour savoir que l'administration n'aurait rien de plus
pressé que d'étouffer le scandale. Puis, un jour qu'elle
préparait le déménagement, elle trouva une lettre du
ministère de la Santé informant Frederick qu'il allait être
l'objet d'une autre enquête portant sur l'ensemble de
sa carrière, des débuts à Swindon au poste dont il venait
de démissionner à Manchester. Elle en fut profondément troublée.

Frederick ne lui avait pas soufflé mot de ce courrier,
posté alors que la commission de Manchester venait de
le blanchir.

Il aurait fallu en parler avec lui, mais elle n'arrivait
pas à s'y résoudre. Elle n'avait pas envie de s'entendre
traiter d'idiote, de débile, d'imbécile. À leur arrivée à
Toronto, elle s'était néanmoins promis de s'intéresser
de plus près à l'activité de son mari. Elle n'allait pas
jusqu'à écouter aux portes, elle ne s'informait pas
subrepticement sur ses patients, mais il lui arrivait de
surprendre des échanges téléphoniques déconcertants
et elle s'inquiétait d'entendre parfois Frederick dire, à
propos d'un décès brutal dont elle avait eu connaissance : « C'était un de mes patients. Pauvre diable. »

Elle remarqua qu'il découpait les avis de décès.

Il n'aimait pas Toronto. Après un bref passage au
Centre de Santé mentale de Queen Street, il avait été
recruté par l'hôpital psychiatrique d'Algonquin Bay. Il
expliqua à sa femme qu'il était las du rythme de vie
urbain et préférait s'installer dans une ville plus petite,
plus tranquille. Elle n'avait rien à opposer à ces arguments.

Il y avait deux ans de cela. Depuis, trois de ses

clients au moins s'étaient suicidés : Leonard Keswick, administrateur des services sociaux ; Catherine Cardinal, photographe, chargée de cours à l'institut d'art ; et Perry Dorn, le dernier en date. La presse en avait parlé parce que le premier avait eu des démêlés avec la justice, que le cadavre de la seconde avait été retrouvé au pied d'un immeuble flambant neuf et que le troisième s'était donné la mort au grand jour, devant témoins. Dorothy craignait qu'il n'y en ait eu d'autres, même si, bien sûr, c'était difficile à admettre.

Comment comprendre que Frederick n'ait même pas jugé bon d'évoquer devant elle ce malheureux garçon, Perry Dorn, alors que le journal consacrait presque une page à sa disparition et qu'on en avait probablement parlé sur la chaîne locale ? Il aurait pu au moins jouer la stupeur, l'incrédulité, mais non. Rien. Pas un mot.

Dorothy mit de côté la page arrachée au journal et finit de nouer la ficelle autour de la liasse. Il était temps qu'elle aille faire les courses si elle voulait éviter la cohue de fin de journée. Dans le couloir, elle s'arrêta devant la porte du bureau de Frederick. Le solide panneau de chêne ne laissait guère filtrer les bruits, mais en tendant l'oreille elle reconnut la voix de son mari et une autre, moins audible, qu'elle ne connaissait pas. Il ne recevait pas de patient, en ce moment. Le prochain avait rendez-vous dans une demi-heure. Il devait une fois de plus regarder une séance enregistrée. Il consacrait un temps fou à cette activité.

Elle lui avait demandé pourquoi, un jour.

« Pour progresser, avait-il répondu avec sa désinvolture coutumière. On n'est jamais trop vieux pour se perfectionner. Quand je visionne les séances, je découvre des subtilités qui m'avaient échappé, des gestes, des expressions, tout un langage du corps que je n'avais pas remarqué. Ça m'aide aussi à mémoriser des détails importants. »

La volonté de progresser n'explique pas tout, se dit Dorothy en refermant la porte d'entrée derrière elle. Frederick passait maintenant tous ses moments libres à regarder ses enregistrements. À l'heure où les braves gens s'installent dans un fauteuil pour lire, allument la télé ou s'apprêtent à aller se coucher, il s'enfermait dans son bureau et y restait jusque tard dans la nuit.

Ce comportement avait quelque chose de malsain.

34

R. J. Kendall, le chef de la police, maniait plus volontiers la carotte que le bâton. Il était capable de laisser une deuxième, une troisième, une quatrième chance à des hommes que Cardinal, s'il n'avait tenu qu'à lui, aurait privés séance tenante de leur insigne et de leur arme. Mais Kendall était aussi soupe au lait, et certains le soupçonnaient d'entretenir sciemment son humeur versatile pour tenir ses troupes en haleine. Quand il partait dans un de ses coups de gueule, on l'entendait jusqu'à l'autre bout du poste. Une semaine plus tard, il se répandait en éloges sur le travail admirable accompli par le crétin fini qui avait mérité ses foudres.

Pour l'heure, il trônait dans son imposant fauteuil en cuir, éclairé à contre-jour par la lumière de la fenêtre qui transformait en halo terne sa maigre tignasse poivre et sel. Il n'avait pas invité Cardinal à s'asseoir.

– Je compatis, bien sûr, disait-il. Si par malheur ma femme devait mourir dans des circonstances similaires, je serais sans doute tenté de réagir comme vous.

– J'étais avec elle trois heures avant, patron. Elle allait bien. Il lui tardait de se mettre à son nouveau projet. Rien à voir avec l'attitude de quelqu'un qui a décidé de se tuer.

– Le légiste a conclu au suicide.

– Claybourne est tout jeune. Il manque totalement d'expérience.

– Vous avez pu examiner cette fameuse lettre

d'adieu. Vous avez reconnu l'écriture de votre femme. Je ne pense pas qu'il soit nécessaire de retracer son histoire médicale, inspecteur.

– Elle allait bien, je vous assure. Elle était stable, normale, ni caractérielle ni désorientée.

– Delorme, McLeod, Szelagy étaient tous sur place, avec le médecin légiste, et aucun d'entre eux n'a trouvé quoi que ce soit qui contredise la thèse du suicide. L'autopsie va dans le même sens. Il n'y a pas lieu d'ouvrir une enquête, Cardinal.

– Elle avait écrit cette lettre plusieurs mois auparavant. Ça m'a été confirmé par le service d'analyse des documents.

– Service que vous n'auriez jamais dû solliciter, déclara le chef dont le teint virait à un rouge brique de mauvais augure. Vous n'avez pas le droit d'utiliser comme bon vous semble les ressources de la police. En particulier pour une affaire inexistante.

– Si l'on retient la thèse du suicide, il faut aussi admettre que Catherine avait cette lettre sous le coude depuis trois mois. Qu'elle a continué à vivre comme si de rien n'était, sans s'ouvrir à quiconque de son projet. Et qu'un beau soir, alors justement qu'elle allait démarrer un nouveau projet, elle a pensé à prendre cette lettre avec elle afin de la laisser sur place avant de sauter du haut du toit.

– Cardinal, je vous le répète, CETTE AFFAIRE N'EXISTE PAS.

Kendall s'était levé, le visage cramoisi. Il n'était pas très grand, mais il compensait en décibels ce qui lui manquait en centimètres.

– N'essayez pas de soutenir que vous avez raison contre l'ensemble des effectifs de police de la ville. Et ne vous amusez pas à interroger la directrice d'une institution universitaire comme si vous la soupçonniez de diriger un gang mafieux ! C'est clair ?

– Patron, il y a un solide faisceau de présomptions qui...

– Vous n'êtes même pas en service, Cardinal. Je vous rappelle que vous êtes en congé et que cela ne vous a pas empêché de cuisiner Mme Moore comme si vous la soupçonniez de meurtre. Cette conduite serait déjà impardonnable s'il s'agissait d'une simple clocharde, d'une revendeuse de drogue, mais il se trouve que Meredith Moore occupe de hautes fonctions à l'université. On ne va pas enquiquiner ces gens-là quand on n'a pas de mandat, pas l'ombre d'un motif officiel et surtout PAS D'AFFAIRE DE MEURTRE !

Cardinal ouvrait la bouche pour se défendre, mais Kendall l'arrêta d'un geste péremptoire de la main.

– Je ne voudrais pas que vous sortiez d'ici avec l'illusion qu'une fois ma colère retombée je vais changer d'avis. Il n'en est pas question. Vous voulez reprendre le collier ? Parfait. Mais sachez bien que votre travail consiste exclusivement à suivre les affaires retenues comme telles par votre sergent chef et par moi-même. Pour que ce soit bien clair, je vous interdis formellement d'utiliser les ressources du service à des fins personnelles et je ne tolérerai aucun écart. C'est compris ?

– Oui.

– Bien. Dans ce cas, j'espère que la question est close.

– J'ai simplement une question.

– Dites.

– Qu'est-ce qu'il faudrait pour vous convaincre d'enquêter sur... ce qui est arrivé à Catherine ?

– Plus que ce que vous avez.

De retour à son bureau, Cardinal trouva dans sa boîte de courrier électronique un message qui ne lui était pas adressé.

À : *parsenault, iburke, rcollingwood, idelorme, imcleod, kszelagy*
De : *rjk*

Je sais combien la perte cruelle que vient de subir John Cardinal vous affecte tous, et je partage votre tristesse. Je me dois toutefois de vous rappeler que les examens pratiqués ont permis de conclure au suicide, et que cette disparition n'est donc pas du ressort de la police. Par conséquent, il n'y a pas d'enquête en cours. Je répète : il n'y a pas d'enquête. Quiconque utiliserait les moyens de la police pour arriver à des conclusions différentes se mettrait en infraction avec les textes régissant l'utilisation des services de police et s'exposerait à des sanctions.
R. J. Kendall
Chef de la police

Le nom de Cardinal ne figurait pas sur la liste des destinataires de ce message. C'est Arsenault qui s'était chargé de le lui faire suivre. Arsenault qui en ce moment même lui faisait signe depuis le couloir reliant la salle des inspecteurs au service d'identification.

– Il faut que je te voie à propos des cambriolages en série chez les Zeller, lança-t-il assez fort pour que tout le monde l'entende.

Cardinal alla le rejoindre dans son bureau. Collingwood était absent. Ils étaient seuls dans la pièce.

– J'ai vérifié l'empreinte, déclara Arsenault tout de go.

– Oublie ça. Manifestement, ce n'est pas un sujet à aborder ici.

– Pourquoi ? L'air qu'on respire appartient aux services de police maintenant ?

– L'air, peut-être pas, mais le temps, oui.

– Eh bien, on va en prendre un peu ! RJ vient de partir, dit-il avec un mouvement du menton en direction du parking. Je l'ai vu monter dans sa limousine.

– Merci de m'avoir fait suivre le mél. Je ne tiens pas à ce que tu aies des problèmes à cause de moi.

– T'inquiète. RJ n'est pas un méchant bougre. En tout cas, je voulais te prévenir que les recherches sur cette empreinte de pouce n'ont rien donné.

– Rien du tout ?

– J'ai regardé dans le fichier régional et dans le fichier national. Chou blanc.

– Bon, bon. Ça valait quand même la peine d'essayer.

– Il me reste encore quelques pistes à explorer. Tu veux que je continue ?

– Oui, mais sois prudent. Je ne voudrais pas que tu aies des ennuis avec Kendall.

Cardinal alla chercher son courrier et revint s'asseoir à sa table de travail. Sur la photographie posée dessus, Catherine lui décochait ce sourire qui l'avait ensorcelé, des années plus tôt, quand ils s'étaient rencontrés. Il ouvrit le tiroir du milieu, glissa la photo à l'intérieur et le referma.

Il entreprit de trier son courrier. Convocations au tribunal, informations administratives, rapports de la commission de contrôle judiciaire, lettres de sa caisse de retraite, fiches de salaire, et divers documents inclassables qui finirent directement dans la corbeille à papier.

Il ouvrit le tiroir du milieu, en sortit la photo qui retrouva sa place devant lui, légèrement de biais.

– Tu es là pour de vrai, cette fois ?

Delorme laissa tomber sa mallette sur son bureau. Elle semblait fatiguée, et comme souvent quand elle n'était pas dans assiette, elle arborait une petite moue contrariée.

– Je suis là, comme tu vois. Physiquement, en tout cas.

Elle se rapprocha de lui sur son siège à roulettes.

– C'est ce qu'on va voir. J'ai là une affaire qui aurait besoin de toutes tes capacités intellectuelles.

– Ah, ah.

– Je t'explique, dit-elle en sortant plusieurs chemises de sa mallette. On a le lieu du crime, mais pas de témoins, pas de victime, pas de coupable. La pornographie enfantine, ça te connaît ?

– Pas tant que ça, à vrai dire. Je me suis occupé de l'affaire Keswick, mais à part ça...

– Keswick n'était qu'un amateur. Accroche-toi, parce que ce que je vais te montrer est franchement insoutenable.

35

Leonard Keswick se redresse sur le divan et se penche en avant, en triturant un Kleenex en lambeaux. Tout rond, presque sphérique, il a l'air si faible et découragé qu'on dirait une baudruche en train de crever. Les grands yeux humides sont légèrement protubérants, on dirait des yeux de limier. Ils fixent désespérément la caméra invisible.

– Je ne sais plus quoi faire, gémit Keswick. Je ne sais pas où me tourner, où aller.

– Vous êtes ici, dit le Dr Bell. C'est déjà un début, n'est-ce pas ?

– Oui, mais j'ai l'impression de patauger. Je vous vois depuis des mois, maintenant, et j'en suis toujours au même point.

Devant l'écran où il regardait maintenant cette séance, un an plus tard, le Dr Bell hocha la tête.

– Exact, mais parce que tu ne veux pas aller de l'avant, marmonna-t-il dans sa barbe. Tu ne l'admettras jamais, mais tu y tiens, à ta souffrance.

Interrompu par le téléphone, il arrêta le défilement de l'image. Le répondeur se déclenchait à la première sonnerie et le haut-parleur lui permettait de filtrer les messages. Il savait qui l'appelait, de toute façon. C'était le troisième coup de fil de la matinée, et le deuxième message était déjà nettement plus affolé que le premier.

« Docteur Bell ? Melanie, à l'appareil. Je n'arrive pas à vous joindre. Vous êtes sûrement à l'hôpital, ou en

séance avec quelqu'un d'autre, mais s'il vous plaît, rappelez-moi le plus vite possible. Ça ne va pas du tout,
vraiment pas du tout... »

— Tu m'étonnes ! s'exclama le Dr Bell en se parlant
à lui-même. Tu es toujours au plus mal, pauvrette.

« J'ai peur de passer à l'acte pour de bon, cette fois.
Ça m'obsède, je n'arrête pas d'y penser. »

Les mains nouées derrière la tête, le Dr Bell
s'adressa au plafond :

— Ah. Se pourrait-il qu'on progresse, enfin ?

« Appelez-moi dès que vous aurez ce message. Je
vous en prie. Il faut juste que je... il faut juste... s'il vous
plaît. »

— Juste que-s'il vous plaît, juste que-s'il vous plaît,
se moqua le Dr Bell. Il faut, il faut, il faut. Je, je, je. Moi,
moi, moi.

« C'est le fait d'avoir revu mon beau-père qui me
rend malade, vous savez. Je ne sais plus où j'en suis,
c'est horrible. Tout est noir, autour de moi, c'est comme
si j'étouffais. Rappelez-moi vite, s'il vous plaît. »

Un déclic timide indiqua qu'elle avait raccroché.

Bell appuya sur la touche *Play*.

— Le plus insupportable, c'est de savoir que c'est
plus fort que moi, reprend Keswick à l'écran. En plus,
ça m'est tombé dessus d'un seul coup. D'accord, quand
j'étais gamin je regardais des magazines porno comme
tout le monde. J'en achetais quand j'étais étudiant, et
même après, un peu, mais les magazines ce n'est pas
pareil. Ce qu'ils montrent, c'est normal, après tout – des
adultes, femmes et hommes. En ce temps-là je ne courais
pas   après   les   cochonneries   qui   me   fascinent,
aujourd'hui.

— Je vous crois, dit le Dr Bell. Le succès de e-Bay,
le commerce en ligne, les jeux de hasard en ligne ont
créé de nouvelles formes de dépendance qui n'existaient
pas, avant l'invention d'Internet.

— Avant, les choses étaient mieux balisées, alors

c'était plus dur de franchir la ligne jaune. Il ne faut pas se voiler la face. À Algonquin Bay, comment ils faisaient, autrefois, ces gens qui maintenant claquent tout leur argent dans les fringues ? Ils ne pouvaient pas s'acheter la collection complète de vêtements d'hiver, tout de même ! Pareil pour le jeu. À l'époque il n'y avait que le Loto pour perdre tout ce qu'on voulait puisqu'il n'y a pas de casinos dans le coin. Ces cochonneries, c'est comme si elles envahissaient mon espace, vous comprenez ? Comme si on bourrait tous mes tiroirs, tous mes placards de milliers et de milliers d'images cochonnes.

– Des images seulement ?

– Quoi ? (Keswick a l'air aussi ahuri que si le psychiatre s'adressait à lui en farsi.) Ben… euh… oui. Jamais je ne toucherais à un gosse. Jamais je ne pensais aux gamins sur le plan sexuel, avant, et c'est toujours comme ça quand je les vois en vrai, dans la rue. Je sais trop les dégâts que ça provoque, l'abus sexuel sur les mineurs. Jamais je ne ferais ça à un gamin. Jamais.

– Non ? Essayez de me dire précisément ce que vous faites.

– Je regarde des photos, c'est tout. Je les télécharge sur des sites de partage de fichiers.

– Vous en envoyez également ?

– Grands dieux, non !

– Vous payez pour les télécharger ?

– Non. Je refuserais, de toute façon. Autrement, ça revient à encourager le système.

– Très bien. Qu'avez-vous à vous reprocher de si terrible, dans ces conditions ? À vous en croire, vous ne vous attaquez pas physiquement aux enfants. Vous vous interdisez de les prendre en photo. Vous ne payez pas quelqu'un qui s'en chargerait à votre place. Vous n'en envoyez pas non plus sur Internet.

– Non ! J'en regarde, c'est tout. Mais c'est dégueulasse ! Dégueulasse ! Je ne devrais même pas les regarder. J'ai honte, mon Dieu. J'ai tellement honte.

C'en est trop pour Keswick. Il pleure comme un veau, les joues luisantes de larmes. Ses lunettes le gênent. Il les ôte, il tend le bras pour les poser au jugé sur la table mais il les laisse tomber par terre et ne se donne pas la peine de les ramasser. À la place, il se tasse un peu plus sur le divan pour sangloter tout son soûl.

Jusqu'à ce qu'il se ressaisisse suffisamment pour trouver l'énergie de continuer :

– Le comble, c'est que j'ai des gosses, moi aussi. Jenny et Rob. Trois ans et cinq ans. Plus jeunes que ceux des photos que je regarde, d'accord, mais n'empêche. Ça me donne envie de vomir. Je ne sais pas ce que je ferais si un détraqué les prenait en photo. Je crois que je serais capable de tuer.

– Depuis combien de temps vous adonnez-vous à ce penchant ? Un an ? Un an et demi ?

– Plutôt un an et demi. Ça m'est arrivé d'un coup. Je suis tombé sur ce site par hasard et l'effet a été immédiat, comme si un verrou sautait en moi. L'être humain plus ou moins normal que j'étais jusque-là s'est brusquement transformé en obsédé sexuel. En pervers.

Keswick se remet à pleurer, sous le regard attentif du psychiatre silencieux.

– J'ai essayé les groupes de soutien, comme vous me l'avez conseillé. J'en ai trouvé un en ligne. C'est mieux que rien, bien sûr, mais il ne fonctionne qu'un jour par semaine et parfois personne ne se connecte. En ville, il n'y en a pas pour les maniaques sexuels, en tout cas pas à ma connaissance. Même s'il y en avait, d'ailleurs, je ne pourrais jamais avouer publiquement ce que je fais.

– Ici, vous en parlez. Pourquoi pas dans le cadre d'un groupe ?

– C'est différent. Vous êtes médecin. Il y a le secret professionnel. Dans un groupe, je risquerais de rencontrer des gens que je connais. J'en mourrais, s'ils l'apprenaient. Je ne plaisante pas. Si ça venait à se savoir, je me tuerais, c'est sûr.

— Et si nous nous fixions pour objectif d'alléger un peu cette honte qui vous pèse tant ?

— Mais c'est impossible. Je me sens tellement coupable !

— Laissez-moi terminer. Toutes les formes de dépendance s'accompagnent, semble-t-il, d'une honte qui se manifeste de façon récurrente. Prenez un héroïnomane, par exemple. Il a décidé de se désintoxiquer, mais l'état de manque est difficile à supporter, il se sent nerveux, instable. Il finit par craquer, il se procure de la drogue et il se shoote. C'est magique. Son angoisse disparaît aussitôt. Un vrai miracle, mais qui ne dure pas, évidemment. Bientôt l'héroïne cesse de faire effet et le drogué reste avec la honte d'avoir replongé. Il cherche désespérément à échapper à ce sentiment honteux, et il s'aperçoit qu'il existe un moyen tout simple, en réalité. Vous voyez lequel ?

— Reprendre de la came.

— Exactement. C'est une des raisons du succès que rencontrent les groupes de soutien. Le seul fait de vous retrouver au milieu de gens qui vous acceptent, vous et vos faiblesses, qui à certains égards sont comme vous, contribue efficacement à atténuer la honte. Il est vraiment dommage, en effet, qu'il n'y ait pas ici de structure susceptible de répondre à vos besoins spécifiques. Aussi — entendez-moi bien, ce n'est qu'une proposition —, nous pourrions peut-être organiser quelques séances avec votre épouse et...

— Jamais de la vie. Il n'en est pas question. Elle ne sait même pas que je viens vous voir.

— Pourtant, vous vous êtes maintes fois félicité de la qualité de la relation qui vous unit, tous les deux. Craignez-vous que cette relation ne survive pas à la déception que pourrait provoquer chez elle la découverte de vos faiblesses ?

— Elle ne me le pardonnerait pas. Elle me quitterait. Elle partirait avec les enfants et je ne les reverrais jamais.

— Vous en êtes sûr ?

— Oh, oui ! Elle en parle, quelquefois. Quand les journaux ou la télé sortent une histoire de pédophilie avec un prof, ou un prêtre, vous savez. Ça l'écœure complètement. Elle dit des trucs horribles. Du style, « les types comme ça, on devrait les plonger vivants dans l'huile bouillante », « il faudrait les castrer, c'est tout ce qu'ils méritent ».

Impassible, le Dr Bell est la voix de la raison :

— Peut-être, mais de par leurs fonctions, ces hommes, les prêtres et les enseignants, ont des enfants sous leur responsabilité. En abusant de ces enfants, ils trompent la confiance placée en eux.

— Je travaille dans les services sociaux, docteur. Je suis entouré de travailleurs sociaux. Vous croyez que ces gens-là me pardonneraient mes penchants pour la pornographie enfantine ? Je serais viré dans les cinq minutes.

— Je vous parlais de votre femme, pas de vos collègues. C'est elle, et elle seulement, qu'il s'agit de mettre dans la confidence. Il ne vous paraît pas possible qu'elle ait une réaction purement émotive, face aux faits divers que vous évoquiez ? On ne pense pas forcément ce qu'on dit quand on crie : « À mort ! »

— Je veux bien admettre que les mots dépassent sa pensée. Mel se laisse facilement emporter. Les châtiments qu'elle réclame, la castration, tout ça, c'est peut-être exagéré, mais son dégoût n'est pas exagéré, lui, et son mépris non plus. Je ne pourrais pas vivre en sachant qu'elle me méprise à ce point. Plutôt mourir. Plutôt mourir.

Le Dr Bell appuya sur *Pause* pour se repaître un instant du regard épouvanté de son patient avant d'éteindre le lecteur DVD. Un agneau mené à l'abattoir, ce Keswick. Un cas un peu trop facile, à vrai dire, pour être pleinement satisfaisant, mais dont la simplicité logique avait la fatalité des tragédies grecques.

Le téléphone se remit à sonner.

– Alors, Melanie ? dit Bell sans décrocher. On nage toujours dans la confusion, mon petit ? On va se décider à la prendre, cette grande décision ?

« Docteur Bell, c'est encore moi. Melanie. Je sais que vous n'êtes pas là cette semaine, j'avais oublié, mais je pensais que peut-être vous écoutiez votre répondeur, quand même... C'est vital, en fait... »

Une interruption ponctuée par un reniflement peu ragoûtant. Bell se leva pour sortir le disque du lecteur et le ranger dans un boîtier numéroté.

« Rappelez-moi, docteur, s'il vous plaît. Tout se brouille dans ma tête. Je crois qu'il vaudrait mieux que j'aille à l'hôpital. Si seulement vous pouviez me faire hospitaliser. J'ai les cachets, vous savez. Je les ai là, avec moi, et je ne vois pas ce que j'attends. Après tout, c'est sûrement ce que j'ai de mieux à faire. »

Il se choisit un disque de Haydn, *Les Sept Dernières Paroles du Christ en croix*, « Eli, Eli, pourquoi m'as-tu abandonné ? » Le long supplice des liens, des clous, de l'abandon.

« Je n'en peux plus. Mon Dieu, mon Dieu, je n'en peux plus. À quoi bon vivre encore ? Je ne sais pas. Vraiment je ne sais pas. »

Suivit une série de bruits inidentifiables, des chocs sourds, des cliquètements, qui laissaient supposer qu'elle avait du mal à reposer le combiné sur son socle.

Bell appuya sur la télécommande et s'allongea sur le divan pour écouter la musique.

36

Lorsque Cardinal s'éveilla, le lendemain matin, l'absence de Catherine aspira l'air contenu dans ses poumons, comme si la chambre avait été transportée dans un vaisseau spatial brusquement dépressurisé.

Une fois debout, il respecta à la lettre le rituel matinal – une tartine grillée, un café, la lecture du *Globe and Mail* – pour se blinder en prévision de la journée qui l'attendait. Il avait du pain sur la planche, entre l'affaire de pédophilie confiée à Delorme et les cambriolages dont s'occupait Arsenault.

À un moment donné, il abandonna délibérément la lecture du journal pour fixer la place vide, de l'autre côté de la table.

– Je ne veux pas penser à toi, dit-il en parlant tout seul. Je ne veux pas penser à toi.

Il revint au *Globe*, mais ce qu'il lisait ne s'imprimait pas dans son esprit. Il avait trop dormi et ses yeux le brûlaient. Le mieux était encore de filer travailler. Il rangea son assiette dans le lave-vaisselle, jeta le reste de son café dans l'évier, puis, vite douché et habillé, quitta la maison d'un pas qu'il voulait décidé.

L'air était plus vif, à présent, le matin. Ça sentait l'hiver et le gel, même si la glace n'avait pas encore commencé à se former sur le lac. Pour cela, il faudrait encore attendre un bon mois. Cardinal frissonna dans son blouson léger. Il serait bientôt temps de sortir les gros manteaux. Catherine aurait adoré le bleu éblouissant du ciel. La Chrysler PT Cruiser était toujours garée dans l'allée.

– Je ne veux pas penser à toi, répéta-t-il en s'engouffrant dans sa Toyota.

Il reculait en marche arrière pour s'engager dans la rue quand une voiture s'arrêta derrière la sienne, lui bloquant le passage. Paul Arsenault ouvrit sa vitre et agita une main emmitouflée d'un gant.

– Salut !

Arsenault n'aurait pas fait le crochet par chez lui pour le simple plaisir de le saluer. Cardinal sortit de sa voiture et s'approcha en courant presque.

– J'ai pensé qu'il valait mieux m'arrêter chez toi pour ne pas gaspiller notre précieux temps de service.

– Toi, tu as une bonne nouvelle pour moi.

– Oui et non. Je ne sais pas trop comment tu vas le prendre.

– Peu importe. Dis-moi tout, Paul.

– C'est dans la base de données des services de l'Immigration que j'ai fini par trouver, et ne compte pas sur moi pour t'expliquer comment je suis entré dedans. Ton type est un ressortissant britannique qui vit au Canada depuis deux ans. Tiens, regarde.

Il lui tendait une photocopie dépliée.

Deux empreintes de pouce apparaissaient dessus. La photographie qui les surmontait était plus engageante que ce n'est d'ordinaire le cas sur les papiers d'identité. Les cheveux frisés, la barbe poivre et sel, le sourire débonnaire rendaient à la perfection l'air de brave toutou du Dr Frederick Bell, médecin psychiatre.

La première chose que fit Cardinal, en arrivant au poste, fut d'appeler le Dr Bell. Courtois comme à son habitude, celui-ci accepta de le recevoir à l'heure du déjeuner pourvu qu'il veuille bien se rendre à l'hôpital psychiatrique.

Il prit le trajet qu'il connaissait par cœur, le long de la 11 jusqu'à l'entrée de l'hôpital de l'Ontario. Il y était venu un nombre de fois incalculable, tant pour des motifs professionnels – plus d'un délinquant était soigné là – que privés, à cause de Catherine. C'était généralement à la morte saison, en février, qu'il fallait l'y enfermer.

Le bâtiment en brique rouge passait presque inaperçu dans la splendeur du feuillage automnal. Peupliers et bouleaux courbaient la tête avec une grâce de danseurs sous le vent frisquet qui soufflait en haut de la pente. La relation très particulière que Cardinal entretenait avec ce lieu se confondait avec une longue histoire douloureuse, confusément jalonnée par l'alternance des crises de Catherine. Crises maniaques lors desquelles elle suivait la logique absurde des idées folles qui lui traversaient la tête ; crises dépressives si noires qu'elle était à deux doigts de se taillader le poignet avec une lame de rasoir.

Il prit l'ascenseur jusqu'au troisième. La porte du Dr Bell était ouverte. Assis dans son fauteuil, le médecin contemplait le parking et les collines qui s'étageaient derrière. Sa posture immobile évoqua à Cardinal l'image d'un chien posté devant la fenêtre, en train d'attendre le retour de son maître.

Il frappa fort, pour le surprendre, et réussit au-delà de ses espérances. Bell raidit les épaules et se retourna d'un bloc, puis se leva en reconnaissant Cardinal.

– Inspecteur, bonjour. Entrez, je vous en prie ! Asseyez-vous !

Cardinal posa sa mallette par terre et prit un siège.

– Vous aviez raison à propos des fausses cartes de condoléances, docteur. Leur expéditeur n'est pas un assassin.

– Ah. Cela me paraissait peu probable, en effet.

– Il s'agit d'un type que j'ai envoyé en prison il y a quelques années pour fraude et abus de confiance.

– Eh bien, voilà qui est parfaitement logique ! La fraude est un délit sournois, une pratique de fripouille. L'envoi de lettres anonymes aussi. Ce monsieur aurait-il également perdu sa femme, grâce à vous ?

– Oui. Sur ce point aussi, vous aviez vu juste.

– Elle ne s'est probablement pas suicidée, n'est-ce pas ?

– Non, non. Comment avez-vous deviné ?

– Eh bien, *a priori*, du moins dans un cas pareil, la honte retombe entièrement sur le malfaiteur, pas sur sa famille. Ce serait une tout autre histoire si, par exemple, le coupable se livrait depuis longtemps à des agressions sexuelles ou racistes, des actes que son épouse aurait logiquement dû connaître, ou à tout le moins soupçonner. Y a-t-il autre chose dont vous vouliez me parler ? Vous êtes venu jusqu'ici pour me raconter ça ? En vous attendant, je me disais justement que ce devait être pénible, pour vous, de revenir ici. Tous ces souvenirs de Catherine.

– L'endroit où je suis n'y change pas grand-chose.

Cardinal ouvrit sa mallette et en sortit la lettre d'adieu de Catherine. Cette fois, il remit au Dr Bell la copie passée dans le détecteur électromagnétique. Sous la pellicule brillante de la chemise en plastique, le message inscrit en blanc sur fond anthracite avait une qualité fantomatique encore renforcée par les empreintes de Catherine et celle, nettement plus grosse, qui s'étalait en bas.

Le Dr Bell chaussa ses lunettes de presbyte et examina le document.

– Hmm, fit-il. Vous me l'avez déjà montrée. Pas sous la même forme, c'est vrai. Celle-ci a fait l'objet d'une analyse scientifique, je vois.

– Encore un point pour vous, docteur. Et figurez-vous que c'est votre pouce, là, en bas.

C'est en vain que Cardinal guetta une réaction de son vis-à-vis. L'homme restait impassible. De par son métier, évidemment, il était entraîné à contenir ses émotions pendant que les autres sanglotaient et gémissaient devant lui.

Bell lui rendit la feuille.

– En effet, inspecteur. Il y a quelques mois, Catherine m'a donné un mot très similaire, lors d'une séance.

– Curieux que vous ne l'ayez pas mentionné en le revoyant, la semaine dernière.

Le Dr Bell esquissa une grimace et retira ses lunettes pour se masser l'arête du nez. Sans les verres épais, il avait l'air étrangement vulnérable d'un lémurien surpris par la lumière.

– Je me suis trompé, inspecteur. J'ai commis un impair et je vous prie de m'en excuser. Je n'étais pas très chaud, je l'avoue, à l'idée de vous confier que je connaissais ce mot. J'ai craint que vous n'imaginiez que j'avais été négligent, en un sens, que j'étais allégrement passé sur cette lettre d'adieu écrite par Catherine dans un accès de désespoir.

– Moi, imaginer des choses pareilles ? Pourquoi, grands dieux ? Ce n'est jamais qu'une lettre d'adieu, après tout. Rédigée qui plus est par une maniaco-dépressive incurable.

– Oui, naturellement vous êtes en colère.

– Pensez-vous. C'était très naïf, de sa part, d'espérer que vous pourriez l'aider à vaincre ses pulsions épouvantables. Elle vous montre cette lettre, vous discutez gentiment, tous les deux, et à la fin de l'heure vous lui rendez sa page.

– C'est facile de noircir les choses, après coup.

– Et pendant les trois mois qui suivent, pendant que la perspective du suicide se précise, apparemment, de plus en plus, pendant que Catherine continue à venir vous voir régulièrement, vous, du haut de votre savoir, vous jugez superflu de demander une hospitalisation. Vous jugez même superflu de m'informer de son état. Je ne suis jamais que son mari, après tout, je ne partage sa vie que depuis quelques dizaines d'années, alors à quoi bon m'alerter, en effet ? Bref, aux yeux du reste du monde Catherine se porte comme un charme. Vous, en revanche, vous savez qu'elle projette de se tuer et vous choisissez en connaissance de cause de ne pas intervenir.

– Je redoutais précisément que vous n'arriviez à ce genre de déductions, inspecteur Cardinal. Le métier que j'ai embrassé m'amène à arpenter sans relâche les terres du chagrin et du désespoir, aux côtés de grands mélancoliques qui sont accablés par la dépression. C'est triste à dire, mais la plupart d'entre eux souhaitent mettre un terme à leurs jours, et parfois ils y parviennent. Ce n'est la faute de personne. L'émotion qu'en éprouvent leurs proches favorise les jugements hâtifs. Je suis persuadé que vous observez la même chose, dans votre branche. J'ai lu dans le journal que la famille Dorn trouvait inadmissible l'inaction de la police, devant la volonté de se suicider de ce jeune homme.

– À cela près que l'officier présent sur les lieux a fait tout ce qu'il pouvait pour l'en empêcher.

– J'ai fait tout ce que je pouvais pour aider votre femme.

– En la laissant se trimballer trois mois avec une lettre d'adieu dans son sac ? Pour qu'une nuit, au beau milieu d'un projet photographique qui la passionnait, elle ait la présence d'esprit de l'arracher à son carnet avant de se jeter dans le vide ?

– Inspecteur, il y a maintenant plus de trente ans que je me suis spécialisé dans le traitement de la dépression, et au stade où j'en suis, je peux vous assurer que plus rien ne saurait me surprendre. La seule certitude, avec cette maladie, c'est qu'elle agit par surprise. Chaque fois.

– Ah ? Personnellement je la trouve affreusement prévisible.

– Je me permets de vous contredire, inspecteur. Pas plus que moi vous n'avez vu ce qui se préparait. Quant au fait que Catherine ait utilisé une lettre écrite longtemps avant, j'y vois pour ma part une preuve de sa délicatesse. Elle a voulu laisser derrière elle un mot composé à une période où elle ne touchait pas encore le fond, un mot qui exprimait ce qu'elle éprouvait moins crûment que si elle l'avait griffonné à la hâte, dans l'affolement. Vous savez sans doute que les billets d'adieu ne sont en principe pas des modèles de sollicitude, pour ceux qui restent.

– L'idée de me prévenir de l'existence de cette lettre vous a-t-elle seulement effleuré l'esprit ?

– Non. Catherine était très calme quand elle me l'a montrée. Nous en avons parlé comme nous l'aurions fait d'un rêve, ou d'un fantasme. Elle m'a affirmé qu'elle ne projetait pas d'attenter à sa vie, du moins pas dans l'immédiat.

– Je la crois. Je l'aurais vu venir, sinon.

– Vous envisagez toujours qu'il puisse y avoir une autre explication à sa mort ? Au départ, vos soupçons sur le meurtre dont elle aurait été victime venaient de ces cartes malfaisantes que vous receviez. Vous pensiez alors que seul son meurtrier pouvait vous persécuter de la sorte. Or, vous avez épinglé l'expéditeur de ces messages, et il s'avère pour finir qu'il n'a tué personne. Est-ce que je me trompe ? Aurais-je laissé échapper quelque chose ?

Je joue mal, se dit Cardinal. Il sait que je bluffe. Je n'ai pas de preuves, pas de pièce à conviction.

– Elle allait bien ce jour-là. Rien dans son comportement n'indiquait qu'elle préméditait un suicide.

– Au fil des ans elle a donné toutes les indications possibles, inspecteur. J'ai épluché son dossier médical. Elle a été admise à plus de six reprises dans cet établissement – une fois pour un épisode de démence, toutes les autres en raison d'états dépressifs qui la mettaient en danger. Chaque fois, elle a soutenu qu'elle voulait mourir, que le suicide était sa seule issue. Pour moi, il est très clair qu'elle a décidé de passer à l'acte dans un moment de relative lucidité, en sachant qu'elle pouvait contrôler les choses ; dans une certaine mesure, s'y préparer.

– Je l'aurais vu venir, répéta Cardinal, consterné de son manque de repartie.

Catherine, qu'est-ce qui t'a pris ? Qu'est-ce qui t'a pris de me faire ça ?

– Je suis sûr que, dans votre métier, inspecteur, vous avez l'occasion de rencontrer des gens qui passent à côté de vérités évidentes, à propos de la personne avec qui ils vivent.

Cardinal pensa au maire qui refusait de croire aux infidélités de sa femme. Suis-je aveugle à ce point ? se demanda-t-il. Est-ce que je m'obstine à nier l'évidence ?

– N'est-il pas possible, inspecteur, qu'éperdu de chagrin comme vous l'êtes vous ne voyiez pas ce qui saute aux yeux des autres ? Pourquoi ne pas reconnaître que vous pouvez avoir tort ? Vous venez de perdre votre femme, vos capacités de raisonnement sont troublées, pour ne pas dire plus, et la dénégation a un effet placebo efficace. Les messages odieux provenaient d'un ex-détenu qui vous en voulait. Il n'y a pas de raison de continuer à croire que votre femme a été assassinée. J'ai suivi Catherine pendant deux ans et je n'imagine pas une minute qu'elle ait pu avoir des ennemis. Vous avez vécu avec elle des dizaines d'années. Avez-vous identifié quelqu'un qui pourrait avoir un mobile ?

– Non, mais les mobiles ne sont pas toujours personnels.

– Vous pensez à un psychopathe ? Je ne vois pas ce qui vous permet de supposer que vous avez affaire à un tueur en série. D'autant que pour laisser la lettre de Catherine sur le lieu du crime, il aurait d'abord fallu qu'il s'en empare. Si vous croyez que Catherine a été assassinée, le fait de savoir qu'elle avait écrit cette lettre trois mois auparavant laisse le problème entier. Si vous admettez qu'elle s'est suicidée, vous pouvez arrêter là votre enquête, sauf si vous comptez me traîner en justice pour faute professionnelle. Comme nous en avons convenu tous les deux, rien dans son comportement ne laissait présager un passage à l'acte imminent. Rien. J'ai donc pris sa fameuse lettre pour ce qu'elle était : un exercice. La réponse à une question que je lui avais posée.

– Quelle était cette question ?

– Nous examinions les raisons qu'elle pouvait avoir de ne pas se tuer, en dépit de la souffrance psychique qu'elle endurait depuis années. Son principal argument était qu'elle ne voulait pas vous infliger ça, à vous et à votre fille. Je lui ai donc demandé, à peu près textuellement : « Que diriez-vous à votre mari si pour finir vous décidiez de vous suicider ? Que lui écririez-vous ? » Je voulais l'amener à formuler ses sentiments tout de suite, de vive voix, mais elle n'a pas répondu. Elle voulait prendre le temps d'y réfléchir. J'ai été très étonné quand elle m'a apporté sa lettre, la semaine suivante. Comme vous l'avez constaté, elle y exprime clairement son amour pour vous.

Cardinal sentit sa gorge se nouer, puis à son grand désarroi il s'aperçut qu'il pleurait.

– Sérieusement, vous devriez vous accorder encore un peu de repos, ajouta doucement le Dr Bell. Il est évident que vous ne vous êtes pas donné le temps de faire le deuil. Rendez-vous ce service, inspecteur, vous vous en porterez mieux.

37

Delorme aimait bien les réunions du matin, d'habitude. Les six inspecteurs de la Criminelle se retrouvaient dans la salle de réunion, autour d'un café et de muffins, pour discuter des affaires en cours avec leurs collègues des autres services. L'un dans l'autre, avec les agents de l'identification et les deux policiers qui patrouillaient en ville, le spécialiste du renseignement, le responsable de la coordination et le cinéaste chargé de scénariser les reconstitutions, jusqu'à seize personnes se rassemblaient parfois dans cette pièce. Aujourd'hui leur nombre était limité à sept.

Ces réunions avaient pour but d'établir les objectifs de la journée et de répartir les tâches entre les différents participants. Écouter les autres inspecteurs raconter leurs enquêtes était souvent intéressant et même amusant, parfois, malgré certains développements effroyables. Il n'y avait guère que là qu'on pouvait trouver une occasion de rire. McLeod se lançait dans les tirades échevelées dont il avait le secret, Szelagy le pince-sans-rire présentait le plus sérieusement du monde une observation qui déclenchait l'hilarité générale. Cardinal aussi pouvait être drôle, quand il se moquait froidement de lui-même.

Aujourd'hui, toutefois, sa présence mettait tout le monde mal à l'aise. Chouinard était en retard, et en l'attendant chacun restait sur sa réserve en faisant semblant de consulter qui des notes, qui des documents.

McLeod lisait ostensiblement les pages sport du *Toronto Sun*. Quant à Cardinal, il se tenait très droit sur sa chaise, son carnet ouvert devant lui à une page vierge. Il ressentait sûrement l'effet qu'il produisait sur l'assemblée. Delorme en souffrait pour lui.

Chouinard entra en coup de vent, avec une chope à café gigantesque dans une main et un mince dossier dans l'autre. Si le porridge était une personne, avait coutume de dire Ian McLeod, ce serait Daniel Chouinard. Le sergent chef était borné mais fiable, falot mais raisonnable, pesant mais solide.

– Restez assis, déclara-t-il comme chaque matin, alors qu'il ne serait venu à l'idée de personne de se lever.

– Vous voyez pourquoi je rêve de devenir sergent chef ? enchaîna McLeod en agitant le dossier de Chouinard. Pendant que nous nous coltinons des cartables qui pèsent des tonnes, le chef se promène avec un menu de self-service.

– C'est dans l'ordre naturel des choses, répliqua Chouinard. On ne vous a pas appris le principe du droit divin, à l'école ?

– J'ai dû rater la classe ce jour-là.

– Ça ne m'étonne pas.

Chouinard avala une longue gorgée de café et parut le trouver excellent. Il ouvrit la chemise posée devant lui, qui comme toujours contenait un mémo unique, tapé à la machine.

– Honneur aux dames. Inspecteur Delorme, vous voulez bien nous éclairer sur cette histoire de jeune fille et de bateau ?

– J'ai retrouvé la vedette sur laquelle une des agressions sexuelles au moins a eu lieu. Elle est actuellement en cale pour l'hiver au port de Four Mile. Je l'ai fouillée avec l'autorisation des propriétaires, M. et Mme Ferrier, mais je ne les ai pas encore informés du résultat de mes recherches. Bien qu'on ne voie guère l'agresseur sur les photos, il n'est pas exclu qu'il s'agisse de M. Ferrier. D'autant qu'il a une fille, blonde, âgée de treize ans, mais que je n'ai pas encore rencontrée. Ce pourrait être la victime, sinon de son père, d'un ami de la famille ou d'une relation.

– Nous avons donc un théâtre d'opérations. Vous avez demandé une mise sous scellés ?

– C'est trop ancien – la petite doit avoir onze ans, sur les photos – et, depuis, le bateau a été plusieurs fois déplacé, exposé au vent, à l'eau. À mon avis, on n'en tirera rien de concluant. En revanche, je serais assez pour organiser une surveillance autour du hangar, pour empêcher une éventuelle tentative de falsification.

– C'est sans problème. Nous allons organiser ça.

Delorme sortit d'une enveloppe kraft deux autres photos que lui avait envoyées Toronto. Sur la première, également prise sur le bateau, l'enfant était habillée et elle souriait. Derrière elle, on voyait la colline dont ils savaient désormais qu'elle s'élevait à proximité du lac des Truites, et un bout de la 63 qui serpentait entre les arbres. Sur la seconde, l'enfant était beaucoup plus jeune. Toute nue, elle pouffait de rire, allongée sur un tapis posé par terre. Un canapé bleu tronqué apparaissait à l'arrière-plan.

– Là, elle est probablement chez elle, dit Delorme. Ce canapé bleu est présent sur un grand nombre de photos.

– C'est la 63, cette route ? demanda Chouinard.

– Oui. Toronto estime que ce cliché date de deux ans, environ. Il y en a des quantités d'elle, à cet âge. Nous cherchons donc une adolescente de treize ans, blonde aux yeux verts.

– Toronto pense que ce cliché a été pris il y a deux ans ?

Toutes les têtes se tournèrent vers Cardinal. Un soulagement presque palpable accueillit son intervention.

Il était là et il parlait boutique, pointilleux comme à son ordinaire.

— Je ne sais pas sur quoi ils se basent, en fait, répondit Delorme. Si ce n'est que nous n'avons pas de photos d'elle sur lesquelles elle ait l'air d'avoir plus de treize ans.

— Cette gamine n'a plus treize ans depuis longtemps, déclara Cardinal. La jeune fille que vous cherchez en a dix-sept ou dix-huit.

— Vous en êtes sûr ?

— Regardez les réverbères, le long de la route. C'est l'ancien modèle, avec les lampes à sodium. Vous ne vous rappelez pas quand on les a remplacées par des ampoules blanches ?

— Vous êtes le seul à vivre par là-bas, remarqua Chouinard. À vous de nous rafraîchir la mémoire.

— Je peux vous le préciser très exactement, puisqu'on a fait ces travaux l'année où j'ai changé de voiture. C'est un modèle de 99. Le jour où je l'ai achetée, je rentrais chez moi avec quand un motard de la Police de la Province de l'Ontario m'a arrêté sous prétexte que je roulais trop vite, vu les conditions : pas d'éclairage, visibilité réduite, et patati et patata. J'ai eu droit à un vrai sermon sur les règles de prudence, la sécurité, ma belle voiture toute neuve et j'en passe. Je l'aurais étranglé.

— Tu as coupé à l'amende ? s'étonna McLeod.

— Penses-tu !

— C'est ça qui ne va pas avec cette fichue police de la route. La formation qu'ils reçoivent, ces gars, mais c'est n'importe quoi ! Quand ils sortent de l'école, ils connaissent les règles, ça oui, mais ils ne voient pas *la réalité*, ils ne voient pas *la situation*. Si je passais quinze jours à leur école d'Orillia, ils apprendraient à ouvrir les yeux, crois-moi.

— Et à l'ouvrir tout court, commenta Chouinard.

– Bref, si la petite avait onze ou douze ans en 99, elle en a dix-sept ou dix-huit aujourd'hui.

Delorme en était encore à enregistrer l'information. Il fallait qu'elle s'y habitue, comme on doit s'habituer au plâtre qui consolide une fracture. Elle ne cherchait plus une adolescente de treize ans. Il fallait orienter les recherches vers une jeune fille de dix-huit ans.

– Toronto doit encore m'envoyer des photos qui devraient arriver aujourd'hui, en principe. Les collègues viennent de confisquer une centaine de DVD à un de ces pervers, et apparemment la petite figure sur un nombre impressionnant d'images. J'espère qu'on pourra tirer quelque chose des éléments du décor.

– Bien, dit Chouinard. Cardinal, vous faites équipe avec Delorme. J'ai la ferme intention de coincer ce salaud, mais je ne crois pas utile de mettre tous nos effectifs sur le coup. Ce n'est pas comme s'il s'agissait de démanteler un réseau de pédophiles. Jusqu'à plus ample informé, nous avons affaire à un bonhomme qui s'en prend à une gamine. C'est déjà assez grave, mais je ne veux pas gaspiller nos forces. Delorme, n'oubliez pas que ces photos doivent être manipulées avec les plus grandes précautions. Vous ne les montrez que si c'est strictement nécessaire, on est d'accord ?

– Bien sûr.

– Vous avez parlé avec des gens au port ? Ils n'ont rien remarqué de suspect ?

– Non. L'endroit est plutôt tranquille. Je me présente en expliquant simplement que j'enquête sur une agression, sans préciser qu'il s'agit d'abus sexuels sur une mineure. Pour l'instant, une seule personne a évoqué un incident un peu violent, mais qui ne s'est pas passé dans l'enceinte du port. C'était dans le restaurant de fruits de mer d'à côté. Un type s'en est pris physiquement au Dr Frederick Bell.

Cardinal se tourna vers elle.

– Le psychiatre ? demanda Chouinard.

– Lui-même. Ça remonte à un peu plus d'un an. Un père de famille qui venait de perdre son fils. Bell suivait ce garçon. Il s'est suicidé.

Delorme prononça le mot sans oser lever les yeux vers Cardinal, mais elle savait qu'il la regardait.

Burke s'ébroua sur sa chaise.

– Je suis bien placé pour savoir que des fois on n'y peut rien, lâcha-t-il d'un trait, avant d'aggraver les choses en ajoutant : il y a des gens qui ne veulent plus vivre, c'est comme ça.

– Vous avez fait votre possible, Burke, je l'ai bien précisé à Mme Dorn, dit Delorme.

Croisant les doigts pour que le sujet du suicide ne revienne plus sur le tapis, elle s'adressa à Chouinard :

– Je connais bien la sœur aînée de Perry Dorn, chef. Il serait peut-être bon que j'en reparle avec elle.

– Cette affaire est classée sans suite, et en plus la famille menace de nous poursuivre en justice,

– Je peux la voir sans que ce soit officiel. Nous sommes assez liées, en fait. Entre parenthèses, son frère aussi était en psychothérapie chez le Dr Bell.

– Accordé, Delorme. À condition que cette petite discussion n'ait pas lieu dans les locaux de la police, ni par téléphone sur une ligne du service. Au suivant. Arsenault ?

Delorme, qui rongeait son frein, écouta distraitement Arsenault énumérer la liste des suspects des cambriolages à répétition constatés chez les Zeller. Puis ce fut au tour de McLeod, qui se mit à vitupérer à propos d'une série d'agressions dont les témoins se refusaient à parler. Il en profita naturellement pour déblatérer des sottises sur la loi du silence qui selon lui sévissait dans les quartiers « multicolores ».

Cardinal attendit qu'ils aient regagné leurs bureaux pour lui poser la question discrètement :

– Ce type qui s'en est pris à Bell, vous vous souvenez de son nom ?

– Burnside, répondit Delorme sans hésiter. William Burnside. Son fils s'appelait Jonathan.

– Je me rappelle cette histoire maintenant. Vous saviez que Bell était aussi le psy de Catherine ?

– Oui. Le légiste le mentionne dans son rapport.

Il la dévisageait avec une intensité qui la mettait presque mal à l'aise. Où était passé le chic type réputé pour son humeur égale, à qui il arrivait d'être parfois un peu morose mais qui savait rester calme et diplomate ?

– Jonathan Burnside, Perry Dorn, Catherine... Ça fait beaucoup de suicides, non, pour un seul homme ? Quelles sont les probabilités, à votre avis, pour que trois personnes suivies par le même toubib se suicident dans ce laps de temps ?

– Quatre, en réalité. Hier après-midi, je suis allée aux archives potasser les affaires de pédophilie qu'on a traitées ici.

– Keswick, bien sûr. Je l'avais oublié.

– Leonard Keswick. Il s'est tiré une balle dans la tête à l'issue de son procès. Un geste assez étonnant, dans la mesure où les charges retenues contre lui étaient relativement légères : quelques clichés porno dans son ordinateur, essentiellement des ados, et en plus il ne prenait pas lui-même, ces photos, il se contentait de les regarder.

– Ça me revient maintenant. Il faut croire qu'il n'a pas supporté la honte d'être démasqué.

– Il avait perdu son travail. Ça n'aide pas, ça non plus.

– Pourquoi est-ce qu'on s'est intéressés à lui, au départ ? Il ne gagnait pas d'argent avec la pornographie enfantine, il n'achetait rien, il n'était pas dans un réseau... Qu'est-ce qui nous a mis la puce à l'oreille ?

– Un coup de fil anonyme. Quelqu'un l'a tout bonnement dénoncé au téléphone. Peut-être un membre
d'un de ces groupes de veille citoyenne qui surveillent
certains sites Internet.

– Ouais, peut-être.

38

Cardinal consacra la matinée et l'après-midi à cette affaire de pédophilie, mais ses pensées le ramenaient sans cesse au Dr Bell et il avait le plus grand mal à se concentrer. À plusieurs reprises, il dut demander à Delorme de répéter ce qu'elle venait de dire. Se remettre au travail lui faisait du bien, néanmoins. L'effort de réflexion à fournir le distrayait en partie de son chagrin, et quand il dut s'arrêter, à la fin de journée, il se rendit compte qu'il redoutait de rentrer chez lui.

Sa maison était désormais pleine de chausse-trappes et de pièges redoutables. Au moindre geste, au moindre pas il risquait de se retrouver transpercé par les flèches et les couteaux des souvenirs. Il alla se coucher, mais le sommeil le fuyait. Il finit par se lever, transporta le téléviseur du salon dans sa chambre et le posa sur la commode. Il voyait mal l'écran, placé de biais, il n'aimait pas l'idée de regarder la télé au lit, mais il espérait vaguement tomber sur un vieux film noir qui l'aurait assoupi.

Il passa la quarantaine de chaînes en revue avant de renoncer pour aller se chercher un verre de lait à la cuisine. En peignoir et pantoufles, il le but à petites gorgées devant l'ordinateur de Catherine, un portable extra-plat à la coque argentée, posé sur un petit secrétaire près du téléphone. Beaucoup plus calée que lui en informatique, elle se servait de son Mac pour un oui ou pour un non – pour payer ses factures, réserver ses billets d'avion, acheter du matériel photo.

Cardinal n'avait jamais touché à l'ordinateur de Catherine. C'était un objet trop personnel, et celui qu'il avait au bureau lui suffisait. Quand vraiment il avait besoin de vérifier son courriel à la maison, il branchait le vieux PC du sous-sol sur la ligne téléphonique et ne restait jamais plus de trois minutes en ligne.

Cette nuit-là, il s'installa devant le secrétaire et alluma le portable de Catherine. Les icônes du bureau s'affichèrent sur le fond bleu lagon. Il cliqua sur celle du navigateur, qui s'ouvrit à la page choisie par Catherine, un site dédié à la photographie. Sans s'y attarder, Cardinal ouvrit le menu des signets. Les sites qu'elle consultait régulièrement étaient classés par catégorie dans des dossiers différents. L'un s'intitulait « Santé ». Elle lui avait parlé d'un groupe de soutien en ligne adressé aux gens atteints de trouble bipolaire. Il essaya bipolar.org.

Le nom d'utilisateur s'affichait en clair, *Chaud-Froid*, mais il devait entrer le mot de passe. Il pensa à *Nikon*, que Catherine utilisait pour son compte bancaire, mais le site ne reconnut pas ce nom. Il tapa alors *Canon*, la marque de son appareil numérique, et eut droit à un nouveau message d'erreur. S'obstinant, il réitéra sa tentative en écrivant tout en minuscules.

Une liste de liens s'afficha aussitôt à l'écran. Certains concernaient des médicaments (« Le lithium : pour et contre » ; « Réactions suicidaires aux antidépresseurs ISRS »), d'autres, des programmes de guérison (« Adieu Tristesse » ; « Entre deux pôles, l'équilibre psychique »). Il sélectionna sans hésiter « Les échos du divan ».

Restait à trouver les messages que Catherine avait éventuellement postés sur ce forum. Le premier qu'il put récupérer grâce au nom d'utilisateur était une réponse à une autre personne.

– Excuse-moi, ma douce, murmura-t-il en cliquant dessus pour l'ouvrir.

*Quand au bout de cinq ou six séances on ne se
sent pas à l'aise avec son psy, à mon avis il est préférable d'en chercher un autre. Il faut persévérer un
peu, car la relation ne s'établit pas du jour au lendemain. Mais si passé ce délai de cinq ou six séances
elle est toujours insatisfaisante, il y a de grandes
chances pour qu'elle le reste.*

Catherine était comme ça : simple et directe, toujours mesurée sur les sujets importants. Elle avait écrit
ces lignes trois jours avant de mourir.

Il lut ses autres envois, sans trouver nulle part mention du Dr Bell. Elle répondait essentiellement à des
demandes, orientait les gens vers des spécialistes che-
vronnés, recommandait des livres qui l'avaient aidée.

Pour finir, il se décida à ouvrir la fenêtre « Nouveau
message » et tapa ce qui suit :

*Urgent : je cherche des renseignements sur le
Dr Frederick Bell, médecin psychiatre qui s'est installé à Algonquin Bay, en Ontario, après avoir travaillé à Toronto. Il a fait une partie de sa carrière
en Angleterre. Positifs ou négatifs, tous les commentaires me seront utiles.*

Il envoya aussitôt sa requête et éteignit l'ordinateur.

Le lendemain matin, il se connecta sur le site avant
même de préparer son café. Trois messages l'y atten-
daient.

*Bonjour, Chaud-Froid. J'habitais Toronto, avant
de partir pour la Nouvelle-Écosse, et là-bas j'ai vu le
Dr Bell pendant six mois, à peu près. Pour moi, c'est
un type intelligent et sensible. J'ai regretté de le quitter. Je sortais d'une vraie crise maniaque, à l'époque,
et le traitement qu'il m'a prescrit a réussi à me stabiliser. Il me suivait surtout en tant que médecin,*

pour les médicaments, et je ne sais donc pas bien ce qu'il vaut en tant que thérapeute, pour les problèmes de dépression. Courage ! Ça va aller.

Le deuxième était plus laconique :

Salut, toi ! Tu ne l'aimes plus ton psy adoré ? Ça alors !

Le troisième venait d'Angleterre :

Envisagez-vous, cher Chaud-Froid, de consulter le Dr Bell pour un trouble bipolaire ou une dépression ? Je vous le déconseille FORTEMENT. Oh, certes il est brillant, et très respecté dans son domaine ; certes il saura probablement vous empêcher d'aller vous perdre aux confins de la psychose maniaque, mais je l'ai vu à l'œuvre pendant trois ans après avoir essayé de me tuer en avalant un flacon de somnifères (TRÈS MAUVAISE IDÉE !). Trois ans, c'est long, et au cours de ces trois ans, non seulement je n'ai constaté aucune amélioration, mais qui plus est, petit à petit mon état a EMPIRÉ de façon très subtile. Il est assez difficile d'expliquer ce qui se passait. Disons qu'au bout d'un moment j'ai commencé à comprendre que ça ne l'intéressait pas que j'aille mieux. Plus précisément, et je pèse mes mots, il ne voulait pas que je m'en sorte. Au cas où vous en douteriez, la paranoïa ne figure pas dans mon tableau clinique. Je suis trop confiante, en réalité, et cette fâcheuse tendance me complique sérieusement la vie. À l'époque où je voyais Bell, je pataugeais dans les eaux glauques de l'obsession suicidaire et j'ai souvent trouvé qu'il avait une attitude bizarre. Aujourd'hui, avec le recul, je la qualifie de franchement morbide. À une ou deux reprises, j'ai eu la nette impression qu'il me présentait le suicide comme une bonne solution. Un exemple : même si je n'en vis pas, j'ai toujours écrit, surtout des poèmes, et un jour il a évoqué Sylvia Plath. Il ne s'est pas appesanti, bien sûr, mais il a tout de même réussi à glisser que son suicide lui avait apporté la gloire. Vous trouvez peut-être que ce n'est pas grand-chose, mais à sa place, Chaud-Froid, si vous aviez sur votre divan une pauvre fille qui rêve de devenir écrivain et qui tous les jours songe à se tuer, vous lui parleriez de Sylvia Plath ?

Des petits incidents de ce genre il y en a eu des tas. Pris séparément, ça ne paraît pas grand-chose, mais mis bout à bout ils ont eu sur moi un effet extrêmement négatif. Aujourd'hui, je suis toujours en psychothérapie, et par ailleurs je vois un psychiatre qui me prescrit mon traitement. La différence est phénoménale. Le jour et la nuit. Le psy me renvoie effectivement à ce qui ne tourne pas rond chez moi, mais maintenant au moins mes idées noires m'apparaissent pour ce qu'elles sont : MORTELLES ! Résultat, je suis moins tentée de me laisser glisser sur la pente fatale. Je ne sifflote pas gaiement du matin au soir, mais je ne pense plus au suicide et j'ai moins l'angoisse de la page blanche. Qui sait ? D'autres ont peut-être des choses très positives à dire sur Bell, mais j'en doute.

Au fait, vous voulez savoir pourquoi je l'ai quitté ? Je traversais vraiment une mauvaise passe – ma demande de bourse avait été rejetée, mon chien venait de mourir, mon mari me trompait (SALAUD !) – et Bell m'a suggéré d'écrire une lettre d'adieu. Une vraie. Noir sur blanc. Chouette idée, non ? Pourquoi ne pas me tendre un .45 chargé, tant qu'à faire ?

Cardinal abandonna l'ordinateur pour aller chercher un numéro de téléphone sur la liste fixée à la porte du frigo à l'aide d'un aimant. Le Dr Carl Jonas avait en fait plusieurs numéros sous son nom, dont celui de son

Giles Blunt

bureau au Clarke Institute et celui de son mobile. Jonas était de ces toubibs joignables en permanence. À huit heures et demie du matin, Cardinal choisit de l'appeler sur son mobile.

— Oui ? Jonas à l'appareil ! brailla le médecin, avec cet accent hongrois qui avait résisté à quarante années de pratique de l'anglais canadien.

— Docteur, bonjour. C'est John Cardinal.

— Ah, Cardinal. Une seconde, il faut que je bouge si je ne veux pas finir sous les roues d'une dame qui essaie de se garer avec son rouleau-compresseur. Elle est gigantesque, cette auto, ma parole ! Ha ! Elle a renoncé. Elle a raison. Ce n'est pas un parking, qu'il lui faut, c'est une aire d'atterrissage. Quels monstres, ces 4 × 4, c'est incroyable. Que puis-je pour vous, Cardinal ? Catherine va bien ?

Il avait beau s'y être préparé, il reçut la question comme un coup de poing.

— Non, réussit-il à articuler.

— Non ? Comment ça, non ? Qu'est-ce qu'elle a, Catherine ?

— Elle est morte, docteur. Catherine est morte.

Le silence dura une éternité.

— Docteur ? Vous êtes toujours là ?

— Je suis là, oui. Je suis juste... Il ne doit pas s'agir d'une mort accidentelle pour que vous m'appeliez sur le portable.

— Elle s'est jetée du haut d'un immeuble. Elle a laissé une lettre.

— Oh, mon Dieu ! Quelle tristesse ! Les mots me manquent, inspecteur. Une femme si courageuse, si créative ! Quelle tristesse, vraiment ! J'aimais beaucoup Catherine.

— Elle vous appréciait énormément, elle aussi. Elle était dithyrambique, chaque fois qu'elle parlait de vous. L'autre jour encore, elle vous a recommandé à quelqu'un. Vous rougiriez, docteur, si vous lisiez tout le bien qu'elle pensait de vous.

— Soyez béni pour ces bonnes paroles, inspecteur. Dites-moi, si ce n'est pas indiscret, Catherine était à l'hôpital ?

— Non. Plus depuis un an.

— Mais elle voyait toujours cet Anglais ? Le Dr Bell ?

— Oui, oui. Elle avait plutôt confiance en lui, apparemment.

— Et vous, naturellement, vous trouvez qu'il n'a pas été à la hauteur. Vous devez penser la même chose de moi.

— Certainement pas. Il y a si longtemps que vous ne la suiviez plus.

— Elle était très dépressive ?

— Non. Elle avait l'air d'aller bien, en fait. Elle était très occupée par un nouveau projet, elle avait plein d'idées.

— C'est souvent le cas, hélas. Ils prennent leur décision tout seuls, et, patatras, nous n'avons plus que nos yeux pour pleurer. Je n'aurais jamais cru ça de Catherine, toutefois. Elle aimait trop ce qu'elle faisait, et c'est grâce à cela que même dans les périodes les plus critiques elle s'est toujours débrouillée pour être hospitalisée à temps. Elle voulait vivre, et pour rien au monde elle n'aurait voulu vous blesser, vous et votre fille. *Ach*, quelle tristesse. Est-ce qu'au moins je peux faire quelque chose pour vous, John ?

— J'ai une question, à vrai dire. Et dans la mesure où vous avez été le médecin de Catherine pendant des années, j'attends de vous une réponse claire et nette.

— Les choses, malheureusement, ne sont pas souvent aussi claires et nettes qu'on le souhaiterait, mais je vais essayer. Allez-y.

— En tant que psychiatre, est-ce que vous demanderiez à une personne dépressive, ou maniaco-dépressive, d'écrire une lettre d'adieu ?

– Jamais de la vie !

– Y compris dans le cadre de la thérapie ? Pour l'obliger à coucher noir sur blanc ses idées suicidaires ?

– Jamais de la vie, je vous le répète. Quand on reçoit un patient dépressif, il faut avant tout lui demander s'il a déjà envisagé de se suicider. S'il répond par l'affirmative, il y a deux autres questions à lui poser : Est-ce que cela lui arrive souvent ? Est-ce qu'il se contente d'y penser ou est-ce qu'il s'y prépare concrètement ? Cela permet d'évaluer l'emprise de l'idéation suicidaire. Si vous l'incitez à rédiger une lettre d'adieu, ce qui jusque-là n'était qu'un fantasme s'inscrit dans la réalité. Et c'est un pas qui peut être décisif.

– Excusez-moi d'insister, mais je voudrais être sûr de comprendre. Vous exprimez une opinion personnelle ou c'est une règle absolue ?

– C'est le b.a.-ba, John. Le b.a.-ba. Tous les psychothérapeutes vous diront la même chose. Quand quelqu'un qui songe au suicide s'adresse à un psy, c'est parce qu'il a besoin d'aide. Si j'insiste pour qu'il écrive une lettre d'adieu, il va penser que c'est pour son bien. Quelle erreur ! Ce genre de message ne peut que le pousser à passer à l'acte, ou alors c'est un appel au secours. Comme je ne veux surtout pas perdre mes patients et qu'il est évident qu'ils crient déjà au secours, je ne vois pas ce que nous aurions à gagner, eux ou moi, à cet exercice cruel. Un cancéreux condamné à brève échéance, encore, je veux bien. Il souffre atrocement, sa vie est un enfer, il voudrait en finir... Là, oui, d'accord, c'est légitime, c'est peut-être même une bonne chose de lui donner un papier et un crayon pour qu'il essaie de formuler au plus près ce qui lui tient à cœur. Mais comme technique thérapeutique pour des candidats au suicide ? Absurde ! Autant demander à un pédophile de dessiner ses obsessions, pour en parler à la prochaine séance ! Ou à un tueur en série de brosser par écrit le portrait de sa victime idéale ! Je suis désolé, je ne voulais pas comparer les grands dépressifs à des criminels, mais vous voyez ce que je veux dire, n'est-ce pas ? J'aurais plutôt dû prendre l'exemple de l'adolescente qui se laisse mourir d'anorexie. Vous me voyez en train de lui demander de m'apporter des photos des top-modèles ou des actrices à qui elle se compare ? Cette fille a déjà une image de soi des plus négatives, elle ne se voit tout simplement pas, et vous voudriez l'aider de cette façon ? Non, non, c'est tout simplement inadmissible.

– Au moins, c'est clair. Il n'est donc pas possible qu'un thérapeute utilise ce procédé de bonne foi, dans le but d'amener le patient à prendre conscience de ses idées négatives ?

– Franchement, j'espère que non. Ce serait totalement irresponsable. Est-ce que vous êtes en train de me dire que Bell a demandé une telle lettre à Catherine ?

– Il a même laissé une empreinte dessus. Il reconnaît avoir eu ce mot entre les mains il y a quelques mois, mais il affirme que c'était une initiative de Catherine.

– Ah, dans ce cas, c'est différent ! Bien évidemment...

– Le problème, c'est que j'ai du mal à le croire. Une autre de ses patientes m'a expliqué qu'il lui avait demandé ce genre de lettre. Cette femme était très dépressive, à l'époque, et Bell lui a demandé d'écrire cette lettre – pour les besoins de la cure – et de la lui amener. Elle l'a quitté pour cette raison.

– Je suis très choqué par ce que vous me racontez, inspecteur. Le gardien du parking commence à me regarder d'un drôle d'œil, mais j'ai beau tourner la chose dans tous les sens je ne sais quoi penser. S'il s'agit d'une technique thérapeutique, elle est déplorable, c'est le moins qu'on puisse dire. Je n'arrive pas à y croire. Et pour aller au fond des choses, même s'il n'a pas poussé Catherine à écrire cette lettre, il aurait dû la faire hospitaliser quand elle la lui a apportée. Cette question n'a pas été évoquée ?

— Pas devant moi, en tout cas.

— C'est incroyable. Passons. Que faire maintenant, c'est la question. Dans l'hypothèse où il a demandé la lettre, l'affaire est du ressort de la justice et c'est un domaine que vous connaissez mieux que moi. Simple négligence ? Faute professionnelle ? Les juristes des comités d'éthique et le Conseil de l'Ordre pourraient trancher. Vous comptez saisir ces instances ?

— Les comités d'éthique ? Non, je songe à une procédure un peu différente.

39

Dorothy Bell était allée chez le coiffeur dans la matinée. L'après-midi, elle sortit dans le jardin où pendant près d'une heure elle ratissa les feuilles mortes qu'elle entassait dans des sacs destinés au compost. Elle était en train d'arroser les plantes vertes, à l'intérieur, quand elle entendit un patient quitter le cabinet de son mari. Peu après, ce dernier pénétra dans la cuisine.

– Quelle agréable surprise, dit-il en posant un baiser dans ses cheveux. Tu ne devais pas sortir ?

– Si, mais ce matin. Je suis rentrée depuis longtemps.

– Bon sang, il n'est que quatre heures et j'ai l'estomac dans les talons. C'est tellement léger, ce qu'on nous sert à l'hôpital.

Il lui tourna le dos pour fouiller dans un placard.

– Qu'est-ce que tu cherches ?

– Des biscuits, ma chère ! Des biscuits ! Mon royaume pour un biscuit !

– Ils sont dans le placard d'à côté. La boîte rouge.

– Ah, tu les a encore cachés ! s'écria-t-il gaiement. Tu veux me serrer la ceinture, toi aussi !

– Je pensais au petit Dorn. Le garçon qui s'est tué dans cette laverie. Tu l'avais comme client, n'est-ce pas ?

– Oui. Triste fin, le pauvre.

– Tu t'y attendais ? Je suis étonnée que sa mort ne t'ait pas plus ému.

– Mais si. Ça m'a complètement retourné.

— Tu n'y a même pas fait allusion.

— Pour ne pas t'inquiéter, c'est tout.

— Pourquoi veux-tu que ça m'inquiète ?

— Je ne sais pas. Là, tu as l'air inquiète, il me semble.

— Je suis juste étonnée que tu ne m'en aies pas parlé. C'est plutôt tragique, non, de perdre un patient de cette façon ? Et puis il y a eu ce grand article, dans le journal.

— Si étrange que cela te paraisse, Dorothy, je considère que c'est à moi de m'inquiéter pour mes patients, pas à toi. Il y a des jeunes gens qui veulent se tuer. C'est comme ça. C'est la vie. Beaucoup de ces désespérés s'adressent à moi et il arrive que je ne puisse rien pour eux parce qu'il est trop tard lorsqu'ils se décident à venir. Les jeux sont joués, ce n'est plus qu'une question de temps. Ceux-là veulent vraiment se tuer et ils vont jusqu'au bout. Rien ne les arrête.

— Et toi, ça te convient ?

— Chérie, voyons. Qu'est-ce que tu as ?

— Rien. Un jeune homme que tu suivais se fait sauter la cervelle dans un lieu public, en plein jour, et tu ne m'en dis pas un mot. Je trouve ça consternant, c'est tout.

— Je passe mes journées à écouter des gens qui vont mal, à leur parler, et parfois, en effet, je préfère discuter d'autre chose quand j'ai fini de travailler. J'ai sûrement des confrères qui bassinent leur petite famille avec des problèmes strictement professionnels. Je ne suis pas comme ça, un point c'est tout. (Il se servit un verre de lait, empila quelques biscuits sur une assiette.) Mon prochain rendez-vous arrive à cinq heures. Je vais mettre mes notes au propre, en attendant.

Restée seule, Dorothy écouta ses pas s'éloigner en direction du bureau.

Frederick Bell inséra un DVD dans le lecteur après avoir posé son verre et son assiette devant lui, sur la table basse. À l'instant, dans la cuisine, la tentation de frapper sa femme avait été si forte, si impérieuse, qu'il avait dû sortir en hâte, lui qui jamais de sa vie n'avait levé la main sur elle, n'avait eu envie de s'en prendre à elle. Ses accusations voilées le mettaient au bord de la panique. La sortie de scène de Perry Dorn, il s'en rendait compte maintenant, avait été trop flamboyante pour atteindre la perfection.

Jadis, il laissait ses ouailles glisser sur la pente à leur rythme, sans perdre patience. Il sentait que cette qualité l'abandonnait, à présent, et c'était angoissant. Il avait trop pratiqué les grands névrosés obsessionnels pour ne pas savoir qu'il était presque impossible de les stabiliser. La plupart du temps, au contraire, leurs obsessions se renforçaient, leur vie jusque-là si bien maîtrisée basculait, et ils finissaient à l'hôpital, hébétés par les médicaments. Frederick Bell aurait payé cher pour pouvoir revenir plusieurs années en arrière, à l'époque où il avait la situation bien en main.

– Leonard Keswick, dit-il tout haut pour chasser ces idées noires. Suite des aventures d'un pédophile.

Keswick allait lui remonter le moral. Il utilisa l'avance rapide pour sélectionner les meilleurs moments. À l'écran, les Kleenex finissent en boule sitôt arrachés à la boîte, Keswick plaque les mains sur son visage et les en écarte, comme un bébé joue à cache-cache. Bell mit le mode *Lecture* en marche.

Mouillée de larmes, voilée par la honte, la voix de Keswick résonne dans la pièce.

– Mon pire cauchemar se réalise. Vous savez comment ma femme a réagi, quand elle a su ?

– Pas encore, mais vous allez me le dire, commente Bell en croquant un biscuit.

Au beurre de cacahuète. Pas ses préférés.

– Elle m'a craché dessus. Elle m'a craché dessus pour de vrai. À la figure. Ma propre femme.

Le Dr Bell qui pose dans le champ de la caméra est l'image même de cette neutralité bienveillante qu'on est en droit d'attendre d'un psychothérapeute. Celui qui regardait la séquence eut un geste obscène qui mimait la masturbation.

– Et les policiers, pourquoi sont-ils remontés jusqu'à moi ? se lamente Keswick. Comment ont-ils appris que j'avais ces photos ?

– Ils ne vous ont pas donné d'explications ? s'étonne Bell, la bouche pleine. Je pensais qu'il fallait des preuves pour perquisitionner chez quelqu'un.

– Des preuves ? Elles sont dans mon disque dur, les preuves ! Il est plein d'images de gamines de treize ans.

De gamines et de gamins, ricana Bell le spectateur en avalant une gorgée de lait. N'oublie pas les petits garçons, vieux cochon.

– Tout ce que j'ai pu leur soutirer, c'est qu'ils avaient été « informés ».

– Comment interpréter cela, à votre avis ?

– Qu'est-ce que j'en sais ? Il y a peut-être une surveillance sur le portail Internet, ou directement chez le fournisseur d'accès. Je m'en fiche, en fait. Je vais perdre mon travail. Je vais très probablement perdre ma famille aussi. Je suis en enfer, docteur, il n'y a pas d'autre mot. Je suis perdu, je fonce droit vers l'enfer et je ne vois pas comment je vais m'en sortir.

Le Dr Bell lampa le fond de son verre de lait et épousseta les miettes de biscuit tombées sur ses genoux.

– Faux, Leonard, se moqua-t-il. Il me semble au contraire que tu vois très bien ce qu'il te reste à faire pour en sortir.

Le téléphone sonna. Il reconnut la voix de Gillian McRae, une des réceptionnistes de l'hôpital, qui parlait dans le répondeur :

« Docteur, bonjour, c'est Gillian. Est-ce que vous avez pu joindre Melanie Greene ? Elle a appelé deux fois cet après-midi. Elle a l'air très perturbée. Si vous pouviez la recevoir au plus vite, ce serait une bonne chose, je crois. »

— Très juste, commenta-t-il sans décrocher. Je vais m'occuper d'elle tout de suite.

40

Delorme poussa le dossier sur la table, devant Cardinal. Ses yeux noisette infiniment sérieux étaient indéchiffrables.

– Non. Pas ça ! jura Cardinal entre ses dents dès qu'il eut jeté un œil sur le contenu de la chemise.

– De pire en pire, hein ? dit Delorme.

Le sergent chef Chouinard avait réussi son coup, si c'était pour distraire Cardinal de son chagrin qu'il lui avait demandé de prêter main-forte à Delorme. Au long de sa carrière, Cardinal avait vu bien des horreurs, des choses atroces, abominables, mais rien qui le choque autant que ces images qu'il découvrait.

– Il y en a sur lesquelles elle n'a pas plus de sept ans.

– Effectivement, acquiesça Delorme en examinant ses ongles d'un air absent, comme si elle savait depuis longtemps à quoi s'en tenir sur la perversité masculine. Et elle a subi ça des années. Au moins jusqu'à treize ans.

Sur les images les plus récentes, l'enfant ne pleurait plus. Le visage dénué d'expression, elle semblait aussi passive qu'un mouton pendant la tonte. Peut-être réussissait-elle à se transporter ailleurs mentalement, en s'appliquant à résoudre un problème de maths ou à mémoriser les noms des grands fleuves pour ne pas penser à ce que cet homme – son père, son tuteur – lui arrachait. À jamais.

– Je vais vous faire une confidence, disait Delorme.

Je garde un très beau souvenir de mon premier baiser, un souvenir très doux. Donny Leroux. Nous étions si jeunes. À peine douze ans, onze peut-être seulement, du même âge tous les deux. C'était dans le gîte que tenait sa famille. Ils habitaient au bord du lac des Truites, dans Water Road, et ils avaient un gîte minuscule au bord de l'eau. Plus une cabane, en réalité, avec deux paires de lits superposés dans la chambre. Ce jour-là, j'y suis allée avec ma copine Michelle Godin. Il y avait un autre garçon, je ne sais plus comment il s'appelait. On a joué à pierre, papier, ciseaux, et le gage c'était un baiser. Je ne m'intéressais pas aux garçons, jusqu'alors, pas comme ça. L'idée d'embrasser un garçon ne me venait pas à l'esprit, en tout cas ça ne m'empêchait pas de dormir. Je devais avoir onze ans, en réalité, parce que, après, oui, ça m'a travaillée... Bref, Donny a eu un gage et il m'a embrassée. On a gardé les lèvres fermées, ça n'a pas dû durer plus d'une fraction de seconde mais je ne l'ai jamais oublié. Vous vous rendez compte ? Un quart de siècle plus tard, je me souviens encore de ce frisson délicieux. De toutes petites décharges électriques me parcouraient de la tête aux pieds. Un peu comme des chatouilles, mais sous la peau.

– Le coup de foudre, en somme.

– Non, non. C'est sûr qu'après ça m'a trotté dans la tête, j'y ai pensé et repensé, mais Donny ne m'intéressait pas plus que ça. J'imagine que j'avais une idée très floue du flirt, à l'époque, mais quoi qu'il en soit je n'avais pas particulièrement envie de mieux connaître ce garçon, de passer mon temps avec lui. Cette expérience, j'y pense comme à une aurore boréale – quelque chose de si fantastique, quand on le découvre pour la première fois, qu'il s'imprime en vous de façon indélébile. Un souvenir merveilleux, mais qui n'engage pas l'avenir.

– Lui l'a peut-être vécu différemment.

Delorme haussa les épaules.

– Qui sait si pour lui aussi c'était la première fois ? La seule certitude, c'est que notre petite inconnue n'a jamais connu ça. L'homme des photos le lui a volé. Quand elle embrasse un garçon de son âge, c'est autre chose qu'elle ressent.

Si encore il n'y avait que ça, se dit Cardinal par-devers lui en examinant rapidement les autres clichés.

– Les gars de Toronto ont fait une sacrée trouvaille. (Delorme tapotait une photo où l'on voyait une chambre d'hôtel tristounette, avec deux tables de chevet identiques de part et d'autre du lit.) Celle-là aurait été prise au motel des Voyageurs, dans la banlieue nord de Toronto.

– Connais pas.

– Moi non plus, mais les parents qui ont des jeunes enfants, si. C'est ce qu'on peut trouver de moins cher à proximité de WonderWorld.

– Super. Il lui offre un ou deux jours là-bas, et en échange il abuse d'elle. Comment ont-ils remonté sa trace jusqu'à Algonquin Bay, à propos ? L'avion ?

– Tout juste. Je suis allée voir son propriétaire, un certain Frank Rowley. Pas beaucoup de points communs avec notre pervers, *a priori*. Il est chauve comme un œuf. Marié, une gamine, et quand il ne pilote pas son coucou il plane avec sa guitare. Il a été assez disert sur ses voisins du port, mais il n'a jamais rien remarqué de suspect.

Mary Flower traversait la pièce au pas de charge, une grosse enveloppe matelassée à la main.

– Ça vient juste d'arriver, dit-elle à Delorme. Je vous l'apporte puisqu'il paraît que c'est urgent.

– Encore de la doc de Toronto. Ils doivent vraiment avoir envie qu'on le coince, pour bosser à ce rythme-là. (Elle ouvrit l'enveloppe et en sortit d'autres tirages photo.) Pas de motel, cette fois. Pas de joli bateau.

– Non, elles ont été prises chez quelqu'un. Le même logement partout, à première vue. On a le salon, la cuisine, la chambre...

– Malheureusement, ça ne colle pas avec les maisons des gens que j'ai interrogés. Je n'avais pas de mandat, bien sûr, mais j'ai jeté des coups d'œil discrets un peu partout et je n'ai rien repéré qui ressemble à ce qu'on a là. Ce carrelage bleu dans la cuisine, par exemple. Jamais vu.

– Et les rideaux ? demanda Cardinal en attrapant une des photos du salon : la petite allongée sur un canapé deux places ; derrière sa tête, le bord d'un rideau, d'une couleur tirant sur le bleu avec des motifs dorés.

– Ce détail n'apparaît pas sur les jeux de photos qu'ils m'ont déjà envoyées, mais je n'ai pas remarqué de rideaux semblables dans les maisons où je suis passée. Évidemment, une paire de rideaux c'est facile à changer.

Cardinal étala les clichés du bout du doigt. Ces images drapaient son chagrin d'une couche de tristesse supplémentaire. Pauvre gosse. L'homme devait être son père ou son beau-père. Elle avait l'air si contente sur les quelques photos anodines, si confiante. Que devient-on, en grandissant, quand la confiance enfantine a été à ce point trompée, abusée ? On s'en remet ?

– Je propose qu'on les compare aux autres et qu'on les trie en fonction de l'âge, déclara Delorme. Je vous laisse celles-là. Je vais chercher les autres.

Cardinal les aligna méthodiquement sur la table. Leur violence était insoutenable. Même en laissant de côté l'aspect le plus aberrant – le désir sexuel d'un adulte pour une enfant encore très loin de la puberté –, comment comprendre que ce type ait pu saccager en connaissance de cause l'espoir et les attentes qui se cachaient derrière ce visage attendrissant ? Il la prenait par la main, il acceptait les baisers innocents de sa bouche de chérubin et ensuite il la violait ? L'esprit capitulait devant le fonctionnement d'un homme coupable d'une telle traîtrise.

Il devait avoir une trentaine d'années, à l'époque, estima Cardinal sur la foi de quelques détails. Ses cheveux bruns lui arrivaient presque aux épaules. Les photos ne cachaient pas grand-chose de son anatomie mais on ne voyait jamais le visage en entier. Un sourcil ici, là une oreille, un bout de nez. Autant que ces fragments permettent d'en juger, il n'était pas physiquement monstrueux, il devait être capable d'avoir une vie sexuelle normale. Et pourtant il avait détruit l'enfance de la petite fille qu'il était censé élever.

Revenue entre-temps avec les autres photos, Delorme complétait les rangées classées par Cardinal.

— Finalement, c'est sur la photo du bateau qu'elle a l'air le plus âgée, dit-elle. Si ce cliché date d'il y a cinq ans, bien des choses ont pu se passer depuis. Il est possible qu'elle ait fini par se rebeller. Peut-être même qu'elle en a parlé à quelqu'un.

— J'en doute, Delorme. C'est difficile à expliquer, cela tient peut-être tout simplement à l'amour qu'exprime son visage, sur les photos où il n'abuse pas d'elle, mais je ne l'imagine pas en train de le dénoncer. Pas à l'époque, en tout cas.

— Moi, ça ne me paraît pas exclu. Et si j'ai raison, ce type est peut-être déjà en taule.

— Quel optimisme...

— Qu'est-ce qu'il y a, John? Vous pensez à autre chose?

— J'essaie de réfléchir à ce que cela implique, le fait que ces photos aient été prises il y a cinq ans. J'ai lu quelque part que de nos jours les gens déménagent tous les cinq ans, en moyenne.

— Ce qui signifie que le lieu du crime ne se trouve probablement pas dans les maisons que j'ai pu visiter. Les lieux du crime, rectifia-t-elle en balayant du regard l'ensemble des photos. En plus, il ne serait pas étonnant que la famille ait éclaté, compte tenu des problèmes évidents de ce monsieur.

— Et de ceux qu'il provoque, ajouta Cardinal. Je crois ce genre d'individu parfaitement capable de se recréer toutes les vies de famille dont il a besoin, et de détruire autant de foyers.

Les bras croisés sur la table, ils ressemblaient à deux stratèges militaires devant des images de villes bombardées, de ruines fumantes. Les alignements de photos couvraient presque entièrement la grande table de la salle de réunions.

– Quand on déménage, on emporte ses meubles, dit Delorme. Il ne faut pas désespérer. On devrait finir par reconnaître quelque part une table, une chaise, des livres... un objet, quoi !

– Il ne s'intéressait pas beaucoup aux éléments du décor, en réalité.

– Sûr. C'est un malade du gros plan.

– Il y a tout de même ce canapé, fit Cardinal en lui montrant une photo de la petite fille endormie sur une causeuse.

Le siège était en peluche rouge et les parties en bois avaient une forme assez originale.

– Non, ça ne me dit rien. Je l'aurais remarqué, forcément.

– Et ça ? (Il leva une photo sur laquelle on distinguait un pied et un bout du plateau d'une table basse moderne, de style suédois.) Ce n'est pas un modèle très courant non plus.

– Celle des Ferrier est nettement plus imposante, et le bois n'est pas aussi clair. Quant à Rowley, il aime le rustique, le bois brut et plein de nœuds. Genre baba écolo.

– Tiens, là on a une cheminée.

– Je n'en ai pas vu chez ces gens, dit Delorme en haussant les épaules. De toute façon, vous avez raison. Cinq ans après, il y a des chances pour qu'ils aient déménagé et que la cheminée ne fasse plus partie du décor.

– Elle, non, mais les accessoires peut-être. Ce tisonnier, ces pincettes.

– Désolée, Cardinal.

– C'est dommage que je n'aie pas pu vous accompagner dans ces visites. Deux paires d'yeux valent mieux qu'une, et on aurait pu se partager le boulot... J'aurais demandé où se trouvaient les toilettes, vous auriez trouvé un prétexte pour aller à la cuisine.

Delorme ne répondit pas. Le menton dans la main, elle parcourait du regard les images alignées. Elle en prit une, la reposa, caressa le bord du bout de l'index. Cardinal avait assez souvent fait équipe avec elle pour savoir quand une idée se formait derrière ce front pensif. Absorbée en elle-même, sa collègue déroulait méthodiquement le fil d'un raisonnement intérieur.

Elle attrapa une autre photo et la posa à côté de la première.

– Je crois que j'ai quelque chose, murmura-t-elle. Regardez. (Cardinal vint se placer près d'elle.) Ce tapis, avec un motif indien, navajo, peut-être. Frank Rowley en a un pareil.

– Hmm. Je ne suis pas expert en tapis. Vous croyez que celui-ci a assez de valeur pour que ses propriétaires l'aient pris dans le déménagement ?

– Il est très beau, en tout cas. Il doit valoir cher, oui. Ce sont ces couleurs étonnantes qui m'ont attiré l'œil, là-bas. Les noirs, les bleus. Je ne pense pas que ce soit le même, pourtant.

– Pourquoi ? Parce que vous avez un petit faible pour Rowley ?

– Le sien a un défaut. Une grosse couture, comme une cicatrice en zigzag sur les motifs.

Cardinal passa scrupuleusement en revue l'ensemble des photos, jusqu'à en trouver une autre avec le précieux tapis. La scène qui se déroulait dessus était d'une telle obscénité qu'il n'était pas étonnant que ce détail ait échappé à leur attention.

– Une ligne en zigzag identique à celle-là ? demanda-t-il en tendant l'image à Delorme.

41

Wendy Merritt rangea les assiettes sales dans le lave-vaisselle et versa de la poudre dans le petit comparti-ment. La machine était programmée pour démarrer après minuit. Wendy attachait beaucoup d'importance aux économies d'énergie, surtout depuis qu'elle vivait avec Frank.

C'était énorme, quand on y pensait, d'avoir pris cet engagement un an et demi seulement après la mort de son mari. Il avait succombé à un infarctus après avoir couru le marathon de Toronto, et pendant deux mois elle était restée sous le choc, assommée, à pleurer tout le temps. Sans Tara elle aurait sûrement sombré dans l'alcool, mais la petite avait besoin d'elle et Wendy avait réussi à remonter la pente. Elle s'en était sortie, elle avait recommencé à goûter à la vie, elle avait Tara pour elle toute seule et c'était un vrai plaisir.

Elle ne se voyait pas rester célibataire, pourtant. Pendant toute une période elle s'était mise à éplucher les petites annonces et à participer aux activités de la paroisse susceptibles d'attirer des hommes non mariés. Elle acceptait même de suivre son amie Pat au pub, certains soirs, pour repérer « les cœurs à prendre », comme Pat appelait en plaisantant les habitués du Chi-nook et du Carillon.

Hélas, ce qu'on disait était vrai : les meilleurs étaient déjà casés ou alors ils étaient gays. Les autres étaient à désespérer. Ils buvaient leurs deux demis au comptoir, ils échangeaient deux mots avec qui voulait bien leur parler, et quand la conversation s'épuisait, ils rentraient chez eux, vaguement déprimés et secrètement soulagés.

Ils étaient sérieusement atteints, pour la plupart. Pas parce qu'ils avaient un comportement farfelu ou inquiétant, même si certains étaient vraiment limites. Ce n'était pas ça. Simplement ces hommes avaient l'air vide, et essayer de discuter avec eux, c'était comme visiter une maison inoccupée. Autrefois, longtemps avant, quelqu'un avait dû habiter toutes les pièces de cette maison, et puis il était arrivé quelque chose et depuis l'ancien occupant vivait recroquevillé sur lui-même. Ça donnait un type qui vous offrait un verre et qui se mettait ensuite à contempler fixement les bouteilles derrière le bar, sans prononcer une parole. Puis, soudain, au moment de partir, il vous posait une main sur la cuisse comme si vous veniez d'avoir ensemble la plus intime des conversations. Ces zombies n'avaient pas ouvert un livre en dix ans, ils ne lisaient que les pages sport du journal, ils n'avaient pas d'opinion sur les grands sujets importants. Comment auraient-ils pu, puisqu'il n'y avait personne derrière leurs yeux absents ?

À supposer que Wendy ait eu envie de coucher avec l'un d'eux – Dieu soit loué ça ne s'était pas produit – les choses se seraient arrêtées là. Aucun de ceux qu'elle avait rencontrés ne lui paraissait assez équilibré pour partager le quotidien d'une enfant de six ans.

En définitive, Tara avait plutôt bien surmonté le choc de la mort de son père. Dans les premiers temps, Wendy avait très peur qu'elle reste marquée à jamais, mais à la longue la petite s'était habituée à leur nouvelle vie et elle avait arrêté de réclamer son papa. Wendy trouvait d'ailleurs un peu triste qu'elle n'en parle plus jamais.

Pendant un an et demi, elle s'était donc occupée de sa fille toute seule. Quand elle pensait à son amour pour Tara, elle voyait un pont magnifique jeté au-dessus d'un abîme effrayant. C'est grâce à lui qu'elle était encore là. Elle tenait si fort à sa fille qu'elle se demandait parfois avec inquiétude si cet amour n'était pas excessif, ou, pour parler comme les psychologues, si l'enfant n'était pas devenue pour elle un substitut de son défunt mari. C'est entre autres pour cela qu'elle voulait refaire sa vie et qu'elle désespérait de rencontrer l'âme sœur. Jusqu'au jour où Frank Rowley avait déboulé dans sa vie.

Wendy racontait en riant que Frank avait surgi devant elle comme un personnage échappé d'un film, un chevalier blanc tombé du ciel pour les sauver, Tara et elle, mais la vérité était plus prosaïque. Elles étaient devant lui, à une caisse de supermarché, et il avait dit quelque chose en l'air, un truc banal qui n'appelait pas de réponse de sa part. Elle avait simplement remarqué qu'il était plutôt mignon, pour un chauve. (Depuis, Wendy avait revu cette première impression à la hausse : en réalité, Frank était super craquant et elle trouvait sa calvitie très sexy.)

La mère et la fille allaient repartir en voiture quand tout à coup Tara s'était écriée :

– Maman, attends ! Le monsieur arrive.

– Quel monsieur, ma puce ?

– Le monsieur du magasin. Il court.

Wendy s'était retournée, il lui avait fait signe, il était arrivé hors d'haleine. Échange de sourires par la vitre ouverte, récupération du sac de courses, et merci, au revoir. Cela n'avait pas duré une minute, et elle n'aurait plus pensé à lui s'ils ne s'étaient pas revus par hasard.

Un vrai chevalier blanc, cette fois. Sans lui, elles y seraient restées.

Elle était partie en balade avec Tara sur le lac des Truites, dans une barque à moteur louée au port. Un joujou d'une puissance limitée à 15 chevaux. La journée avait été idyllique. Le petit bateau les avait vaillamment transportées jusqu'aux îlots de la baie de Four Mile. Là,

Wendy l'avait tiré sur une langue de sable et elles avaient
joué aux Indiens. Un jeu de cache-cache amélioré, en
fait, mais qui les avait si bien absorbées que Wendy
n'avait pas vu l'orage monter.

Elles n'étaient pas bien loin de l'île quand le moteur
avait calé. Wendy s'était acharnée en vain sur cette maudite ficelle qui chaque fois menaçait de lui arracher le
bras. Elle n'avait pensé qu'après à la panne d'essence,
et en voyant le trou qui perçait le réservoir elle avait
compris qu'il faudrait rentrer à la rame.

Les avirons étaient trop gros et difficiles à manier.
Elle s'écorchait les paumes dessus sans parvenir à donner de l'impulsion au bateau. Il faisait de plus en plus
lourd, de plus en plus sombre, parfois des lueurs d'éclair
blanchissaient le ciel, derrière les collines. À un moment
donné, Wendy avait basculé en arrière, déséquilibrée par
l'effort qu'elle devait fournir. Les rames qu'elle avait
lâchées glissèrent hors des dames de nage et tombèrent
à l'eau. Pour essayer de les rattraper, il n'y avait pas
d'autre solution que pagayer à la main. Tara s'y était
mise bravement, mais sa participation était plus contre-
productive qu'utile. Wendy commençait à avoir vraiment
peur. En quelques minutes, le vent les avait chassées
loin du rivage. Elle ne voyait presque plus les maisons
et le lac semblait absolument désert. Tous les plaisan-
ciers et les marins d'eau douce avaient eu la présence
d'esprit de se mettre à l'abri.

Elle l'avait entendu avant de le voir, alertée par un
grondement sourd qui gagnait en intensité. Au-dessus
de leurs têtes, les masses gris violine roulaient furieuse-
ment dans le ciel. Et soudain l'avion était sorti de la
houle des nuages et il les avait survolées dans un fracas
assourdissant. Filant presque au ras de l'eau, il avait
disparu entre deux îles, un peu plus au nord, laissant à
Wendy l'espoir ténu que le pilote allait signaler la présence du frêle esquif et que les secours ne tarderaient
pas à arriver. Les premières gouttes – des gouttes

énormes, aussi grosses que des billes – commençaient à tomber lorsqu'elle réussit enfin à récupérer les rames et à les glisser dans les dames de nage.

– Hou, là, maman ! criait Tara tout excitée. J'ai pas peur, tu sais. J'ai même pas peur !

– C'est bien, ma puce, l'encourageait Wendy, tout en pensant par-devers elle qu'il y avait toutes les raisons d'avoir peur.

Elles étaient trempées, les éclairs qui fusaient derrière les collines ricochaient sur le lac. La petite coque en alu était le point le plus proéminent à la surface plane de l'eau.

Les mains serrées sur les rames malgré les ampoules, elle venait de dépasser la pointe qui leur dissimulait la baie quand elle avait à nouveau entendu un bruit de moteur, presque un ronronnement, cette fois. L'avion voguait vers elles, porté par ses flotteurs qui soulevaient des gerbes d'écume blanche sur les vagues noires. Il s'était approché à une vingtaine de mètres, si près qu'elles sentaient le vent des hélices. Elles avaient retenu leur souffle quand il s'était mis à tanguer dangereusement, en équilibre sur un flotteur, puis la porte minuscule s'était entrouverte et un homme avait passé la tête à l'extérieur.

– L'orage va bientôt nous tomber dessus, et il a l'air méchant. Il vaudrait mieux que je vous remorque. On y va ?

Moins de deux secondes plus tard, il leur lançait une corde en indiquant à Wendy de l'attacher à l'anneau en métal fixé à la proue. L'avion et le bateau se trouvaient à moins de dix mètres, à présent. Wendy sentait le regard de Frank posé sur elle, pendant qu'elle s'escrimait sur le nœud.

– On se connaît, m'dame ? J'ai l'impression de vous avoir déjà vue.

– C'est possible. La ville n'est pas bien grande.

– Je sais ! s'était-il exclamé en claquant des doigts.
Le supermarché ! Vous étiez devant moi, à la caisse. Vous
aviez oublié un sac.

Tara avait mis son grain de sel :

– Je me rappelle. Vous nous avez rapporté notre
sac.

– Exact. Moi aussi je me rappelle de toi. Bon, on y
va ? Vous êtes prêtes toutes les deux ?

– Oui ! On va voler derrière vous, maintenant qu'on
est accrochées ?

– Ah, non ! Je vais vous tirer jusqu'au bord, mais
sur l'eau.

– Dommage.

Déçue, Tara s'était tassée sur la banquette en aluminium. Ses cheveux plaqués par la pluie lui faisaient
la tête toute ronde. Frank avait refermé la porte de la
carlingue, et dans un vrombissement de moteur l'hydravion avait pivoté en direction du rivage, entraînant leur
petit bateau dans son sillage. Le souffle des hélices rivalisait avec les bourrasques d'orage pour tordre en tous
sens les mèches humides qui leur cinglaient le visage. Il
faisait presque aussi noir qu'en pleine nuit. Droit devant,
les balises solaires des quais scintillaient comme des
guirlandes de lumière.

– J'aurais mieux aimé qu'il nous tire derrière lui
comme un cerf-volant, maman.

– Je crois que c'est parce que son avion n'est pas
assez puissant, ma puce.

– On aurait vu la forêt d'en haut, on serait rentrées
à la maison en bateau.

La traversée de la baie leur avait pris à peine dix
minutes, alors qu'à la rame il leur aurait fallu plus d'une
heure. Frank avait amarré l'hydravion au corps mort
avant de les haler jusqu'à lui. Il devait crier pour couvrir
les grondements du tonnerre.

– Vous allez pouvoir regagner le quai d'ici ? Moi, il

faut que j'y aille avec mon canot si je veux reprendre le Cessna, demain.

    – Pas de problème, je vais y arriver. Merci mille fois.

Wendy avait détaché la corde et il s'était penché pour lui serrer la main.

    – Enchanté. Frank Rowley.

    – Wendy Merritt. Et ma fille, Tara.

C'est ainsi que Frank Rowley avait débarqué dans leur vie.

Wendy récurait une casserole qu'elle n'avait pas pu caser dans le lave-vaisselle quand Frank la rejoignit à la cuisine, coiffé de son postiche. Son groupe de nostalgiques des sixties se produisait au Chinook, cette semaine, et quand il jouait en public il mettait presque toujours sa perruque John Lennon. Il avait les cheveux de cette longueur, autrefois, avant de les perdre d'un seul coup, à trente ans. Il lui avait montré des photos de lui, à cette époque.

    – Tu pars pour le concert ?

    – Dans une minute. J'ai déjà chargé la voiture. Je voulais te montrer quelque chose. (Il sortit deux billets de la poche arrière de son jean.) Bob Thibeault m'a filé deux laissez-passer pour WonderWorld, valables ce week-end. Enfin, pas dimanche, juste vendredi et samedi.

    – Oh, c'est bête. Je ne suis pas libre. Il y a le stage, tu sais.

Tous les ans, au mois d'octobre, la ville organisait un stage de formation destiné aux enseignants. Le vendredi suivant, les élèves seraient en vacances pendant que leurs professeurs retourneraient sur les bancs de l'école.

    – Je sais, mon chou, mais tu ne crois pas qu'on pourrait se passer de toi pour une fois ? Ça fait huit mois qu'on est ensemble, et sans vouloir me vanter, j'ai l'impression que Tara m'a adopté.

    – Oh, ça ! Elle est folle de toi.

– Tu penses, vraiment ?

– Elle ne parle que de toi, chéri. Elle est tout le temps en train de me demander où tu es, quand tu rentres. Je suppose que, dans le fond, elle n'est pas encore complètement persuadée que tu es réel. Elle doit redouter que tu disparaisses un jour sans prévenir, comme son premier papa.

– Ouais. Je me disais à peu près la même chose. On s'entend bien, Tara et moi, mais on n'a pas encore eu l'occasion de nouer un rapport vraiment personnel. Tu comprends ce que je veux dire ?

– Je ne sais pas. Après tout, tu l'as emmenée en avion, vous allez vous promener dans la campagne. Vous êtes même montés à bord du *Chippewa Princess* pendant que je restais à la maison.

– C'est juste, mais reconnais que ça ne dure jamais bien longtemps. Sincèrement, je pense que ce serait chouette de passer deux jours entiers ensemble. Ça créerait entre nous quelque chose de très fort. Un vrai lien père-fille, tu vois ?

Le dos calé contre le plan de travail, Wendy croisa les bras sur la poitrine. L'idée de se séparer pendant deux jours de Tara l'effrayait. Sa fille allait au centre aéré, il lui arrivait de rester dormir la nuit chez une amie, mais jamais elle n'avait voyagé sans elle. Wonder-World était à Toronto, à trois cents kilomètres d'Algonquin Bay. C'est en substance ce qu'elle expliqua à Frank.

– Bon, bon, dit-il, l'air très déçu. Si tu estimes qu'elle n'est pas prête, on laisse tomber. Il me semblait que c'était une occasion géniale, mais pas de problème. Je trouverai quelqu'un à qui refiler ces billets.

– Oh, ce serait tout de même dommage.

– Tant qu'à faire, autant que quelqu'un en profite.

Wendy ne savait plus quoi penser. Qu'est-ce que j'ai à tout le temps jouer les mères poules ? se demanda-t-elle. Frank est le type le plus responsable que je connaisse.

– Non, j'ai tort, déclara-t-elle. Elle peut partir avec toi, bien sûr. Vous allez vous amuser comme des petits fous, tous les deux. Enfin, elle, en tout cas... Tu es sûr que tu as envie de passer deux jours dans un parc d'attractions ?

– Je t'avouerai que je ne pense pas forcément à WonderWorld quand j'ai envie de m'éclater, mais que veux-tu ? Il faut ce qu'il faut !

Tara qui regardait la télé dans le salon en sortit sur ces entrefaites, un lion en peluche dans les bras. Elle se mit à glousser en voyant la perruque de Frank.

– Oh, tu as mis tes cheveux !

– Pas mal, hein ? dit-il en bombant le torse. Tu ne trouves pas que je ressemble à Ozzy Osbourne ?

– Tu es super ! Je peux toucher ?

– Hé, doucement, mon lapin ! Si tu tires dessus, la frange va pousser et je n'y verrai plus rien pour conduire.

– Maman, tu sais, je voudrais un téléphone mobile. Un avec Harry Potter.

– Tu dis ça parce que tu viens de voir une pub.

– J'en veux un ! J'en veux un ! Comme ça, je pourrais appeler Courtenay et Bridget.

– Tu peux les appeler d'ici.

– C'est pas pareil, maman ! Oh, s'il te plaît...

– Frank a une surprise bien plus belle pour toi. Je te laisse la lui annoncer, Frank ?

Il s'accroupit pour se mettre à la hauteur de la fillette.

– Qu'est-ce que tu dirais si on allait à WonderWorld ce week-end, tous les deux ? Juste toi et moi ?

– À WonderWorld ? C'est vrai ? ! Super trop bien !

– Réfléchis trois secondes, ma puce. Tu seras contente d'être toute seule avec Frank là-bas ? Je ne peux pas venir avec vous. Il faut que je travaille.

– Je veux y aller ! Je veux y aller ! On part quand ?
demain ?

– Vendredi. On va passer tout le vendredi et tout
le samedi ensemble. C'est pas super, ma choupette ? Si
tu es sage, peut-être même que je mettrai mes cheveux.

42

Ses patients meurent et il reste de marbre. Ça recommence comme à Manchester, se disait Dorothy Bell en repensant à ce qu'ils avaient vécu en Angleterre. Là-bas, Frederick n'avait pas eu plus de réactions qu'aujourd'hui après le suicide de trois de ses patients, disparus les uns après les autres en moins de dix jours. Il n'avait rien manifesté quand la mère d'un des jeunes désespérés s'était plantée à l'entrée de l'hôpital avec une pancarte où elle avait écrit en gros : LE Dr BELL A TUÉ MON FILS. Il ne s'était pas laissé troubler par les interrogations que ces disparitions en chaîne suscitaient dans le milieu médical.

Il avait des réponses toutes prêtes en réserve. On essaie d'aider les gens, et c'est comme ça qu'ils vous remercient, soupirait-il avec lassitude. Personne ne comprend que la dépression est une maladie mortelle incurable. La plupart du temps, les médecins ne la prennent même pas au sérieux. Il se comparait à un chirurgien audacieux s'ouvrant à la pointe du scalpel un chemin dans des terres maudites où nul n'osait s'aventurer.

À Swindon, il n'avait pas réagi quand une adolescente qu'il avait en thérapie avait fait sauter la maison de ses parents en se suicidant au gaz. Il n'avait pas réagi quand un homme sur le point de devenir grand-père s'était tiré une balle dans la tête chez sa fille, dans le jardin. Il n'avait pas réagi en apprenant que les infirmières du Manchester Hospital, y compris celles du service où travaillait Dorothy, l'avaient surnommé Docteur La Mort. Elle lui en avait parlé, et avec sa lassitude coutumière il avait déclaré :

« Contre la bêtise, même les dieux s'escriment en vain. »

Il ne s'était départi de sa belle indifférence que lorsque la direction du Manchester avait demandé une enquête au ministère de la Santé, au motif qu'il prescrivait sept fois plus de somnifères que ses confrères psychiatres. Indigné, il avait alors décidé d'émigrer au Canada.

« Aucun psychiatre ne soigne autant de dépressifs que moi, fulminait-il en préparant leur déménagement. La dépression rend insomniaque, c'est comme ça. Qu'est ce qu'on attend de moi ? Que je laisse mes patients devenir fous par manque de sommeil ? »

C'était à l'époque de l'affaire Shipman, ce médecin généraliste jugé pour avoir tué quelque deux cent cinquante malades en leur administrant des doses massives d'héroïne. Harold Shipman passait pour un médecin dévoué et consciencieux, qui se déplaçait à domicile à toute heure du jour et de la nuit. Nombre de ses patients s'étaient d'ailleurs éteints pendant une de ses visites, ou peu de temps après. Tout au long de son procès interminable, il avait eu le soutien de son épouse, une petite femme rondouillarde qui assistait à toutes les audiences et refusait de parler aux journalistes.

Quant à Frederick, calcula Dorothy en comptant sur ses doigts, depuis qu'il était installé au Canada il y avait eu ce jeune homme qui s'était tué, pas l'été dernier mais l'autre, plus M. Keswick, plus la femme du policier, plus le pauvre petit Dorn, mort de façon horrible dans la laverie automatique. Et son mari avait l'air de trouver ça normal. Oh, Frederick n'était pas Harold Shipman, il n'allait pas assassiner les gens chez eux, mais il devait tout de même y mettre du sien pour que tant de ses patients se suicident.

Quand Shipman avait été condamné, Dorothy s'était dit qu'à la place de sa femme elle aurait su ce qui se passait, elle aurait fait quelque chose.

Il faut faire quelque chose, c'est évident, se répétait-elle aujourd'hui en pénétrant subrepticement dans le bureau de Frederick. Quoi au juste, elle ne le savait pas encore, mais elle ne pouvait pas rester les bras croisés pendant que la liste des morts s'allongeait. Elle n'était pas Mme Shipman.

Elle ouvrit le placard où Frederick rangeait les enregistrements des séances. C'était devenu une obsession, chez lui. Il s'enfermait pour les regarder. Au début, il y a des années, elle avait cru qu'il s'agissait de films porno, mais les bruits qu'elle entendait, l'oreille collée à la porte, avaient dissipé ses craintes. Pas de gémissements, de grognements, de cris d'extase trop appuyés pour être crédibles. Le lourd battant en chêne ne laissait filtrer que des murmures de confessionnal, la musique grave d'une voix rassurante, des sanglots étouffés.

Les disques étaient classés par numéro de dossier, pas par nom, mais pour les identifier il suffisait de consulter les archives soigneusement rangées dans le meuble classeur.

Frederick était à l'hôpital et il rentrerait tard. Elle avait plusieurs heures devant elle. Elle sortit un premier disque de son boîtier et l'introduisit dans le lecteur. Après un instant d'hésitation, elle choisit de s'asseoir sur le divan, là où les patients de son mari livraient leurs secrets les plus intimes.

43

Cardinal ne croulait pas encore sous le travail, même s'il devait s'occuper du tout-venant des délits quotidiens. Les vols à l'arraché, les cambriolages, les agressions sont monnaie courante, en milieu urbain, et la moindre plainte, la moindre action en justice génère des monceaux de paperasses.

Il avait consacré sa matinée à l'enquête de pédophilie, en ciblant ses recherches sur l'ex-compagne de Rowley, mais pour l'instant Delorme n'avait pas besoin de lui et il en profitait pour se renseigner sur le passé du Dr Bell. La consultation de pages Internet lui permit de lire en diagonale des extraits d'articles publiés et de se faire une idée de l'ancrage institutionnel du médecin, de ses diplômes, des postes qu'il avait occupés. Il décida de commencer par le commencement, l'internat à la Kensington Clinic de Londres. Malheureusement, les deux psychiatres qui y avaient côtoyé Bell l'envoyèrent sur les roses : ils étaient débordés, ils n'avaient pas de temps à perdre et se fichaient bien de savoir ce qu'était devenu leur ancien confrère.

Il eut plus de chances avec le Dr Irv Kantor, qui travaillait à l'hôpital de Swindon.

– Frederick Bell me faisait l'impression d'être un bon psychiatre, dit-il. Toujours sur la brèche, pertinent, attentif. Personne ne comprenait mieux la dépression que lui. Personne.

– Je vous sens un peu réticent. Je me trompe ?

– Cette histoire a laissé des traces, forcément.

– Comment ça ?

– Frederick était encore interne quand il est arrivé chez nous. Après le blâme qu'il a reçu pour prescription abusive, il ne pouvait pas être titularisé dans le service.

– Il prescrivait quoi, exactement ?

– Des barbituriques. À des doses telles que la commission qui statuait sur son cas a dû penser qu'il se droguait avec, mais ce n'était pas le cas. Il les distribuait tout bonnement à ses patients, et il avait une clientèle énorme. Beaucoup de ces gens se sont suicidés avec ces médicaments.

– Il n'a pas été poursuivi pour faute professionnelle ?

– Les parents d'un de ses jeunes patients voulaient le traîner en justice, mais aucun psychiatre n'a accepté de témoigner. Ce n'est pas une hérésie de mettre sous somnifères une personne insomniaque, y compris quand elle est dépressive. Tout ce qu'on pouvait dire, c'est qu'à sa place on n'en aurait pas prescrit autant. Cela relève plus de l'erreur d'appréciation que de la faute professionnelle caractérisée.

– Pourtant, cet incident semble vous avoir marqué.

– Je l'aurais sans doute oublié si les choses s'étaient arrêtées là. En plus, l'affaire Shipman a secoué les consciences, ici – vous savez, ce médecin britannique qui a tué des centaines de malades ?

– Je suis au courant. Autant que je me souvienne, des soupçons pesaient sur lui depuis un certain temps mais le corps médical a traité ça comme un secret de famille.

– Exactement. Les gens se taisaient. Pour en revenir à Frederick, il a quitté Swindon dès que le rapport de la commission est tombé. Tout le monde l'appréciait ici, mais on a poussé un ouf de soulagement en apprenant son départ. Il a intégré le Centre de Santé mentale de Manchester, le plus gros hôpital psychiatrique du nord de l'Angleterre. Deux ans plus tard, le taux de suicides de cet établissement était monté en flèche, il était quatre fois plus élevé que la moyenne nationale. La presse en a parlé, le ministère de la Santé voulait se saisir de l'affaire, mais pour une raison que j'ignore, il n'y a pas eu d'enquête. Frederick a déménagé et c'en est resté là.

– Il est parti où ?

– Je ne sais pas. Nos chemins ne se sont plus croisés depuis qu'il a quitté Swindon.

Cardinal passa plusieurs coups de fil au Centre de Santé mentale de Manchester. Le service du personnel lui précisa les dates d'arrivée et de départ de Bell mais refusa de lui fournir d'autres renseignements ; le président du comité de déontologie ne pouvait pas lui répondre sans l'autorisation expresse de son ministre de tutelle ; le chef du service de psychiatrie ne le rappela pas.

Cardinal se dit qu'il ne perdrait rien à téléphoner au responsable du personnel infirmier. Après tout, il est de notoriété publique qu'entre médecins et infirmiers, spécialistes du diagnostic médical et professionnels formés pour dispenser effectivement les soins, les rapports sont souvent tendus, voire ouvertement conflictuels.

En Ontario comme ailleurs, un policier n'a en principe pas le droit de se procurer des informations en usant de subterfuges. Pour que Cardinal passe outre l'interdiction, il fallait vraiment qu'il soit dans un état de stress paroxystique, lui qui d'habitude respectait à la lettre les règles de procédure.

Claire Whitestone, la responsable du personnel infirmier, avait une voix masculine, et son ton brusque indiquait qu'elle avait mieux et plus urgent à faire que de bavarder avec George Becker, surveillant adjoint à l'hôpital psychiatrique d'Algonquin Bay.

– Algonquin Bay ? Comme c'est exotique. Il y a des igloos et des ours polaires ?

– Des ours et des Indiens. Les igloos c'est plus au nord.

– Que puis-je pour vous ?

– On a un problème vraiment embêtant sur les bras, et votre institution pourrait sûrement nous aider à le résoudre, au moins en partie. J'ai déjà exposé l'affaire à des administratifs de chez vous, à des médecins, mais ces gens-là, franchement ! Autant parler aux murs.

– N'espérez pas que je vais vous plaindre. Moi, c'est tous les jours que je me cogne la tête contre ces murs. C'est insupportable. Qu'est-ce qui vous pose problème, au juste ?

– J'aurais besoin de renseignements sur un psychiatre qui a travaillé chez vous. Il a déjà eu des ennuis pour surprescription médicamenteuse.

– Je crois voir de qui il s'agit. Ne comptez pas sur moi pour salir le Dr Frederick Bell. Malgré le tapage médiatique autour de l'affaire Shipman, la communication d'informations sur les décisions des commissions de discipline est toujours très strictement encadrée chez nous. Il est possible de consulter ces archives, mais il faut être patient et ce n'est pas à moi qu'il faut s'adresser. Vous devez envoyer une demande écrite...

– ... au ministère de la Santé, je sais.

– Ils ne vous diront rien au téléphone, et moi non plus. Dans votre pays aussi il doit y avoir des lois contre la diffamation, j'imagine ?

– Oui, bien sûr.

– Alors vous comprendrez pourquoi il est hors de question que je dénigre cet homme extraordinaire, ce médecin de génie, cet exemple pour la profession tout entière.

Il était évident qu'elle ne demandait que ça. Cardinal lui tendit une perche :

– Nous avons entamé les démarches pour obtenir les divers rapports dont il a fait l'objet, mais vous avez raison, ce sera long, alors que nous sommes face à une situation d'urgence. En nous aidant, vous pourriez non seulement nous épargner bien du temps et de la peine, mais aussi sauver des vies humaines.

– Allez au fait, monsieur Becker. Tout cela est trop allusif, j'ai une grosse journée derrière moi et dans cinq minutes je dois assurer le changement d'équipe.

– Très bien, je vais être direct. Trop de nos malades se suicident depuis quelque temps. Et, curieusement, tous ceux que nous avons perdus étaient suivis par le même psychiatre.

– Il y a eu des plaintes ou des réclamations, parmi ses clients ? Parmi leurs proches ?

– Le père de l'un d'entre eux a levé la main sur ce médecin. On peut assimiler cela à une plainte. Une femme qui a été en traitement chez lui affirme qu'il l'encourageait à rédiger une lettre d'adieu.

Un reniflement dédaigneux voyagea jusqu'à lui sur les ondes satellitaires.

– Je vais tourner les choses autrement, reprit-il. Si votre ministère de la Santé acceptait de nous transmettre un rapport détaillé sur les antécédents de ce médecin, est-ce qu'à votre avis ce rapport corroborerait nos soupçons ? Vous noterez au passage que je n'ai pas cité de nom.

– J'avais remarqué et j'apprécie, monsieur Becker. Le jour où notre ministère se décidera à bouger son gros cul et à enquêter sur le fond, je suis persuadée que ses conclusions recouperont les vôtres.

– Y compris la présomption de meurtre ?

– Présomption est le mot juste. Il n'y a pas de certitude, mais quand quelqu'un se jette du haut d'un toit, d'après moi...

– Oh ! Chez vous aussi.

– Je ne suis pas médecin légiste, mais j'ai toujours trouvé ce cas extrêmement louche. Ça n'implique que moi, remarquez. La personne avait laissé une lettre et tout. Au fait, vous m'avez bien dit qu'il sollicitait ce genre de lettres ?

– J'ai deux témoignages dans ce sens.

– Vous ne trouvez pas ça curieux, de la part d'un thérapeute ?

– Je pense que ça mérite une enquête plus approfondie.

– Je connais peu de collègues qui s'expriment comme vous, monsieur Becker. Vous êtes infirmier, vraiment ?

– J'étais marié. (Il ne lui vint pas à l'idée de dire qu'il était veuf. Ce mot, *veuf*, ne faisait pas encore partie de son vocabulaire.) Ma femme est sortie un soir pour prendre des photos. Elle n'est jamais rentrée. Il paraît qu'elle a sauté du dixième étage. Elle avait laissé un mot.

Un silence bref comme un battement de cils suivit cette confidence.

– Je suis sincèrement désolée, monsieur Becker. Il va falloir que je raccroche très vite. La question que vous m'avez posée est très simple, et je peux y répondre tout aussi simplement. Est-ce qu'une enquête révélerait des similitudes entre ce qui s'est passé chez nous et la situation à laquelle vous êtes confronté à Algonquin Bay ? À cette question très théorique, je répondrai par un oui catégorique.

Absorbé dans ses réflexions, Cardinal n'avait pas remarqué l'arrivée de Mary Flower. Plantée devant son bureau, elle lui tendait une grosse enveloppe matelassée.

– Vous en avez de la veine ! C'est Noël avant l'heure, pour vous, dit-elle gaiement avant de rougir jusqu'aux oreilles. Oh, pardon. Quelle gaffe horrible...

Elle partit sans demander son reste.

L'expéditeur ne s'était pas soucié d'indiquer son adresse. Cardinal décolla le rabat de l'enveloppe et la vida sur son bureau. Elle contenait six DVD.

44

Protégés par des boîtiers en plastique transparent, les disques étaient identifiés par des étiquettes blanches, collées au dos et portant chacune un numéro écrit en bleu. Le chiffre 7 était calligraphié à l'européenne, avec une barre en travers du jambage. Son paquet cadeau sous le bras, Cardinal alla s'enfermer dans la salle de réunions.

Le téléviseur grand écran qui trônait sur un meuble bas était relié à un magnétoscope et à un lecteur DVD. Ce matériel permettait aux policiers de visionner les enregistrements d'interrogatoires de suspects, les films tournés par les techniciens sur les lieux de crime, etc. Cardinal prit un des disques au hasard et l'introduisit dans le lecteur.

Le cabinet du Dr Bell : les livres, les tapis, les meubles en chêne, les fauteuils confortables, tout, ici, est conçu pour inviter à la sérénité et mettre en confiance ceux qui ont besoin de vider leur cœur. Un jeune homme aux cheveux rares, d'un blond tirant sur le roux, est assis sur le divan dans une posture décontractée, une main autour de la cheville qu'il a posée sur un genou. Son pied qui n'arrête pas de bouger trahit cependant une certaine nervosité, de même que les mouvements de tête saccadés. Il semble aussi mal dans ce bureau qu'il doit l'être dans la vie en général et dans sa peau, ce pauvre Perry Dorn qui va bientôt choisir de se tuer dans une laverie automatique. Cardinal a reconnu le visage vu aux informations télévisées. Assis les jambes croisées dans un fauteuil placé légèrement de biais, le Dr Bell attend, un carnet ouvert posé sur sa cuisse.

Le jeune homme parle avec angoisse de sa passion pour les mathématiques, de sa fierté d'avoir été accepté à McGill, de la folie qui l'a poussé à se priver de cette chance pour rester auprès d'une femme qui vient de le plaquer. Son désespoir perceptible s'exprime dans les fêlures de la voix brisée, dans la posture défaite du dos courbé. L'aversion qu'il s'inspire est comme un acide qui troue ses paroles, y compris celles où s'exprime la gaieté forcée de l'autodérision. Pas un instant le bon médecin n'évoque pourtant la nécessité d'une hospitalisation. Il retourne au contraire le couteau dans la plaie en sollicitant des précisions sur les effets dévastateurs de l'attitude de Margaret, la femme dont le jeune homme s'est entiché.

Ladite Margaret saurait-elle seulement qu'il s'est suicidé, maintenant qu'elle ne veut plus entendre parler de lui et qu'elle l'a oublié pour un nouvel amant ?

– Je repensais à la laverie automatique, dit le Dr Bell. Un endroit que vous aviez trouvé très symbolique, me semble-t-il, quand vous avez commencé à sortir avec Margaret. Vous aviez eu l'impression, disiez-vous, d'en être sorti lavé – remarque qui sur l'instant m'avait parue pleine d'esprit. Vous vous sentiez purifié, comme si vous étiez tous les deux débarrassés des germes – des germes, oui, c'est le mot que vous avez employé – des relations précédentes. Et je me demandais...

– La laverie automatique, murmure Perry en jetant un Kleenex sur la table basse. Bien sûr. Elle fera forcément le rapport avec la laverie automatique.

Cardinal passa à un autre DVD. Consacré celui-ci à Leonard Keswick, ce fonctionnaire qui avait mis fin à ses jours après qu'on eut découvert des fichiers à contenu pédo-pornographique dans son ordinateur. En sa qualité d'administrateur des services sociaux de la ville, Keswick participait à des réunions municipales auxquelles Cardinal était parfois convié ; il passait de temps en temps à la télé, au journal du soir.

Cardinal s'épargna les préliminaires à l'aide du mode *Avance rapide* et s'arrêta sur le passage suivant.

– Vous savez comment ma femme a réagi quand elle a su ? demande Keswick à l'écran. Elle m'a craché dessus. Elle m'a craché dessus pour de vrai. À la figure. Ma propre femme.

Il pleure, le visage dans les mains, pendant que le Dr Bell attend tranquillement que la crise s'estompe.

– Et les policiers, pourquoi sont-ils remontés jusqu'à moi ? gémit Keswick, la voix étouffée par le Kleenex qu'il tient devant sa bouche. Comment ont-ils appris que j'avais ces photos ?

– Ils ne vous ont pas donné d'explications ? s'étonne Bell sur un ton déconcerté. Je pensais qu'il fallait des preuves pour perquisitionner chez quelqu'un.

– Des preuves ? Elles sont dans mon disque dur, les preuves ! Il est plein d'images de gamines de treize ans. Tout ce que j'ai pu leur soutirer, c'est qu'ils avaient été « informés ».

– Comment interpréter cela, à votre avis ?

Le médecin change de position, sur son fauteuil. Ses tics de bon gros chien le reprennent. Il roule les épaules l'une après l'autre, secoue la tête, la penche à droite, à gauche.

– Qu'est-ce que j'en sais ? Il y a peut-être une surveillance sur le portail Internet, ou directement chez le fournisseur d'accès. Je m'en fiche, en fait. Je vais perdre mon travail. Je vais très probablement perdre ma famille aussi. Je suis en enfer, docteur, il n'y a pas d'autre mot. Je suis perdu, je fonce droit vers l'enfer et je ne vois pas comment je vais m'en sortir.

Cardinal voyait se décomposer sous ces yeux cet

homme qui lorsqu'il était en fonction semblait plein de sang-froid et d'assurance.

Il commençait à comprendre pourquoi les patients du psychiatre se laissaient à ce point abuser par sa bonhomie apparente. Tout, dans son attitude, exprimait la compréhension, la générosité, le respect inconditionnel pour la souffrance d'autrui. Lors de son premier entretien avec lui, Cardinal aussi avait senti que ses résistances cédaient. Il lui avait même demandé conseil. Tous ses patients – et Catherine avec eux – venaient chercher auprès de lui l'aide qu'il semblait si prêt à prodiguer, avec l'illusion que sa main solide et secourable allait les tirer du puits du désespoir. Comment auraient-ils soupçonné qu'il ne la leur tendait que pour les repousser au fond de l'abîme ? Froid et calculateur sous des dehors chaleureux, l'homme était un séducteur au sens classique du terme.

Selon la date incrustée en bas à droite de l'image, cette séance avait été filmée un an auparavant, le mois où Keswick s'était suicidé.

Cardinal revint un peu en arrière pour visionner à nouveau un passage.

– Tout ce que j'ai pu leur soutirer, c'est qu'ils avaient été « informés »

– Comment interpréter cela, à votre avis ?

– Comme si vous ne le saviez pas, docteur ! s'exclama Cardinal en se levant pour sortir le DVD du lecteur. Comme si vous ne le saviez pas !

Le disque qu'il pêcha ensuite au fond de l'enveloppe avait un petit papier jaune collé sur le boîtier. On y lisait ce message, tracé à la main d'une écriture régulière : *Je partage votre peine.*

Il avait beau s'y attendre, l'image de Catherine lui arracha un gémissement. Instinctivement, il tendit le bras vers elle.

Assise sur le divan, elle se penche en avant, les mains serrées entre les genoux, dans cette posture

qu'elle prenait tout le temps quand un sujet la passionnait et qu'elle voulait aller au fond des choses.

Pensif et détendu comme à son habitude, Bell croise
les jambes, le carnet en équilibre sur la cuisse.

– Je me sens nettement mieux en ce moment, dit
Catherine. La dernière fois, vous vous rappelez ? je crai-
gnais d'être au bord d'un nouvel épisode dépressif.

– Oui.

– Eh bien, c'est passé. J'étais juste un peu anxieuse
à cause de mon nouveau projet. Je vais faire toute une
série de photos de la ville à différents moments de la
journée, en commençant par des vues nocturnes. L'idée,
c'est de les prendre à des heures bien précises : neuf
heures du matin, six heures du soir, neuf heures du soir.

– Il me semble que vous m'aviez parlé de photos
aériennes, je me trompe ?

– Pas aériennes, non, panoramiques. J'avais pensé
commencer par une série prise du haut de la flèche de
la cathédrale, mais il faut une autorisation et on ne me
l'a pas accordée. Tant pis. De toute façon je démarre ce
soir. Vous voyez l'immeuble neuf qu'on vient de
construire de l'autre côté de la déviation ? Le Gateway ?
J'y serai tout à l'heure, avec mes appareils.

– Je croyais qu'il était encore en chantier.

– Il est fonctionnel, disons. J'ai une amie qui y
habite. Ce soir, je passe chez elle, elle m'emmène sur la
terrasse aménagée sur le toit et je vais m'en donner à
cœur joie. La vue est spectaculaire, paraît-il, et la météo
promet un grand ciel dégagé. C'est la pleine lune, en
plus. Ça va être superbe.

Elle parlait avec enthousiasme, sur un ton d'antici-
pation joyeuse. Cela n'avait pas pu échapper au Dr Bell.

– Votre amie sera avec vous ? Je croyais que vous
préfériez travailler seule.

– Elle m'accompagne pour me montrer le chemin,
mais elle ne s'attardera pas, elle a une répétition. J'aurai
la terrasse pour moi toute seule.

– Bien. Je vous sens optimiste. Qu'est-ce qui s'est passé depuis la semaine dernière ? La dernière fois que nous nous sommes vus, dit Bell en feuilletant son carnet, vous étiez désespérée, à propos de votre travail. Je vous cite : « Je ne sais pas pourquoi je continue. Je n'ai jamais rien fait de bien. Mes photos n'intéressent personne et c'est aussi bien comme ça. »

Ces mots qu'elle a elle-même prononcés lui font mal. Elle change de visage – le sourire qui lui plissait les paupières disparaît, la bouche s'entrouvre légèrement.

Salaud, pensait Cardinal. Elle avait en toi une confiance absolue. Elle te parlait à cœur ouvert. Elle qui était toujours si réservée, surtout s'agissant de son travail, se confiait à toi sans hésiter. Elle était persuadée que tu pouvais l'aider à vaincre ces tendances morbides qui la terrifiaient. Comment as-tu répondu à cette confiance, ordure ?

– Je crois… (Catherine hésite, ses épaules se tassent.) Je crois…

– Vous envisagiez d'abandonner la photographie. Vous trouviez ridicule de vous obstiner. Je ne voudrais pas vous brusquer, mais vous savez que nous sommes ici pour analyser les sentiments que vous refoulez au plus profond de vous-même.

– Bien sûr, je comprends. Simplement j'avais oublié comme j'étais mal, la semaine dernière.

– Mmm.

– En fait, je crois que ce n'était qu'un passage à vide avant le démarrage du projet. Vous voyez ce que je veux dire ? On en a déjà parlé. Chaque fois que je m'attaque à un nouveau projet, ça m'angoisse, je découvre mille et une raisons de ne pas m'y mettre et ma vie m'apparaît comme une longue suite d'échecs. Je deviens cafardeuse.

– « Tout ce que j'ai fait n'a aucune valeur », m'avez-vous dit. Pour moi, cela dénote plus qu'un simple cafard.

La ferme, salopard ! avait envie de crier Cardinal

— C'est parce que... enfin... parce que je pensais... Vous voyez, c'est exactement ce qui m'arrive chaque fois. Dès que j'ai un vrai projet, je m'affole et je trouve des tas de raisons de renoncer. La plus forte, évidemment, c'est « tout le monde s'en fiche ». Après tout, je n'ai pas une carrière fabuleuse derrière moi. À mon âge, Karsh était déjà célèbre pour ses portraits, André Kertész signait des scènes de rue époustouflantes et travaillait déjà sur la distorsion des images, Diane Arbus avait exposé au musée d'Art moderne. Je ne suis rien, en comparaison. J'étais dans cet état d'esprit la semaine dernière, mais j'ai cessé de douter à partir du moment où je me suis mise à réfléchir sérieusement aux aspects techniques du travail, aux différences de luminosité, tout ça. J'étais dedans, j'ai oublié mes idées noires.

— Intéressant, que vous mentionniez Diane Arbus.

— Je l'admire beaucoup. Cette parfaite petite bourgeoise de l'Upper West Side a osé s'aventurer dans les quartiers les plus sordides de New York pour y photographier des travestis, des nains, toutes sortes de phénomènes. Elle était géniale.

— C'est vrai. Elle surpassait par son succès tous les photographes du xxe siècle.

— Oh, je ne sais pas. Parmi les femmes, en tout cas, oui. C'était sûrement la plus connue.

— Ce qui ne l'a pas empêchée de se tuer.

— Quel gâchis, dit Catherine, qui paraît aussi triste que si elle avait perdu une amie chère. J'ai dû lire tout ce qu'on a publié sur elle. Diane et son mari formaient un couple magnifique, ils ne juraient que l'un par l'autre. Leur rupture a été très dure, pour elle. Elle ne s'en est jamais remise. Ni le travail ni le succès ne pouvaient compenser ce manque. Elle ne lui a jamais reproché la séparation, cela dit. Elle l'aimait toujours. Lui aussi, il l'aimait.

Cardinal était sidéré de l'entendre évoquer Diane

Arbus comme si elle l'avait connue personnellement, comme si elles se voyaient tous les jours pour bavarder, travailler ensemble. Comment cette passion avait-elle pu lui échapper ? L'écoutait-il si peu, quand elle lui parlait ?

– Il n'en demeure pas moins qu'elle s'est tuée, reprend le Dr Bell. Ce n'était peut-être pas la plus grande photographe de son temps, mais son suicide restera dans les annales et il a influé sur la réception de son œuvre. Je constate en tout cas que vous pensez beaucoup à elle.

– J'adore cette femme. Elle compte beaucoup pour moi. Et vous avez raison. La façon dont elle est morte amène à voir son œuvre autrement. Comme si chaque photo était signalée par un panneau « Attention, danger ! » avec le point d'exclamation écrit en rouge sang.

– Sa mort l'a rendue plus célèbre encore.

– C'est tout de même triste.

– Ne vous méprenez pas sur le sens de ce que je vais dire, ce n'est qu'une supposition et vous seule avez la réponse, mais j'en viens à me demander si votre attirance pour le suicide ne s'expliquerait pas en partie par une motivation du même ordre. Cela vous paraît possible ?

– Oh, mon Dieu... (Catherine s'interrompt et détourne les yeux de la caméra qui la filme à son insu.) Je serais tellement superficielle, vous croyez ? Me tuer pour devenir célèbre ?

– Ce n'est pas un projet si irréaliste. Il y a des précédents.

Fumier ! l'insulta Cardinal entre ses dents serrées.

– Non, je ne pense pas que ça joue. Ou si c'est le cas, alors c'est un motif inconscient. Quand je pense au suicide, c'est parce que je souffre et que je désire que la douleur s'arrête. Je veux que ce soit fini, réglé une bonne fois pour toutes. Dans ces moments-là, je m'en veux aussi d'être un fardeau pour John. Je me dis qu'il

n'en peut plus, que c'est trop lourd, et qu'il est temps
d'en finir, oui, de le soulager de ce poids.

– Oh, mon amour, non, dit Cardinal tout haut.

– Mais en même temps, poursuit Catherine, une
part de moi sait que ce serait terrible pour lui. J'imagine
sa tristesse, son chagrin, et c'est cela qui me retient. (Elle
secoue vigoureusement la tête pour en chasser les
pensées sombres.) Je l'ai compris maintenant : je ne me
tuerai jamais. Il s'en est souvent fallu de peu, j'étais à
deux doigts de le faire, mais comment dire ?... Il me
semble finalement que j'ai une grande force intérieure,
et maintenant c'est une certitude : je sais que je ne me
tuerai pas.

– Bien. (Le Dr Bell se carre dans son fauteuil et son
visage disparaît dans l'ombre.) Vous êtes sûre que tout
cela n'est pas lié au fait que vous êtes particulièrement
de bonne humeur aujourd'hui ?

– Sûre et certaine. Je me reconnais dans cette force.
C'est vraiment moi. La semaine dernière, j'avais l'impression de tourner en rond, je paniquais. Là je vais démarrer le projet, il me tarde de me mettre au travail et je
me sens... un peu anxieuse, ça oui, il y a toujours un
fonds d'anxiété chez moi, mais surtout impatiente et
décidée. J'ai vraiment envie de voir ce qu'elle va donner,
cette idée.

Ces dernières paroles gravées comme au fer rouge
dans le cœur, Cardinal se rendit en voiture au bureau
du procureur, dans Staler Street.

Là, assis côte à côte en silence dans la salle du
conseil devant un lecteur DVD réquisitionné pour les
besoins de la cause, Cardinal et Walter Pierce purent
observer le Dr Bell à l'œuvre. Par souci d'efficacité, Cardinal avait sélectionné les dernières séances de trois
patients décédés.

Pierce était un homme massif au torse puissant, à
la peau très pâle. Ses tout petits yeux qui cillaient sans

arrêt à cause d'un problème neurologique lui donnaient l'aspect inoffensif d'une taupe, mais la ressemblance était trompeuse. Elle jouait souvent au détriment des voyous, qui n'imaginaient pas qu'un individu à l'air aussi démuni puisse maîtriser à la perfection l'art de l'interrogatoire. Lors des procès, le meilleur atout de Pierce était sa voix, douce et veloutée, si persuasive qu'elle donnait aux arguments les plus fallacieux l'allure d'idées raisonnables auxquelles les jurés ne pouvaient qu'adhérer.

— La dernière patiente, c'était votre femme, n'est-ce pas ? demanda-t-il à Cardinal qui sortait le disque du lecteur.

— Oui.

— J'ai été sincèrement navré d'apprendre ce qui lui était arrivé. Je suis d'ailleurs surpris que vous ayez repris le travail si vite. Ce doit être insupportable, pour vous, de regarder ce film.

— Il faut arrêter Bell si on ne veut pas que le massacre continue. Ça ne peut pas durer, affirma Cardinal sur un ton catégorique qu'il aurait voulu moins tranchant.

Pierce se pencha vers lui. Il n'avait pas pris une seule note sur le bloc jaune posé devant lui.

— Écoutez, chuchota-t-il. Nous nous connaissons bien tous les deux. Nous avons présenté plus d'une affaire épineuse ensemble, et nous en avons gagné la plupart. Notamment grâce à votre esprit méthodique, parce que vous ne négligez aucun détail et savez rassembler des preuves qui confortent les éléments à charge.

— Bell a laissé l'empreinte de son pouce sur...

— Laissez-moi terminer. Je ne vois pas, mais pas du tout, ce qui peut vous laisser penser que ces enregistrements contiennent quoi que ce soit qui pourrait déboucher sur une inculpation. Si vous étiez nouveau à votre poste, je serais déjà au téléphone avec votre directeur,

M. Kendall, pour lui demander où diable il est allé vous pêcher. Il n'y a là-dedans aucun élément susceptible de motiver des poursuites. Aucun.

– J'ai ses empreintes sur la lettre d'adieu de ma femme. L'analyse documentaire que j'ai demandée prouve que cette lettre a été rédigée plusieurs mois avant, en juillet. Bell l'a eue entre les mains, il n'a pas jugé bon de faire hospitaliser ma femme, il n'en a parlé à personne.

Doucement, s'enjoignit Cardinal. Ne t'emballe pas. Reste calme, raisonnable.

– Quand bien même je vous croirais sur parole, au pire on pourrait l'accuser de négligence professionnelle, mais vous ne trouverez personne qui accepte de porter l'affaire au pénal sur la foi d'une empreinte sur un morceau de papier. Personne, inspecteur.

– Il ne s'agit pas d'une seule affaire. Vous avez vu Bell avec Perry Dorn. Le gosse était suicidaire, c'est indéniable, et son psy n'a rien trouvé de mieux que d'insister, encore et encore, sur les points les plus sensibles : « Elle vous a quitté, elle vous a rejeté, vous avez sacrifié votre avenir en vain. » Il appuie exprès là où ça fait mal.

– C'est juste. Certaines de ses remarques sont assez sinistres, j'en conviens.

– Il s'abrite en permanence derrière le comportement rassurant du bon médecin idéal – chaleureux, attentif, à l'écoute –, et une fois qu'il les a mis en confiance il les assassine.

– Je n'irais pas jusque-là.

– Ces gens sont extrêmement fragiles. Et quand bien même ils se défendent... Rappelez-vous Catherine, dit-il sans réussir à maîtriser le tremblement de sa voix. Elle arrive chez lui, elle est contente, tout excitée par son nouveau projet, et comment est-ce qu'il réagit ? En lui rappelant que quelques jours plus tôt elle voulait tout abandonner, tant ce qu'elle avait fait jusque-là lui paraissait nul et sans intérêt. Vous trouvez cela *thérapeutique*, comme procédé ?

– C'est surprenant, je vous l'accorde, mais une séance de psychothérapie n'est pas une conversation à bâtons rompus. Il n'est pas là pour discuter photographie avec elle, il est là pour l'aider à vaincre sa dépression. Peut-être estime-t-il que le meilleur moyen d'y parvenir est de l'amener à parler de choses très douloureuses pour elle.

– Keswick, alors. Vous vous souvenez de Keswick ?

– Je me souviens de Leonard Keswick.

– Quelle était la durée de sa peine ? La durée maximale ?

– Pour ce genre de délit, le plafond prévu par la loi est de cinq ans au plus. Keswick a été condamné à dix-huit mois. Avec sursis.

– Dix-huit mois avec sursis, et il se flingue ?

– Quelqu'un qui a été condamné pour détention de documents pornographiques mettant en scène des enfants ne doit pas avoir une très haute opinion de lui-même, inspecteur. Keswick avait une vie de famille ; il s'est retrouvé seul du jour au lendemain. Il allait sûrement perdre son travail, par-dessus le marché.

– Exact. Et tout cela pourquoi ? Consultez son dossier. Dans son ordinateur, il y avait peut-être quinze images obscènes de jeunes ados. Vous imaginez bien que nous n'étions pas sur ses traces. Qui se serait intéressé à lui s'il n'avait pas été dénoncé sur un coup de fil anonyme ?

– Et vous soutenez que Bell a passé ce coup de fil ?

– J'en mettrais ma main à couper.

– Vous pouvez le prouver ? Il existe un enregistrement de ce coup de téléphone ?

– Non. Le dossier précise simplement qu'il y a eu en fait deux appels anonymes, passés par un homme adulte. La deuxième fois, ce monsieur a déclaré avoir lui-même vu ces images sur l'ordinateur de Keswick.

Nous ne serions pas intervenus, sinon. Qui d'autre aurait pu le dénoncer ? Cet ordinateur, Keswick s'en servait chez lui, pas au bureau.

Pierce ôta ses lunettes et se massa longuement la naissance du nez. Sans ses verres, il ressemblait encore plus à une de ces attendrissantes bestioles sorties du crayon de Beatrix Potter.

– Pour l'heure, vous n'avez rien, Cardinal, dit-il d'une voix très douce. Et si vous raisonniez normalement, vous sauriez que vous n'avez rien. La perte cruelle que vous venez d'éprouver peut sûrement excuser ce manque de lucidité.

– Il ne se salit pas les mains, il tue par procuration. Il connaît précisément les points les plus vulnérables de ses patients, et c'est là qu'il frappe. Prenez Perry Dorn. Il lui a soufflé le lieu – la laverie automatique. Que vous faut-il de plus ? On ne peut pas rester les bras croisés. Ce salopard a déjà plusieurs meurtres à son actif.

– Cela suffit, inspecteur, vous déraisonnez, je vous le répète, déclara Pierce en se levant. Moi-même j'ai perdu ma femme il y a deux ans, quoique pas dans les mêmes circonstances – un accident de la route, un chauffeur de poids-lourd qui s'était endormi au volant. C'était imprévisible, elle n'y était pour rien, et cette nouvelle terrible m'a anéanti. Je ne suis pas venu travailler pendant un mois. Il était hors de question que j'assume mes fonctions, j'en étais incapable. Cela pour vous dire que nous oublions trop facilement combien les émotions interviennent dans notre faculté de jugement. Le meurtre par procuration n'est pas un motif d'inculpation, et vous le savez, je n'en doute pas.

– Alors retenons la volonté de nuire. Au moins ça. Il demande à ses victimes d'écrire des lettres d'adieu. Vous ne trouvez pas que cela relève de la volonté de nuire ?

– Les erreurs d'appréciation et de jugement ne sont pas assimilables à la volonté de nuire. Il faudrait pouvoir prouver qu'il prescrit des doses de médicaments dix à vingt fois supérieures à la moyenne. Vous remarquerez que je ne me suis pas inquiété de savoir comment vous vous êtes procuré ces DVD.

– Je les ai reçus au courrier. Je ne sais pas qui me les a envoyés mais j'ai quelques raisons de penser qu'il pourrait s'agir de Mme Bell.

– Peu importe. Leur contenu ne permet de toute façon pas d'étayer une accusation d'homicide.

– Je vous en prie, ne me dites pas que le bureau du procureur ne va pas intervenir. Vous vous en lavez les mains, vraiment ? Cela vous est égal qu'il incite les gens à se tuer ? Je vous assure que c'est un criminel dangereux.

– Si vous y tenez absolument, portez l'affaire devant le Conseil de l'Ordre. Ses pairs se feront sûrement un plaisir de lui passer un savon.

45

Le petit volant en cuivre scintillait autour de son
axe et le moteur miniature imitait le teuf-teuf d'une loco-
motive à vapeur. Frederick Bell avait sacrifié un trom-
bone pour soulever la mèche de la lampe et verser un
dé à coudre d'alcool méthylique au creux de la vasque.
La chaudière cylindrique placée au-dessus ne contenait
guère qu'une demi-tasse d'eau. Les parties métalliques
brillaient de tous leurs feux, dans le rayon de soleil entré
par la fenêtre, et le volant tournait gaiement.

Ce jouet instructif était le seul souvenir qu'il ait
gardé de son père, ou plus exactement le seul souvenir
tangible. Il le conservait religieusement sur son bureau
mais ne le mettait en marche qu'en de rares occasions,
quand il se sentait d'humeur contemplative.

Bell méditait sur le cas Melanie Greene. Grâce à lui,
la pauvre fille avait sûrement sauté le pas, à l'heure qu'il
était. Ces enfants dont on abuse sexuellement ne peuvent que sombrer dans le dégoût de soi et la dépression.
L'obliger à en parler et à avouer sa propre ambiguïté,
ce n'était que le b.a-ba de la psychothérapie. Le coup
de maître tenait au moment choisi pour la rejeter. La
confiance éperdue qu'il lisait dans les yeux verts trahissait aussi l'acceptation d'un sort inévitable. Oui, Melanie
était désormais trop désespérée pour appeler au
secours. Depuis la dernière séance, elle avait tenté de
le joindre tous les jours sauf aujourd'hui. Tant qu'il
n'aurait pas de certitude absolue, cependant, il resterait

à cran. Il fallait que sa victoire soit incontestable pour qu'il puisse la savourer pleinement.

D'habitude, cela l'apaisait de jouer avec le moteur à vapeur. Lui revenaient alors en mémoire les meilleurs moments de son enfance, quand son père prenait le temps de lui enseigner ses chères vérités scientifiques. Le petit moteur à vapeur devenait un prétexte à de longues digressions sur la loi de Boyle, la dynamique et l'inertie, l'histoire de l'énergie à vapeur.

Le seul fait de regarder le petit moteur tourner produisait parfois en lui un revirement total, à propos de sa thérapie négative. Il se promettait solennellement de redevenir ce qu'il était au début de sa carrière, un médecin qui s'efforce de guérir ses patients, qui met tout en œuvre pour les arracher à l'abîme au lieu de les y précipiter. Une ou deux séances, trois au maximum, suffisaient cependant à le convaincre de l'inanité des bons sentiments.

– Je les hais, marmonna-t-il en appuyant sur le minuscule levier en cuivre pour entendre le joyeux *tut, tut* du moteur. Je les hais.

Il maintint le levier en position basse jusqu'à ce que le sifflet se transforme en crachouillis et que le volant cesse de tourner. Son joujou ne le calmait pas et ce n'était sûrement pas aujourd'hui qu'il allait prendre des bonnes résolutions idiotes. Il souffla la petite flamme bleue, puis se leva pour ranger le modèle réduit sur une étagère, à côté de la photo de sa mère – celle où on la voyait dans le jardin, souriante dans sa robe chemisier, coiffée à la mode des années quarante avec les cheveux relevés d'un côté. C'était une de ses tantes qui avait pris la photo. Une semaine plus tard, sa mère se suicidait en avalant des cachets et le laissait, à dix-huit ans, se débrouiller comme il pouvait.

Décidément, rien n'y faisait. Même les rêveries nostalgiques étaient impuissantes à le tranquilliser, et il en serait ainsi tant qu'il ne saurait pas de façon certaine s'il avait réussi à l'éliminer de la surface de la terre, cette pleurnicharde. Un parasite de plus qui passait à la trappe. Il faisait œuvre utile, de ce point de vue hygiéniste, mais pour que sa satisfaction soit totale il fallait absolument les amener à se supprimer seuls. La raison, il la connaissait, bien évidemment, mais il avait assez de métier pour savoir que comprendre les choses en profondeur ne suffit pas à les modifier. Tel est le petit secret honteux de la psychiatrie : ce n'est pas parce qu'on est parfaitement au clair sur la genèse de sa névrose, de son obsession ou de son fétichisme qu'il est plus facile de s'en libérer.

Mais quelle satisfaction de convaincre ces nombrilistes geignards que la seule solution réaliste était de débarrasser le plancher ! Le monde s'en portait mieux, et lui gardait les mains propres. Catherine Cardinal laissait à désirer, à cet égard. Il avait dû se résoudre à utiliser les grands moyens, avec elle, et depuis il n'était plus le même. C'était la première fois qu'il tuait quelqu'un de ses mains, et, ce faisant, il s'était engagé sur la voie qui de case en case conduisait fatalement à la folie, à la prison, à la mort.

Il ne se voyait pas comme quelqu'un de foncièrement violent, mais Catherine Cardinal l'avait mis hors de ses gonds. Ah, ses ruminations incessantes sur l'amour, sur l'art et les bonheurs qui rachetaient sa vie. Quelle vie ? Tous les deux ans, il fallait l'hospitaliser plusieurs mois durant. Elle ne pouvait pas se passer du lithium. Fallait-il qu'elle ait des œillères pour ne pas voir que la mort était le seul remède susceptible de la soulager ! Il finirait par perdre la main s'il n'avait pas la patience d'attendre qu'ils se tuent de leur plein gré. Tôt ou tard, le recours à ce genre d'intervention personnelle attirerait fatalement sur lui les foudres de la loi. Il était fâcheux que sa première victime non consentante soit l'épouse d'un inspecteur de police.

Il avait pris toutes les précautions pour passer inaperçu. Ombre parmi les ombres, il avait contourné le parking désert, longé les boutiques aux rideaux tirés, jusqu'au monte-charge qui l'avait transporté en haut, sur la terrasse. Tout s'était passé très vite. Après, il avait laissé la lettre sur les lieux et effacé les quelques traces de lutte.

Il se dirigea vers le placard où il archivait les enregistrements des séances. Perry Dorn lui changerait les idées. Sa sortie de scène aurait pu être moins spectaculaire, mais elle était inévitable. Un chieur-né, ce Dorn, toujours à se lamenter sur son sort, à s'amouracher de déesses inaccessibles qui au mieux le traitaient par le mépris. Sans ce traitement de choc, il aurait continué à empoisonner ces femmes avec son adoration ridicule, et ses amis avec les récits de ses déboires. Il n'avait pas eu besoin de lui régler son compte, à celui-là.

Il constata tout de suite qu'il manquait plusieurs disques. Affolé, il imagina d'abord qu'un patient avait découvert l'existence de la caméra et les lui avait dérobés. Puis il réalisa que les disques manquant à l'appel ne concernaient que des disparus : Perry Dorn, Leonard Keswick, Catherine Cardinal, tous passés de vie à trépas. On lui avait volé six disques au total, deux pour chacune de ces trois personnes.

Il sortit en trombe de son bureau.

– Dorothy ! se mit-il à hurler dès l'entrée. Dorothy ! Où es-tu ?

Le sang cognait à ses tempes. Le vaste hall d'entrée avait rétréci aux dimensions d'un tunnel obscur. Une partie de son cerveau reconnut la colère. Tu es en colère, lui souffla-t-elle de très loin : ce rétrécissement du champ visuel, cette accélération du pouls, ce tremblement des membres sont des effets de ta colère. Mais quand bien même il l'eût voulu, il ne pouvait plus la refouler. Plus forte que lui, elle le propulsait hors de lui-même.

Il se rua dans la cuisine. Dorothy qui s'apprêtait à fuir par la porte de derrière se retourna, interdite. Ses yeux s'agrandirent en flaques de terreur noire. Des yeux comme les peignait Munch. *La Mère morte et l'Enfant.*

– C'est toi qui me les a pris. Tu vas me les rendre.

Ces mots qu'il lui crachait à la figure semblaient palpiter d'une vie propre. Dorothy agrippa la poignée de la porte.

– C'est mal, ce que tu fais, Frederick, déclara-t-elle sans hausser le ton. À Manchester, j'ai pris ton parti. Je me disais, il a sûrement raison, il traite des cas particulièrement difficiles, il tente de son mieux d'aider des malheureux que rien ne peut plus sauver, mais j'avais tort. Je le sais maintenant.

– Où sont mes disques ? Rends-les-moi.

46

En sortant du bureau du procureur, Cardinal alla directement chez le Dr Bell. Il s'arrêta devant la maison, de l'autre côté de la rue, et resta un moment dans la voiture, à contempler les pignons tarabiscotés qui se découpaient en ombres chinoises sur le ciel violet dont la nuit prenait lentement possession. La BMW gris argent garée dans l'allée indiquait que Bell était probablement chez lui.

Si Cardinal était capable d'user de la contrainte physique quand la situation l'exigeait, il n'aimait pas la violence. Les criminels de tout poil auxquels il était confronté l'enrageaient, parfois, mais il se contrôlait suffisamment pour contenir les débordements de sa fureur. Là, il comprit qu'il n'y arriverait pas. Il se vit enfoncer la porte de cette maudite baraque, tomber sur Bell à bras raccourcis et le frapper, le cogner, en dosant les coups pour le condamner à une mort lente sous assistance respiratoire. Il démarra et, prenant son mal en patience, se faufila dans les embouteillages de fin de journée, vers cet endroit où il pensait ne jamais remettre les pieds.

La CompuClinic fermait quand il arriva sur place. Une femme rejoignait sa voiture, les bras encombrés de vêtements recouverts des linceuls en plastique du pressing. Cardinal attendit qu'elle soit partie pour s'approcher de l'immeuble. C'était une mauvaise idée, il était beaucoup trop tôt. Le tremblement de ses mains le lui disait, et aussi cette boule qui lui obstruait la gorge et l'empêchait de déglutir.

Il n'y avait plus trace du sang de Catherine par terre. Le ruban jaune qui sécurisait les lieux avait disparu, les débris d'ordinateur avaient été balayés. Rien ne laissait deviner qu'une vie s'était achevée là même. Il contourna le bâtiment à la recherche d'entrées latérales. La sécurité laissait à désirer, comme souvent sur les chantiers qui traînent en longueur. Les deux sorties de secours étaient fermées, mais il devait arriver qu'un ouvrier pressé ou un fumeur distrait les laissent entrebâillées ; le système d'alarme était généralement ce qu'on installait en dernier, dans les constructions neuves. Des planches clouées sur les boutiques encore inoccupées en interdisaient l'accès, mais là aussi le travail avait été bâclé et il suffisait de tirer un peu fort sur celles qui avaient du jeu. Il fallut dix secondes à Cardinal pour se frayer un passage au travers.

La porte vitrée installée dans le fond donnait assez de clarté pour qu'il repère les lieux. Un simple cube en parpaings, avec de gros câbles électriques qui saillaient des murs et du plafond. Des bières en packs de six étaient soigneusement empilées dans un coin, à même le sol. Une odeur entêtante de ciment frais et de sciure de bois imprégnait l'espace.

Il passa dans le couloir, éclairé par des néons aveuglants. Au fond, la porte marquée ESCALIER permettait d'accéder au sous-sol et à un monte-charge, vide et grand ouvert. Cardinal enfila ses gants avant de se glisser à l'intérieur et d'appuyer sur le dernier bouton.

Deux minutes plus tard, il arrivait au niveau du toit, ni vu ni connu, comme un voleur, ou comme un tueur. La porte menant à la terrasse était fermée, mais la brique posée par terre à côté devait servir à la maintenir entrouverte. Sans doute un des derniers objets que Catherine avait pris dans ses mains.

Il utilisa l'ascenseur du palier pour regagner le rez-de-chaussée et quitta l'immeuble par l'entrée principale. Dehors, il s'attarda encore un peu devant l'endroit où on avait trouvé Catherine. Le poursuivrait-elle jusqu'à la fin de ses jours, cette vision terrible qu'il gardait d'elle ? Le corps disloqué sous le manteau caramel, le visage ensanglanté, l'appareil photo pulvérisé ?

Tout au long du trajet de retour il essaya de lui en substituer d'autres, mais la vision d'horreur recouvrait obstinément tous les bons moments qui lui revenaient en mémoire. La seule image capable de lui tenir tête, c'était cette photo de Catherine en anorak jaune, l'air contrarié, sanglée de ses deux appareils.

Deux boîtiers.

Sans ce souvenir têtu, Cardinal ne se serait probablement pas risqué avant plusieurs mois dans la chambre noire de Catherine. Il n'était pas un revenant pour errer la nuit entre les éviers, les paillasses et les fils auxquels pendaient les négatifs. L'idée de vider la pièce ne lui serait pas venue à l'esprit. Catherine n'aimait pas qu'on touche à ses affaires. Il avait serré son corps sans vie contre lui, son absence se comptait maintenant en semaines, et pourtant au fond de lui et dans toutes les fibres de son être, il l'attendait toujours.

Un fragment de la séance enregistrée par Bell lui trottait dans la tête.

Vous voyez l'immeuble neuf qu'on vient de construire de l'autre côté de la déviation ? Le Gateway ? (Sa voix légère, vibrante d'enthousiasme contenu.) J'y vais ce soir, avec mes appareils.

Mes appareils. Avec un *s*.

Il ouvrit l'étroit placard où elle rangeait son équipement. Les téléobjectifs dont elle équipait le Nikon réduit en miettes occupaient une partie des étagères. Elle n'avait pris que les grands angles. Le Canon n'était pas accroché à son clou.

Appareils avec un *s*.

Il passa dans son atelier et s'approcha de l'établi sur lequel il avait posé les affaires de Catherine – ses « effets personnels », toujours abrités dans le sac en plastique que lui avait remis l'hôpital : sa montre, un bracelet, un sweat-shirt, un jean, des sous-vêtements. Pas d'appareil photo.

Il inspecta de fond en comble la Chrysler, regarda sous les tapis de sol, dans le coffre et dans la boîte à gants. Pas d'appareil photo.

Le temps d'attraper ses clés de voiture, il repartit vers le centre-ville et appela le service d'identification avec son mobile. Collingwood était réglé comme du papier à musique : à la fin de sa journée de travail, tel un automate de pendule ancienne, il repartait. Le jour et la nuit avec Arsenault, qui avait des horaires nette-ment plus fantaisistes et dont la tendance à s'attarder au bureau le soir alimentait de folles spéculations sur sa vie privée.

Il décrocha à la première sonnerie. Cardinal passa outre les préliminaires d'usage.

– Paul, il faudrait que je vérifie les cartons qu'on a rapatriés après l'accident de Catherine, déclara-t-il en doublant un poids-lourd qui roulait à cheval sur deux files. Il y a peut-être un appareil photo dedans.

– Oh, ne passe pas pour ça. Il y en a un, en effet. Un Nikon, mais les lentilles sont complètement brisées.

– Un seulement ?

– Un seulement, oui, répéta Arsenault, un peu interloqué.

– Il y a encore quelqu'un à la réserve ? Tu pourrais demander qu'on me sorte les cartons ? J'arrive.

– Prends ton temps, vieux. Tes cartons sont tou-jours au service d'identification. Affaire classée sans suite, tu te rappelles ? J'ai pensé que tôt ou tard tu vou-drais les récupérer.

– Je suis là dans dix minutes.

Il coupa la route à une Honda Civic pour s'engager

dans Water Road sur les chapeaux de roue. À cette heure-ci, le gros de la circulation se faisait en sens inverse, heureusement.

Tout était calme au poste. Dans la salle de la brigade criminelle, seul un inspecteur zélé, probablement Szelagy, pianotait sur un clavier d'ordinateur, derrière une des cloisons. Cardinal entra sans frapper dans le service d'identification, qui n'était éclairé que par la lampe allumée sur le bureau d'Arsenault.

– 'soir, John, lança Arsenault sans lever les yeux de son écran d'ordinateur. J'ai tout mis sur la paillasse.

Un gros carton et un plus petit étaient posés côte à côte sur le plan de travail carrelé. Ils n'étaient pas scellés. Cardinal appuya sur l'interrupteur. La lumière éblouissante du tube néon éclaboussa le carrelage blanc.

Il commença par le petit carton. Le Nikon de Catherine, désormais hors d'usage, y côtoyait d'autres objets lui ayant appartenu. Son sac photo et ce qui avait dû s'en échapper : un carnet, des filtres, deux autres objectifs – dont un argenté, de marque Canon.

Il n'y avait pas d'appareil photo dans le gros carton. Debout dans la pièce silencieuse, Cardinal s'accorda un instant de réflexion. Si, fidèle à ses habitudes, Catherine avait emporté les deux boîtiers, quelqu'un avait forcément subtilisé le Canon ; en toute hypothèse, soit ce quelqu'un était arrivé sur les lieux de l'accident avant l'arrivée de la police, soit il s'agissait de l'agresseur présumé.

Le premier cas de figure semblait assez irréaliste. Il n'y a pas beaucoup de gens qui, passant devant un cadavre, s'empresseraient de faire main basse sur un appareil photo, d'autant que l'appareil en question devait être en triste état. Et quitte à prendre le Canon, pourquoi négliger le Nikon ? Si en revanche le voleur était l'agresseur, il y avait deux possibilités. Décidé à s'emparer coûte que coûte de cet appareil numérique dernier cri, il l'avait arraché à Catherine et c'est en se débattant qu'elle était tombée du toit. Ou bien il l'avait subtilisé après la chute de Catherine. Pour une raison bien précise que Cardinal commençait à entrevoir.

Le gros carton contenait divers objets trouvés à proximité du corps, mais pas nécessairement en rapport avec lui : un paquet de cigarettes, plusieurs mégots, un emballage de barre chocolatée, un gobelet en papier du fast-food Harvey's. Plus une quantité impressionnante de débris de toutes tailles, jetés par le réparateur de matériel électronique. Collingwood et Arsenault avaient consciencieusement trié cet assemblage hétéroclite.

Chaque pièce était glissée dans un sachet en plastique dûment numéroté, sur lequel on avait inscrit la date, les initiales de l'agent qui avait récupéré l'objet, la distance et la position par rapport au corps. Cardinal examina quelques-uns des sachets à la lumière. Sans être un crac de l'informatique, il savait reconnaître une carte mémoire, et celles qui étaient rassemblées là lui parurent antédiluviennes. Les ordinateurs qu'elles équipaient devaient déjà être obsolètes quand CompuClinic avait ouvert ses portes.

Il sortit machinalement d'autres articles du carton : un baladeur, une paire d'écouteurs, un sachet minuscule contenant une puce électronique de fabrication récente. Il s'arrêta dessus, intrigué par ce timbre-poste miniature, de couleur verte, dentelé sur les bords. Une marque était gravée au revers. Il décacheta le sachet et la fit glisser sur la paillasse. Hors du plastique, l'inscription gris pâle sur fond vert était parfaitement lisible. *Canon*.

– Hé, Arsenault ! Vous avez un appareil photo, dans le service, qui fonctionne avec une puce ?

– Les nôtres ont des barrettes, dit Arsenault en levant les yeux de son clavier. Pourquoi ?

– Cette puce pourrait provenir de l'appareil de Catherine. J'aimerais voir ce qu'il y a dessus.

– Son Nikon n'est pas numérique.

– Elle en avait un autre. Un Canon.

– Ah, bon ? Dans ce cas, il n'y a qu'à vérifier avec l'imprimante photo.

– On n'a pas besoin de brancher l'appareil dessus ?

– Non. Il suffit d'introduire la puce dedans. C'est très simple.

Arsenault écarta son fauteuil du bureau et le propulsa sur ses roulettes jusqu'à l'imprimante posée sur la table voisine. Il appuya sur un bouton. Un petit plateau muni d'encoches de formes différentes apparut. Du bout du doigt, Arsenault indiqua à Cardinal d'introduire sa puce dans une encoche carrée.

– On va regarder ce qu'elle a dans le ventre avec l'écran de prévisualisation, reprit-il en tapotant le rectangle vitré de la taille d'une carte à jouer encastré sur le capot de la machine.

Le logo de Canon apparut à l'écran, bientôt suivi de la première photo – un panoramique de la ville la nuit, piquetée de lumières. Cardinal reconnut les deux clochers jumeaux de l'église française, dans le fond. Un paysage que Catherine voyait pour la dernière fois.

– Pour aller en avant ou en arrière, tu te sers de ces deux boutons, indiqua Arsenault.

La deuxième image était à peine différente : la même vue, en plan plus rapproché. La troisième était prise sous un autre angle : sur la droite, les balises lumineuses signalant la tour de communications de la poste centrale luisaient d'un éclat de braise. Suivaient plusieurs plans à peu près identiques, puis un autre de l'église française. Cardinal comprenait pourquoi Catherine tenait tant à prendre ces photos ce soir-là. Le disque orange de la pleine lune commençait juste à poindre, derrière les deux clochers.

– C'est beau, murmura Arsenault.

Sur le cliché suivant, la lune était à moitié cachée. Sur celui d'après, un des clochers la masquait en partie. Catherine suivait sa progression – encore un peu, et la grosse citrouille allait apparaître entre les deux clochers symétriques. L'image qui s'afficha à l'écran montrait cependant tout autre chose.

Une photo ratée, comme si Catherine avait déclenché l'appareil en perdant l'équilibre – un mur un peu flou, une traînée de lumière, en haut, et sur le bord droit une vague forme humaine. Un bras d'homme. Ou plus exactement l'amorce d'une épaule, le bras, un gant, un bout du manteau.

Cardinal appuya sur la touche avant, tandis qu'à côté de lui Arsenault retenait son souffle. Ils se penchèrent d'un même mouvement sur le dernier cliché.

– Elle l'a eu, dit Cardinal tout doucement. Et bien, en plus.

Le bras se levait dans un geste de bienvenue ou de menace. La lampe allumée au-dessus de la porte de la terrasse projetait sur le sol l'ombre de ce bras tendu. L'image avait beau ne pas être très nette, on le reconnaissait tout de suite à son grand sourire, à sa bonne tête de gros chien gentil. Vraiment le genre de type qu'on aurait aimé avoir pour ami, pour prof, ou, pourquoi pas, pour médecin.

47

D'un beau bleu indigo aussi serein qu'un ciel de soir d'été, ils étaient ravissants, ces cachets ronds qu'elle venait de poser sur son bureau. Il y en avait pas loin de trente, un par jour pendant presque un mois si néces-saire, selon le traitement gentiment prescrit par le Dr Bell quand elle avait commencé à le consulter. Une bénédiction, quand le sommeil vous fuyait. Lors de ces nuits interminables où la boîte crânienne semble illumi-née par des projecteurs aveuglants, l'effet délicieux de ces petits cachets est aussi apaisant qu'une caresse maternelle sur le front d'un enfant.

Des gouttes de condensation se formaient sur le grand verre d'eau qu'elle avait préparé. Elle le souleva pour glisser dessous un de ses classeurs d'étudiante.

Écrire cette lettre lui prenait plus de temps qu'elle n'aurait cru. Elle pensait jeter simplement quelques mots d'adieu sur le papier et partir sitôt après, mais devant la page blanche elle s'était rendu compte qu'elle ne pouvait pas faire ça à sa mère. Et pas non plus au Dr Bell, qui l'avait aidée dans toute la mesure du pos-sible.

Elle aligna soigneusement les cachets devant elle. De minuscules oreillers bleus. Vingt-cinq petits coussins bleus, qu'elle regroupa cinq par cinq à l'aide d'une règle plate. Elle prolongea cette occupation pendant quelques minutes, en s'appliquant à dessiner autant d'étoiles qu'elle avait de tas. Puis elle reprit la plume.

Tu n'as pas de reproches à te faire, ce n'est abso-
lument pas ta faute. Tu as toujours été une bonne
mère, et grâce à toi je n'ai jamais manqué de rien.
À ma place, n'importe quelle petite fille qui aurait
eu la chance de t'avoir pour mère serait devenue une
adulte heureuse et épanouie.

Elle prit cinq cachets dans sa main, les jeta dans
sa bouche en penchant la tête en arrière et avala
deux gorgées d'eau. Ils passèrent comme une lettre à la
poste.

Je t'aime beaucoup, ajouta-t-elle de son écriture soignée.

Pendant le temps mort qui suivit, elle garda les yeux
rivés sur la feuille, comme si la surface lisse n'arrêtait
pas son regard. Elle sacrifia une deuxième étoile bleue.
Il fallait qu'elle se dépêche, maintenant, sinon elle allait
s'endormir et le réveil serait terrible.

Dr Bell, je ne vous en veux pas de m'avoir
repoussée. Je vous ai dit des choses tellement hon-
teuses et répugnantes que je comprends que vous
soyez dégoûté.

Elle projeta encore cinq cachets dans sa bouche,
mais le souvenir de ce qu'elle avait raconté au Dr Bell,
lors de leur dernier rendez-vous, provoqua un brusque
haut-le-cœur. Elle réussit tout de même à déglutir malgré la quinte de toux qui la secouait et l'obligeait à avaler
gorgée d'eau sur gorgée d'eau. Son verre était presque
vide quand elle se calma enfin. Ses yeux la piquaient.
Non, je ne pleurerai pas, murmura-t-elle entre ses dents
serrées. Chialer, non merci. Plus jamais.

Comme vous êtes un bon médecin, vous aviez
sûrement compris que j'étais un cas désespéré, et

pourtant vous avez essayé de toutes vos forces de m'aider, sans me révéler que j'étais incurable.

Cinq autres cachets.
... Je m'excuse.
Les cinq derniers...
... Je m'excuse pour tout.

48

Cardinal ne demandait qu'à suivre la procédure, même si depuis quelque temps il lui arrivait parfois de contourner les règles. Il était le premier à le reconnaître. La procédure, en l'occurrence, par cette nuit glaciale où le thermomètre approchait de zéro, lui commandait d'informer son sergent chef de la preuve qu'il venait de découvrir. Si Chouinard estimait que cet élément justifiait une arrestation immédiate, il lui adjoindrait un ou deux collègues pour l'assister dans cette mission. Dans le cas contraire, il faudrait soumettre la pièce à conviction au procureur et attendre qu'il se prononce sur sa validité.

Alors qu'il passait devant la cathédrale pour s'engager dans Randall Street, Cardinal savait donc parfaitement qu'il violait la procédure en n'appelant pas Chouinard. De toute façon, cette enquête qu'il poursuivait envers et contre tout était déjà en soi une infraction à la procédure. Tout comme le fait de ne pas demander de renforts. Il vit le visage courroucé du sergent chef Chouinard se former sur le pare-brise givré. Il entendit ses éclats de voix se mêler au bruit assourdissant du chauffage. Cela ne l'arrêta pas.

Il brûla un feu rouge. Le gyrophare clignotait gaiement sur le toit de la Camry. Il n'avait pas branché la sirène. Il ne voulait pas que le Dr Bell l'entende arriver.

Trois minutes plus tard, il se rangeait le long du trottoir à une dizaine de mètres de la maison. Il y avait de la lumière dans les pièces du fond et à l'étage. Négligeant l'entrée principale, Cardinal se dirigea vers l'arrière et risqua un œil par les fenêtres de la cuisine ; il ne discerna aucun mouvement. La BMW était toujours garée dans l'allée.

Il monta à pas de loup les trois marches du petit perron sur lequel donnait la cuisine. La porte, vitrée sur sa partie supérieure, était garnie de rideaux à petits carreaux, mais en s'approchant de près, il réussit à voir le mur du fond au travers d'un interstice, avec le réfrigérateur et le calendrier, le coucou suisse accroché au-dessus d'une porte fermée. Puis, en modifiant très légèrement son angle de vision, il distingua une forme féminine immobile recroquevillée dans une mare de sang.

Il cassa le carreau avec son coude et déverrouilla la porte de l'intérieur. Sur le seuil, il s'arrêta une demi-seconde, l'oreille aux aguets. La maison était immense ; même si Bell était encore là, il n'avait pas forcément entendu le bris de verre.

Évitant soigneusement de marcher dans le sang répandu par terre, il s'accroupit auprès de Mme Bell et posa un doigt à la naissance du cou. Le corps était encore tiède, mais le pouls avait cessé de battre. Les traces de griffures visibles sur les avant-bras indiquaient qu'elle s'était débattue et une entaille large comme la main lui striait la gorge.

Je t'ai connu plus habile, toubib, marmonna Cardinal. Toi qui savais si bien persuader tes victimes de se tuer sagement toutes seules. Elle avait subtilisé tes disques, volé tes précieux trophées, et ça t'a mis dans une colère noire. Le problème est de savoir ce que tu vas faire maintenant. Quelle ligne de conduite peut adopter un homme qui, bien qu'obsédé par le suicide, commet au moins deux meurtres à bref intervalle ?

Cardinal se glissa dans le couloir sur la pointe des pieds. Un lustre élégant éclairait la partie aménagée en salle d'attente, alors que le cabinet de consultation, à gauche, et le salon, situé à droite, étaient plongés dans l'obscurité. La première de ces pièces était fermée à clé. Un tapis protégeait l'escalier ancien, mais, craignant que les marches ne grincent sous son poids, Cardinal le monta pas à pas sur le bord, collé au mur, son Beretta à la main.

À l'étage, la lumière provenant d'une chambre grande ouverte inondait le palier. Cardinal releva le cran de sûreté de son arme et en quatre enjambées arriva sur le seuil, bras tendus en position de tir, la main droite calée dans la paume de la gauche. La pièce, de belles proportions, était encombrée de meubles – deux armoires, deux fauteuils, une coiffeuse ancienne, un lit immense recouvert d'une courtepointe rouge, et posée dessus une valise remplie à la va-vite de vêtements masculins. Une inspection rapide lui permit de vérifier que personne n'était planqué derrière la porte, caché sous le lit ou à l'intérieur des armoires.

Il passa rapidement de pièce en pièce. Une chambre transformée en atelier de couture ; une chambre d'amis où il fut assailli par une odeur de pot-pourri ; deux salons peints dans un dégradé de couleurs subtil, aménagés en salle de télévision pour le premier, et, pour le second, en bibliothèque confortable avec table de billard et coin cheminée.

Restaient encore deux portes au fond du couloir. L'une donnait sur un placard. Il allait ouvrir l'autre quand il se figea, alerté par un craquement qui semblait venir d'en haut. Une lame de plancher ? Quelqu'un qui marchait, au deuxième ? Ce n'était peut-être rien, rien d'autre qu'un de ces bruits comme il y en a tout le temps, dans les vieilles maisons, mais il resta néanmoins sans bouger, tous les sens à l'affût.

49

Retrouver la trace de l'ex-femme de Frank Rowley n'exigeait pas des talents d'enquêteur exceptionnels. Il suffit à Delorme de quelques coups de fil et d'une rapide vérification des registres de mariage pour se procurer l'adresse qu'elle cherchait. Une maisonnette minuscule, plus petite encore que la sienne, encadrée par deux pavillons plus imposants, comme un petit enfant entre papa et maman.

Âgée d'une quarantaine d'années, la jolie femme qui vint lui ouvrir luttait contre le temps en essayant de garder leur blondeur à ses cheveux. Sous les sourcils froncés, les yeux verts trahissaient l'inquiétude, mais cette expression soucieuse était peut-être moins un trait de physionomie qu'une réaction spontanée devant l'attitude de sa visiteuse, qui d'emblée lui présenta son insigne de police.

– Madame Rowley ?

– Plus maintenant. J'ai repris mon nom de jeune fille il y a des années.

– Lise Delorme, inspectrice de police.

– Melanie n'a pas d'ennuis au moins ?

– Non, non, votre fille n'a rien fait de mal, mais ce dont je veux vous parler la concerne directement.

Mme Greene l'introduisit dans un salon exigu, meublé d'un canapé pour maison de poupée et de deux fauteuils assortis qui prenaient presque tout l'espace sans rien ôter au charme de la pièce accueillante. Delorme choisit la causeuse, si basse qu'elle devait déporter ses genoux d'un côté pour voir la mère de Melanie. Au moment de s'asseoir, elle s'aperçut que les accoudoirs en bois travaillé et les coussins de peluche rouge de ce siège correspondaient aux détails remarqués sur une des photos. Le carrelage bleu de la cuisine qu'elle entrevoyait par-delà la porte à laquelle Mme Greene tournait le dos la confirma dans l'idée qu'elle avait trouvé le lieu qu'ils cherchaient. Elle n'en éprouva aucun soulagement.

– Quel âge a votre fille, madame Greene ?

– Dix-huit ans. Dix-neuf en décembre.

– Elle vous ressemble ? Elle est blonde comme vous ?

La question était superflue. Mme Greene avait les mêmes yeux verts que la petite fille des photos, les mêmes sourcils parfaits, le même nez en trompette.

– Elle est bien plus blonde que moi. Autrefois, oui, je l'étais autant qu'elle. Pourquoi me demandez-vous ça ? Elle n'a pas eu d'accident au moins ? Dites-moi, je vous en prie. Elle va bien, elle n'a rien ?

– Non, non, il ne s'agit pas d'un accident, et autant que je sache, elle va bien. Est-ce que Frank Rowley était son père ?

– Son beau-père. Melanie commençait à aller à l'école quand il a débarqué dans notre vie. Il en est ressorti cinq ans plus tard. Être marié ne lui convenait pas, paraît-il. Il est parti s'installer à Sudbury et il n'a plus jamais fait signe. Il aurait pu garder le contact avec Melanie, mais même pas. Il est revenu en ville, apparemment. Il m'arrive de le croiser dans la rue, et comme je ne veux pas lui parler, je change de trottoir. Il vit avec une autre femme qui a une fille, elle aussi, mais plus jeune. Six ans, quelque chose comme ça. Je n'ai pas dit à Melanie qu'il était de retour à Algonquin Bay. Je devrais, pourtant. Si elle tombe sur lui par hasard, ça sera terrible pour elle.

Delorme ouvrit la chemise qu'elle avait apportée et

feuilleta parmi les photos pour en choisir une de Melanie à sept ou huit ans – un agrandissement qui ne montrait que le visage souriant.

– C'est bien votre fille, n'est-ce pas ?

– Oui, c'est Melanie. Où avez-vous trouvé cette photo ? J'en ai des tonnes d'elle, mais celle-là je ne la connaissais pas.

Delorme lui en tendit une autre : Melanie adolescente ; juste la tête et les épaules et déjà le même regard inquiet que sa mère.

– C'est bien elle. Elle devait avoir treize ans là-dessus. Comment se fait-il que vous ayez des photos de ma fille que je n'ai jamais vues ? Ce n'est pas normal, c'est même inquiétant.

Sans répondre, Delorme sélectionna deux clichés recadrés où l'on ne voyait que le pédophile, pas ce qu'il faisait ni à qui. Des cheveux longs. Un torse nu orienté de biais par rapport à l'objectif.

– Vous reconnaissez cet homme, madame Greene ?

Elle prit les photos avec précaution, comme si elle craignait de se brûler.

– Ce n'est pas très net, mais... oui, c'est Frank. Mon mari. Ancien mari.

– Vous en êtes sûre ? L'image est tellement tronquée...

– Vous savez, quand on a vécu avec quelqu'un des années on le reconnaît à des petits riens. Cette manière de pencher la tête, la ligne de la mâchoire, là, et puis il se tenait comme ça, les épaules un peu courbées. Surtout il y a les points de beauté, vous voyez ? dit-elle en tapotant ce détail de l'image. Il en avait trois sur l'épaule gauche, pareil, en triangle très ouvert, comme les trois étoiles du baudrier d'Orion. Mais je parle... Ce n'est pas bon signe, tout ça, votre visite, les photos...

– Je crains que non, madame. Vous savez où je pourrais trouver Melanie ?

– Elle n'habite plus ici. Elle est rentrée à l'université cette année, et elle a pris un petit appartement dans une pension pour avoir son indépendance. J'ai son adresse, mais je ne vous la donnerai que si vous m'expliquez ce qui se passe.

Mme Greene s'était levée et elle se tenait devant Delorme, l'air agité, en pliant et dépliant les doigts comme si elle se préparait à la lutte.

– Vous devriez vous rasseoir. Ce que j'ai à vous dire n'est pas très facile à entendre.

– Qu'est-ce que c'est ?

– Je suis vraiment navrée, madame, mais nous avons beaucoup, beaucoup d'autres photographies de Frank et de votre fille. Des photos sur lesquelles il abuse d'elle sexuellement. On les a récupérées sur Internet.

– Quoi ? fit Mme Greene dans un souffle, la main droite plaquée sur la poitrine.

– Il y en a des centaines. Il est très difficile de savoir d'où il les a envoyées. Les gens qui collectionnent ces images pornographiques se les échangent souvent, et cela explique malheureusement que lorsque la police de Toronto saisit du matériel pornographique mettant en scène des mineurs on y trouve, entre autres, des photos de Melanie.

Mme Greene semblait tétanisée. Des petits mouvements convulsifs agitaient sa main droite, qu'elle tenait toujours posée sur le cœur.

– Je dois voir votre fille pour lui demander si elle accepterait de témoigner contre M. Rowley. Les crimes dont il est coupable sont très graves, vous le comprenez, et on peut légitiment être inquiet pour cette autre petite fille.

Delorme n'était pas sûre que Mme Greene l'ait entendue. À l'expression horrifiée qui figeait ses traits, succéda toute une gamme d'émotions ravagées, de la pitié au dégoût, au chagrin, au remords. Le visage enfoui entre les mains, elle poussa un cri étranglé et s'écroula sur elle-même comme une poupée de chiffon. Ses jambes cédèrent, elle s'affala dans le fauteuil, le buste penché en avant, la tête sur les genoux.

Delorme se leva pour aller préparer du thé dans la cuisine grande comme un mouchoir de poche et méticuleusement rangée. Lorsqu'elle revint, Mme Greene s'essuyait les yeux, l'air moins accablée, à présent, qu'en colère.

— Je vais le tuer, déclara-t-elle après avoir avalé une gorgée de thé. Je vais le tuer, je le jure.

— Ça, non, vous ne pouvez pas, mais en nous aidant vous pouvez faire en sorte qu'il ne recommence plus jamais.

La colère de Mme Greene se retourna contre elle-même.

— J'aurais dû le savoir, le comprendre. Comment cela a-t-il pu m'échapper ? Ma pauvre, pauvre petite fille. Et moi qui la laissais partir toute seule avec lui. En camping ! En bateau ! Il l'a même emmenée deux jours en voyage sans moi, avec mon accord en plus ! Jamais je n'ai eu le moindre soupçon. Jamais.

— Pour lui, il était vital que vous ne sachiez pas. Il n'a sûrement pas ménagé sa peine pour vous mettre en confiance.

— J'aurais dû m'en douter. Maintenant que vous me le dites et que j'ai vu ces photos, je n'ai aucun mal à vous croire. Alors pourquoi est-ce que je n'ai pas compris toute seule ? Toutes ces fois où il insistait pour partir avec elle et moi, pauvre idiote, qui ne voulais rien voir, rien savoir ! Oh, ma pauvre petite Melanie.

Elle se laissa aller à gémir et à pleurer encore un peu, mais au lieu de s'abandonner au chagrin comme à l'instant, elle se leva, avala debout une autre gorgée de thé et décrocha le téléphone.

— Ça ne répond pas, dit-elle avant de composer à nouveau le numéro.

À la troisième tentative, Delorme lui proposa de l'emmener en voiture à l'appartement de Melanie.

– À cette heure-ci elle est sûrement chez elle, c'est bizarre qu'elle ne réponde pas au téléphone, répéta Mme Greene pour la dixième fois au moins.

Elle passait sans arrêt de l'angoisse à l'espoir, comme la plupart des gens sous le coup d'une terrible nouvelle.

Delorme mit son clignotant pour tourner dans la rue McPherson.

– Ce serait vraiment bien si Melanie acceptait de témoigner contre Frank Rowley, dit-elle avec conviction.

– Rien qu'avec les photos il va en prendre un maximum, non ? Quel salaud ! Les types comme ça méritent d'être castrés.

– Les photos sont des pièces à conviction essentielles, mais un témoignage de Melanie balaierait tous les doutes des jurés. Si elle refuse, en revanche, ils se demanderont pourquoi. Cela pourrait jouer en faveur de Rowley.

– Je ne sais pas si elle tiendrait le choc. Elle est fragile, vous savez, elle est un peu renfermée. Ça m'inquiète depuis des années. Je ne comprenais pas ce qui n'allait pas chez elle, mais maintenant que je sais ce qu'il lui a fait subir, alors qu'elle l'adorait. Ce salaud s'est servi d'elle comme... comme... oh, je ne peux même pas le dire, et après il l'a jetée, il est sorti de sa vie complètement. Si elle témoigne, il va falloir qu'elle se rappelle toutes ces choses horribles.

– J'ai souvent été amenée à travailler avec des victimes de viol, madame Greene. Dans la très grande majorité des cas – pas tous, mais presque –, celles qui témoignent contre leur agresseur vivent une expérience qu'elles qualifient elles-mêmes de positive. Embarrassante, certainement. Pénible, aussi, mais moins douloureuse en définitive que l'impossibilité d'en parler.

Témoigner peut même avoir des effets réparateurs, en particulier si, pendant ce processus, ces personnes suivent une psychothérapie avec quelqu'un de sérieux.

– Melanie voit un psychothérapeute, justement. Le Dr Bell. Il a une très bonne réputation, je crois.

Delorme prit à gauche dans Redpath et suivit la rue lentement sur quelques centaines de mètres, jusqu'à ce que Mme Greene lui indique une maison trapue en brique rouge, signalée par un nain de jardin électrique qui brillait sous une couverture de feuilles mortes.

– C'est là. Le bus s'arrête juste au coin, c'est commode pour Melanie. En dix minutes elle est à la fac, et ça l'arrange bien parce qu'elle a plusieurs cours qui commencent à huit heures du matin. Huit heures, vous imaginez ? Il faut vraiment qu'elle se lève tôt. Elle est sûrement là, sûrement, je l'espère.

Elles remontèrent la petite allée.

– La logeuse, Mme Kemper, est très gentille, vous verrez. Elle surveille ses locataires. Il me semble qu'elle ne loue qu'à des étudiantes, mais elle n'est pas tout le temps sur leur dos... Ah, il y a de la lumière chez Melanie. Au premier, la fenêtre à gauche, vous voyez ? Elle sera probablement rentrée depuis que j'ai essayé de l'appeler.

Elle poussa la porte, et Delorme la suivit dans un vestibule de la taille d'un placard.

– Ses bottillons sont là, ceux qui sont doublés en fourrure, dit Mme Greene en appuyant sur une sonnette. Mme Kemper veut qu'ils se déchaussent avant de monter.

Elle laissa passer quelques secondes avant de presser à nouveau la sonnette.

Il y eut un bruit de pas dans l'escalier. Mme Greene se tourna vers la porte commandée par l'interphone avec un sourire impatient qui s'estompa très vite en grimace polie.

Une jeune femme avec un sweat-shirt à capuche au logo de Northern University et trois anneaux dans la narine gauche déboula dans le vestibule. Elle laissa échapper un petit cri d'étonnement.

– Bonsoir, dit Mme Greene en retenant la porte qui allait se refermer. Je suis la maman de Melanie. Il me semble qu'on s'est déjà croisées. Vous êtes Ashley, c'est ça ?

– Euh, ouais. Bonsoir.

– Je viens voir Melanie. Elle a dû rentrer maintenant ?

– Oh, il y a un bail. Je crois qu'elle n'est pas sortie de toute la journée, jeta la jeune fille par-dessus son épaule avant de se faufiler dehors.

Delorme monta derrière Mme Greene. La pension Kemper était nettement un cran au-dessus des endroits qu'elle louait quand elle était étudiante : tapis dans l'escalier, joli papier peint et, le plus appréciable, une propreté impeccable. Elle se souvint dans un flash de certaine chambre en sous-sol où elle avait logé à Ottawa, revit les marches sales, crut sentir l'odeur de moisi qui imprégnait l'endroit.

Arrêtée devant une porte blanche identifiée par un chiffre 4 en cuivre, Mme Greene frappa quelques coups légers.

Il y avait de la musique, derrière. Delorme reconnut les derniers accords d'une chanson de rock, puis la voix bien connue du présentateur de la radio EZ Rock, et sans transition une pub pour le concessionnaire Toyota de la ville.

– Elle est forcément là, marmonnait Mme Greene. Il y a ses bottillons, en bas, et ça ne lui ressemble pas de laisser la lumière et la radio allumées, quand elle sort.

Delorme tambourina plus fort contre le panneau.

– Elle prend peut-être une douche ?

– Non, dit Mme Greene en montrant du doigt une porte entrebâillée dans le couloir. La salle de bains est commune. Oh, mais qu'est-ce qu'elle fait ? Ce n'est pas normal.

– Melanie ? cria Delorme en cognant trois coups du plat de la main.

La porte de l'appartement voisin s'ouvrit et se referma aussi vite, le temps d'un regard exaspéré ponctué par une jeune voix acide.

– Melanie ? dit à son tour Mme Greene en se collant contre le chambranle. Melanie, réponds, ma chérie. Tu n'es pas obligée de nous ouvrir, si tu veux rester seule c'est très bien, je respecte ta vie privée, je veux juste m'assurer que tu vas bien. Melanie ?

– Allez chercher la clé en bas. (Un éclair de panique traversa les yeux verts.) Vite. Dépêchez-vous.

Restée seule, Delorme continua d'exhorter Melanie à ouvrir. Excédée par ce tapage, une autre voix féminine protesta vigoureusement, à l'étage au-dessus :

– Vous allez la fermer, à la fin ? Y en a marre !

Mme Greene, qui arrivait en haut de l'escalier en courant, se précipita sur la serrure avec des gestes fébriles. Pour ne pas perdre un temps précieux, Delorme lui prit la clé des mains et débloqua le verrou mais ne put pas l'empêcher de se ruer la première à l'intérieur. Elle ne pouvait pas non plus prévenir son hurlement.

Melanie était étendue par terre, devant le bureau.

Delorme embrassa la scène du regard, vit tout de suite le flacon de médicaments vide, le verre d'eau, les deux lettres posées côte à côte. Elle s'agenouilla pour prendre le pouls de la jeune fille.

– Elle est vivante. Soulevez-la par les pieds. Il faut la coucher sur le lit.

Mme Greene s'exécuta avec des gestes de robot. Ses yeux remplis d'effroi lui mangeaient le visage.

Delorme retourna Melanie sur le ventre et lui introduisit un doigt au fond de la gorge. Un haut-le-cœur souleva le buste, un peu de vomi brûlant mouilla la main de Delorme. Elle recommença, mais ne provoqua cette fois qu'un hoquet épuisé.

Elle attrapa son mobile de sa main libre, la gauche, et composa le numéro des urgences d'un doigt malhabile. L'hôpital était à moins d'un kilomètre. L'ambulance allait arriver très vite.

50

Frank Rowley posa à plat dans le coffre la guitare protégée par sa housse, puis casa dans le fond la petite valise rose de Tara, avec ses décalcomanies de personnages de Disney. Quelques mètres derrière lui, la fillette piétinait d'impatience dans son blouson d'hiver rose, insouciante du vent qui bousculait ses mèches blondes. Il chargea sa valise en dernier, à côté de la guitare, et sourit en pensant à l'ordinateur portable glissé entre deux jeans, à la webcam toute neuve qu'il avait cachée dans une paire de chaussettes. Encore quelques minutes, et ils prendraient la route tous les deux, Tara et lui. L'imminence du départ lui faisait battre le cœur.

– Tu emportes une bien grosse valise, pour deux jours, remarqua Wendy.

Elle n'avait même pas pris la peine d'enfiler son manteau. Debout derrière sa fille, elle essayait de se tenir chaud en serrant contre elle l'énorme ours en peluche.

– Tu me connais ! Je ne sais pas voyager léger.

– Le vent souffle vraiment fort, chéri. Ce n'est pas très prudent de partir ce soir.

– Allons ! C'est le moment idéal, au contraire. Il n'y aura pas de circulation, on arrivera là-bas assez tôt pour avoir une bonne nuit de sommeil. Et demain, à la première heure, qu'est-ce qu'on fait, Tara ? On va à WonderWorld !

– Oui ! Youpi !

– Tout va très bien se passer, dit Frank à Wendy. On a tout le vendredi pour visiter WonderWorld, plus le samedi matin. L'après-midi, je joue avec les potes, à ce mariage, mais elle ne sera pas lâchée dans la nature. On n'a qu'un engagement de deux heures. Terry veillera sur elle.

Il parlait de la femme du bassiste, qui, chaque fois qu'elle le pouvait, suivait le groupe dans ses déplacements. Terry aimait les voyages et la musique, mais elle se méfiait surtout des incartades de son mari volage.

– Quand je te dis que ça souffle… Ta perruque est toute de travers.

– Je sais, je sais, soupira-t-il en rajustant son toupet.

– Tu ferais mieux de l'enlever. Après tout, tu ne joues que samedi.

– Oui, mais Tara m'aime bien avec et je lui avais promis de la porter. Pas vrai, Tara ?

– Si, c'est vrai.

– Allez, hop, ma puce, en voiture.

– D'abord Teddy.

Wendy installa solennellement le gros ours en peluche sur la banquette arrière et le sangla avec la ceinture de sécurité. Elle s'y prit avec plus de douceur encore pour attacher sa fille sur le siège passager.

– Tu seras sage, hein, petite gâtée ?

– Oui, maman.

Elle lui planta un baiser sur le crâne.

– Tu vas me manquer, mon petit lapin d'amour.

– Oh, maman, ça passe vite, deux jours.

Frank adressa à Wendy un sourire entendu de parent responsable. Les gosses, tu sais ce que c'est, semblait dire ce sourire.

– Ne t'inquiète pas, ajouta-t-il tout haut. Je vais bien m'occuper d'elle.

À cet instant, une première voiture s'engagea dans l'allée, suivie d'un fourgon pie. Rowley s'abrita les yeux derrière son avant-bras pour ne pas être ébloui par l'éclat des phares. Deux véhicules, pas de sirène, et cette façon de piler avec autorité devant la maison. Non, ces policiers ne s'étaient pas trompés d'adresse, et s'ils venaient chez eux c'était dans un but bien précis. La peur lui donnait la chair de poule. Il sentit un filet de sueur couler entre les omoplates.

– On peut vous aider ? demanda-t-il avant de reconnaître la femme qui s'avançait vers lui. Oh, bonsoir, je me souviens de vous. C'est vous qui m'avez interrogé à propos du port.

– Exact, dit Delorme en se tournant vers Wendy, son insigne à bout de bras. Madame, c'est votre fille, dans la voiture ?

– Oui. Pourquoi ?

– Vous voulez bien rentrer avec elle, s'il vous plaît ?

– Mais… pourquoi ? Que se passe-t-il ?

– Rentrez dans la maison avec elle. Je dois procéder à l'arrestation de M. Rowley et je préfère qu'elle n'y assiste pas.

– L'arrêter ? On n'arrête pas les gens comme ça ! Il n'a rien fait !

– Écoute-la, Wendy. Rentre à la maison et emmène la petite. C'est un malentendu, je réglerai ça au poste.

– Mais enfin, que se passe-t-il ?

– Obéis, chérie. Prends-la avec toi.

Frank Rowley regarda Wendy se pencher pour débloquer la ceinture de sécurité et sortir Tara de la voiture. Ce ne fut pas facile. La petite se débattait et sa mère eut toutes les peines du monde à la traîner jusqu'à la maison.

– Frank Rowley, vous êtes inculpé de fabrication et diffusion de matériel pornographique concernant des mineurs. En conséquence, nous allons saisir tous les ordinateurs, appareils photo, disques durs, cassettes et DVD en votre possession. Le procureur décidera ensuite au vu de votre dossier s'il convient de vous inculper également pour violence et abus sexuel sur mineurs.

– Je ne sais pas de quoi vous parlez. Je n'ai jamais touché cette enfant.

– Ce n'est pas d'elle qu'il est question, rétorqua Delorme en lui passant les menottes.

51

Cardinal attendait, toujours sur le qui-vive. Ce n'était sans doute rien ; les vieilles maisons craquent et grincent. Bell avait probablement pris la fuite, appelé un taxi pour filer à l'aéroport.

Un bruit de pas, indubitable cette fois.

Il traversa le hall à pas de loup, ouvrit la dernière porte du fond. Elle donnait sur un escalier en angle dont il distinguait le palier. Il s'y engagea comme précédemment, en longeant le bord près du mur. Au-delà du palier, l'obscurité était totale. Il respira un grand coup et pivota pour aborder la deuxième volée de marches, le canon du Beretta pointé vers le haut.

– Bonsoir, inspecteur. Je pensais bien que c'était vous.

Bell était assis sur la dernière marche, avec à la main un pistolet automatique – un Luger, autant que puisse en juger Cardinal – qu'il braquait sur la poitrine du policier.

Quelques semaines plus tôt, Cardinal aurait sûrement tremblé à la vue du médecin qui le tenait en joue, mais à cet instant, debout sur le palier où il se tenait face à lui, un peu en contrebas, il sut qu'il allait jouer son va-tout et que le reste lui importait peu.

– Quoi que vous en pensiez, j'ai un très net avantage sur vous, dit-il froidement.

– Pourquoi ? Parce que cela vous est égal de mourir ? Je peux vous assurer que j'en suis exactement au même point. Moi aussi, j'ai perdu ma femme.

– « Perdue », quel euphémisme ! Vous l'avez tuée parce qu'elle a osé toucher à ces trophées que vous accumulez depuis des années. La collection de médailles de vos triomphes, de vos victoires.

– Vous parlez de mes disques ? N'importe qui d'un peu intelligent comprendra tout de suite l'intérêt pédagogique de ces enregistrements.

– Vous n'enseignez pas, que je sache.

– Je m'instruis, inspecteur. Nous sommes quelques-uns, de par le monde, à continuer jour après jour à nous instruire en tirant les leçons de nos cas cliniques les plus difficiles.

– Les plus jubilatoires, surtout. Vous contempler vous-même dans votre double rôle, celui du médecin qui prétend aider ses patients alors qu'il les encourage à se suicider, quelle jouissance, n'est-ce pas ?

– C'est un travail de clarification. En renvoyant le patient à sa vérité, je lui donne la possibilité d'agir sur lui-même. De nouvelles options se présentent. Il arrive que certains trouvent des solutions viables pour alléger leur souffrance, et ils s'en portent mieux même s'ils n'atteignent pas la félicité. D'autres trouvent préférable de se tuer, et c'est leur droit le plus strict.

– Ces enregistrements montrent clairement la façon dont vous orientez leur choix en insistant sur les sentiments les plus négatifs, sur les pensées les plus noires. Vous leur forcez la main quand vous leur demandez de rédiger une lettre d'adieu. Aussi explicitement que si vous leur disiez, regardons les choses en face et mettons les points sur les *i*, arrêtez de piétiner, franchissez-le, ce pas, et pensez à toutes les retombées positives : vous ne souffrirez plus, vous cesserez d'être un fardeau pour vos proches.

– Se soucier de soi et se soucier des autres sont deux préoccupations légitimes.

– Et vous faites en sorte qu'ils aient une provision de somnifères suffisante au cas où ils seraient trop douillets pour supporter la vue du sang ou...

– Ou quoi ? La peur d'être défiguré ? Effectivement, ceux qui se jettent dans le vide sont rarement beaux à voir, je ne vous apprends rien.

L'index de Cardinal se crispa sur la détente du Beretta.

– Ou bien, autre méthode, vous les mettez sous antidépresseurs, et tout à coup, comme ça, vous changez le produit ou vous arrêtez complètement le traitement. Très efficace pour déstabiliser les gens.

– Si je poussais tous mes patients à se suicider, je n'aurais plus de clientèle, inspecteur. Si vraiment mes patients allaient de plus en plus mal, ils ne reviendraient pas chez moi.

– Ils ne reviennent pas. Ils meurent.

– C'est merveilleux ! Sherlock Holmes découvre la vérité sur la dépression : les grands dépressifs se tuent. Quel scoop !

– Ceux que vous suivez se tuent. Forcés et contraints.

Bell leva le canon du Luger pour le viser à la tête. Cardinal se mit en position de tir et ajusta sa cible.

– Si je vous tuais, là, tout de suite, ce serait de la légitime défense, dit-il. Je n'aurais même pas besoin de mentir.

– Allez-y, tirez.

La main qui tenait l'arme tremblait légèrement. Cardinal s'en fichait. Il avait l'impression d'être arraché à lui-même et il contemplait la colère qui l'incendiait comme s'il avait observé un feu de forêt depuis un hélicoptère.

– Vous voulez me tuer, allez-y, reprit Bell sur un ton provocant.

– Vous voulez que je vous tue, nuance. Un suicide assisté, comme vous les aimez tant, car finalement tout se résume à cela. J'ai lu un de vos livres, celui où vous racontez que vos deux parents se sont tués. Je veux bien croire que c'est une raison suffisante pour se spécialiser dans le traitement de la dépression. Je crois surtout que c'est une bonne raison de haïr les dépressifs, et une excellente raison de souhaiter sa propre mort.

– Encore une chose que vous avez apprise en me lisant. Le gène du suicide, pour aller vite.

– Vous avez longtemps voulu vous tuer, mais contrairement à vos patients vous n'avez pas réussi à sauter le pas. Vous le dites, dans ce bouquin : certains ont besoin de vivre auprès de gens capables de se tuer. Vous avez besoin qu'ils se tuent pour vous. Vous les manipulez en prétendant les aider, mais ce faisant c'est vous que vous essayez d'aider : à aller au bout de ce suicide que vous avez toujours voulu commettre, mais sans avoir le cran de passer à l'acte. Vous saviez déjà tout cela quand vous avez décidé de devenir psychiatre ?

– Quel est votre niveau d'études, inspecteur ? Bac moins deux ? Vous imaginez vraiment que vous pouvez analyser ce que je suis ?

– Vous faites ça très bien tout seul. Pourquoi, sinon, auriez-vous consacré votre vie à des gens que vous détestez visiblement ? Cela n'a d'ailleurs pas dû être facile d'entretenir jour après jour, des années durant, cette façade de bon docteur attentif et dévoué.

– Vous ne savez rien de la population que je traite. La lie de l'humanité, des rebuts, des pleurnichards inutiles au dernier degré, égoïstes au dernier degré. Ils ne pensent qu'à leurs petits malheurs, il n'y a de place pour personne d'autre qu'eux dans leurs existences misérables. Des parasites.

– Quel effet ça vous fait, docteur, pour reprendre votre question préférée ? Quel effet ça vous fait quand ils finissent par se tuer, ces pleurnichards, ces parasites ? Ça doit être...

– Merveilleux, le coupa Bell. Il n'y a rien qui ressemble à ça. Je suis incapable de vous le décrire. C'est
plus fort que le sexe. Plus fort que l'héroïne. J'adore,
vraiment. Alors, vous ne me tuez pas ?

– Et pour ceux qui vous résistent ? poursuivit Cardinal. Ceux qui comme Catherine...

– Ce n'est pas ma faute si elle n'a pas compris. Elle
n'aspirait qu'au suicide mais elle ne voulait pas l'admettre. Combien de fois aurait-il encore fallu l'hospitaliser
avant qu'elle saisisse enfin ?

– Ça a dû être très... désagréable pour vous. Extrêmement, ah, comment dire... frustrant ? (Bell le toisait
avec un mépris souverain.) Rageant ?

– Vous ne savez rien de moi, dit sèchement le
médecin. Personne ne sait qui je suis.

– À Manchester, on en a déjà une petite idée.
L'ouverture de l'enquête va largement la préciser.

– Vous croyez ?

– J'en suis sûr. De même que je sais avec certitude
que vous avez tué Catherine. Parce qu'elle n'avait pas
compris, en effet. Elle n'avait pas compris que son thérapeute voulait qu'elle se suicide. La résistance qu'elle
vous opposait sans le savoir, son refus énergique de se
donner la mort vous imposaient de la tuer pour mettre
fin à une situation intolérable pour vous.

– Cela vous arrange de penser cela. Si elle s'est
suicidée, quel rôle est-ce que cela vous laisse ? À quoi
est-il réduit, le fier inspecteur, le preux chevalier qui n'a
pas su sauver sa propre épouse ? La femme qui ne supportait plus de vivre avec lui, qui le haïssait si farouche-
ment qu'elle a préféré sacrifier sa vie plutôt que de la
passer à son côté ? Ça, c'est vraiment intolérable, n'est-ce
pas, inspecteur ? Évidemment, que ça vous arrange de
croire que je l'ai assassinée.

– Je n'ai pas dit que je le croyais. Je le sais avec
certitude.

Cardinal plongea la main dans sa poche pour en sortir un petit sachet en plastique qu'il brandit à bout de bras.

– Et alors ? demanda Bell. Qu'est-ce que c'est ?

– Une puce électronique, docteur. Celle de l'appareil photo de Catherine.

– En quoi est-ce que ça m'intéresse ?

– Elle vous a tiré le portrait sur la terrasse de l'immeuble. C'était instinctif, chez elle. Elle photographiait tout ce qui bougeait. Elle était très timide, en réalité, alors elle s'abritait derrière son appareil. Vous saviez qu'elle vous avait pris en photo, et comme vous êtes un homme prudent vous avez subtilisé l'appareil en partant. Vous êtes allé à l'endroit où elle était tombée et vous vous êtes baissé pour le ramasser. Sur le moment, vous étiez sans doute trop excité pour remarquer qu'il s'était ouvert et que la puce n'y était plus. Vous avez dû être affreusement déçu quand vous vous êtes rendu compte qu'il n'y avait rien dedans. J'aurais vraiment aimé voir votre réaction. Ça devait être quelque chose. Plus fort que l'héroïne, c'est sûr. Enfin, bref, j'ai pu voir ce que contient cette puce et je peux vous affirmer que votre vie est fichue.

– Elle était atteinte de trouble bipolaire de l'humeur, inspecteur. Depuis des dizaines d'années. Combien de séjours en HP est-ce que ça représente au total ? Quinze ? Vingt ?

– Je n'ai pas compté.

– Elle se serait tuée tôt ou tard.

– Ça, c'est ce que vous vous dites pour vous endormir le soir.

– Allez-y, alors. Tirez-moi dessus.

– Vous voulez vraiment ?

– Allez-y. Je n'ai pas peur.

– Désolé, docteur, mais vous ne trouverez personne pour le faire à votre place. Il va falloir vous débrouiller tout seul.

Cardinal abaissa le canon du Beretta pour le pointer vers le sol. La main qui tenait le Luger grelottait.

– Je vais vous abattre, Cardinal. Vous savez que j'en suis capable.

– Peut-être, mais vous n'en avez pas envie. Je ne suis pas un de vos patients, un de ces parasites pleurnichards comme vous les décrivez avec tant de compassion. Me tuer n'allégera pas votre souffrance.

Dans une saccade, un mouvement de marionnette brusquement actionnée, Bell replia l'avant-bras pour diriger le Luger vers sa tempe.

– Depuis le temps que vous en rêviez, vous allez peut-être enfin y arriver, déclara Cardinal.

Des gouttes de sueur se formaient sur le front du médecin. Il ferma les yeux en serrant les paupières. Une larme solitaire roula le long de sa joue avant de se perdre dans sa barbe.

– Courage, docteur. Vous n'avez sûrement pas envie de passer le restant de vos jours en prison.

Il tremblait de tous ses membres, à présent ; il transpirait d'abondance, le visage cramoisi.

– Vous en êtes incapable, c'est évident.

Bell grommela des paroles indistinctes pendant que le Luger tombait à ses pieds et rebondissait de marche en marche. Cardinal s'en empara.

– Il me semble que nous avons fait du bon travail, aujourd'hui, docteur. J'oserais dire que nous sommes allés au fond des choses et que nous avons bien cerné le problème. Vous aurez tout loisir d'y réfléchir à Kingston, pendant les vingt ans à venir.

52

L'automne finissant prend les couleurs pâles de l'hiver. Mi-novembre, déjà, et il ne reste plus une feuille aux arbres. Les rameaux se recroquevillent sur eux-mêmes, les branches nues sont noires sur le fond blanc des nuages. Les feuilles mortes se sont accumulées au bord des routes et dans les caniveaux, autour des porches et devant les garages. Elles s'amoncellent sur les terrasses, sur les voitures, sur les appuis de fenêtre. Il a plu, et les pelouses ne sont plus couvertes de leur édredon multicolore. Les feuilles se plaquent en épais collages irréguliers sur les trottoirs, dans les allées, jusque dans les jantes des véhicules d'Algonquin Bay.

La température a chuté et John Cardinal a ressorti son gros manteau en cuir doublé de simili fourrure. Après les splendeurs d'octobre, novembre est revêche et maussade. La beauté ravissante a laissé place à la vieille grincheuse. Encore une ou deux semaines, et le manteau en cuir sera remplacé par la parka qui descend jusqu'aux pieds, celle que Catherine surnommait le Nanook intégral.

Cardinal rentre d'une promenade matinale sur le sentier balisé qui suit la colline, derrière chez lui, un tour qu'il faisait souvent avec sa femme. Tout à l'heure, Delorme l'a appelé. Une fois de plus elle s'est répandue en excuses pour ne pas l'avoir suivi, à propos de Catherine, et puis elle lui a annoncé que Melanie Greene était sortie de l'hôpital et vivait à nouveau chez sa mère. Son nouveau thérapeute est optimiste.

M. et Mme Walcott font la promenade en sens inverse pour sortir leur horrible chien. En apercevant Cardinal, ils arrêtent de se chamailler par respect pour son deuil.

– Il paraît qu'il va neiger, lance Mme Walcott.

Cardinal agite une main fataliste et s'engage dans la montée qui conduit chez lui. Derrière les odeurs de feu de bois et de bacon grillé, ça sent la neige en effet. On l'annonce depuis une bonne semaine. Elle arrive tard, cette année.

Il accroche son manteau à la patère, dans l'entrée, et se baisse pour dénouer les lacets de ses bottillons. Il a du mal, ils sont mouillés. Le téléphone se met à sonner dans la cuisine alors qu'il n'est qu'à moitié déchaussé, et, clopin-clopant, il se précipite dans la pièce.

La seule personne au monde avec qui il avait envie de parler, et elle l'appelle !

– Kelly ? Comment vas-tu ? Tu t'es levée bien tôt, dis-moi !

– J'ai eu ton message, mais je suis rentrée trop tard pour te rappeler hier soir.

Cardinal extirpe tant bien que mal son pied de la chaussure et part au salon poursuivre cette conversation. La ligne est assez mauvaise, il y a des crépitements gênants, mais tant pis. Au moins il peut s'installer dans son fauteuil préféré pour raconter à sa fille que la caution de Frederick Bell est tellement élevée que le médecin restera forcément en prison en attendant son procès pour meurtre au premier degré.

Il a dit ce qu'il avait à dire et il l'entend qui pleure, et le bruit des sanglots amplifie celui des grésillements qui brouillent la liaison avec New York. Kelly a appris très récemment que la mort de sa mère n'était pas un suicide mais un meurtre, et elle n'a pas encore procédé à l'ajustement psychologique qu'impose la nouvelle réalité. De toute façon, songe Cardinal, dans un cas comme dans l'autre, c'est horrible. Il aimerait que Kelly soit là, avec lui, pour la prendre dans ses bras et lui dire ça va aller, ça finira par aller mieux, même si ce n'est pas vrai et ne le sera jamais.

    – Kelly ?

Le silence, au bout de la ligne. Plus de sanglots et, curieusement, pas non plus de grésillements.

    – Kelly ?

Pas de tonalité. Ils ont été coupés.

Cardinal rappelle aussitôt le numéro enregistré en mémoire, mais ça sonne occupé.

Dehors, il neige à petits flocons qui tombent à verse comme la pluie, en diagonale. Si Catherine était là, elle serait déjà allée chercher ses appareils et elle enfilerait ses bottes. Elle sortait toujours prendre des photos de la première neige, même si elle se moquait de leur « esthétique de calendrier ». Intrigué par le trottinement qu'il vient d'entendre sur le toit, Cardinal se lève sans lâcher le téléphone. Il passe par la porte de derrière et surprend un écureuil à grignoter le revêtement isolant d'une gaine de climatisation.

    – Dégage, lui ordonne-t-il, mais la bestiole se contente de l'observer du coin de l'œil, un œil tout noir et très brillant.

Les flocons fondent au fur et à mesure sur ses oreilles et sur sa queue.

Cardinal lève le bras comme pour lui jeter le téléphone, et cette fois l'écureuil détale ; une griffure sombre à la surface des feuilles et le silence retombe, presque total, à peine troublé par le bruissement du vent dans les bouleaux et le pétillement très doux des flocons sur les feuilles brunes.

Le téléphone qu'il tient toujours à la main se remet à sonner. Cardinal répond. La liaison avec New York est rétablie.

Remerciements

Je tiens à remercier Greg Dawson, du Centre de sciences forensiques, pour ses explications détaillées sur les précautions à prendre lors de la manipulation de documents suspects.

Je remercie également, une fois encore, le sergent chef Rick Sapinski, qui goûte une retraite méritée après son service dans la police de North Bay et qui m'a appris tout ce que je sais des procédures policières. Si les pages qui suivent contiennent des inexactitudes, ce n'est pas parce qu'il a manqué de patience et de générosité à mon égard.

Composition réalisée par PCA

Impression réalisée sur CAMERON
par BRODARD ET TAUPIN
La Flèche
en septembre 2008

Pour l'éditeur, le principe est d'utiliser des papiers composés de fibres naturelles, renouvelables, recyclables et fabriquées à partir de bois issus de forêts qui adoptent un système d'aménagement durable.
En outre, l'éditeur attend de ses fournisseurs de papier qu'ils s'inscrivent dans une démarche de certification environnementale reconnue.

Dépôt légal : septembre 2008
N° d'édition : 01
N° d'impression : 49414
Imprimé en France